Rainer N
Heinrich Böll. Einführung

Fischer Athenäum Taschenbücher
Literaturwissenschaft

Lektorat/Redaktion:

Eduard Schönstedt

Rainer Nägele

Heinrich Böll

Einführung in das Werk und in die Forschung

Athenäum Fischer Taschenbuch Verlag

Athenäum Fischer Taschenbuch Verlag GmbH & Co., Frankfurt am Main
Alle Rechte vorbehalten
© 1976 by Athenäum Fischer Taschenbuch Verlag GmbH & Co.,
Frankfurt am Main
Printed in Germany
Umschlagentwurf Endrikat + Wenn, Aachen
Satzherstellung Reiner Harbering, Raunheim
Druck und Bindearbeit Clausen & Bosse, Leck (Schleswig)
ISBN 3-8072-2084-4

Inhaltsverzeichnis

FÜR TRINA

Verse vom Unterschied der Geschmäcker

Das Roß
        gewahrt ein Kamel
                 und erklärt:
„Welch drastische
              Spottgeburt
                   von Pferd!"
Das Kamel
        entgegnet:
                „Was stellst du dar?
Nur ein
        unterentwickeltes
              Dromedar!"
Da wußte
        nur Gott
              im grauseidnen Bart:
es war halt
        Getier
           von verschiedener Art.

(Majakowski)

„Umstritten zu sein ist freilich meiner Meinung nach der einzig mögliche Status eines Autors, mag ihn der Streit auch gelegentlich ärgern."

(Heinrich Böll)

Verzeichnis der Abkürzungen

Folgende Werke Bölls werden im Text abgekürzt mit jeweils folgenden Seitenangaben zitiert:

W
Wanderer, kommst du nach Spa ..., München: Deutscher Taschenbuch Verlag 1967 (dtv 437)

FV
Frankfurter Vorlesungen (sonderreihe dtv 68)

H
Hierzulande. Aufsätze zur Zeit (sonderreihe dtv 11)

AKR I und II
Aufsätze. Kritiken. Reden (dtv 616 und 617)

NS
Neue politische und literarische Schriften, Köln: Kiepenheuer & Witsch 1973.

E
Erzählungen 1950–1970, Köln: Kiepenheuer & Witsch 1972

0 Methodologischer Ansatz und Aufbau
des Buches

Schon vor der Verleihung des Nobelpreises gehörte Böll zu den prominentesten Autoren der Bundesrepublik. Diese Prominenz ist aber nicht ungetrübt von Zweifeln. Gerade der Nobelpreis hatte kritische Reaktionen provoziert, zwar teils bedingt von politischen Ressentiments, teils aber einem Unbehagen an Bölls künstlerischen Fähigkeiten entsprungen. Man anerkennt die menschliche Integrität, das moralische Engagement, auch noch die Fähigkeit, ‚lebensechte' Figuren zu schaffen, fragt sich dann aber, ist das alles mehr als gut gemeint?[1] Von Karl Kraus stammt das Bonmot, Kunst komme von Können, käme es von Wollen, hieße es Wulst. Schreibt Böll Kunst oder Wulst?

Eine solche Frage ist nicht ohne Hinterlist für den Fragenden. Denn wo er mit moralischen und ideologischen Inhalten sich im Gleichklang findet, stellen die richtigen ästhetischen Kategorien sich rechtzeitig ein. Es ist nicht einmal böser Wille vorauszusetzen, leicht glaubt man mit bestem Gewissen an die eigenen ästhetischen Prinzipien, frei von allen ideologischen Tendenzen. Besser ist aber eine Kritik, die ihre ideologischen Vorbedingungen mitreflektiert, als manche jener Produkte, die mit ‚objektiven' ästhetischen Kategorien und feinfühlig beschworener Textimmanenz ideologische Schleichwerbung treiben. Böll hat sich über eine Kritik ohne einsehbare Maßstäbe beklagt: „Es gibt wenige Kritiker — im Augenblick kenne ich fast gar keinen —, dessen Maßstab ich kenne oder der ihn mir bekannt gäbe." Und er folgert daraus: „insofern ist die marxistische Kritik für mich die interessanteste" (L 7, 29).[2] Böll legt hier den Finger auf wunde Stellen der Kritik, der es zwar nicht so sehr an Prinzipien, desto mehr an kritisch reflektierten Prinzipien fehlt. Und so ist das folgende nicht nur eine Frage nach Kunst oder Wulst bei Böll, sondern ebenso nach dem Stand des kritischen Bewußtseins, sei es der sogenannten Tages- oder Feuilletonkritik, sei es der akademischen.

Es kann hier nicht darum gehen, ein endgültiges Urteil über den Schriftsteller Böll zu fällen. Ein solches Ziel wäre einem zeitgenössischen Schriftsteller gegenüber unangebracht und jedem künstlerischen Produkt gegenüber methodisch fragwürdig. Denn der künstlerische Wert — und damit lege ich meine erste Prämisse offen — ist nicht ein abstraktes An-sich, sondern eine im gesellschaftlichen Rezeptionsraum sich formende Qualität. Diesen Rezeptionsraum, wie er sich jetzt um Bölls Werk geformt hat, zunächst einmal deskriptiv zu erfassen, ist das erste Ziel dieser Arbeit. Das heißt, es ist einmal eine Materialiensammlung, die als Basis für eine kritische Wertung Bölls dienen soll. Es ist zweitens aber

Die Anmerkungen erscheinen jeweils am Ende eines Kapitels.

auch ein Versuch, darüber hinaus jeweils die kritischen Prämissen, Voraussetzungen und Bedingungen zu analysieren, die die Rezeption konstituierten. Das bedingt, drittens, eine kritische Auseinandersetzung mit der Kritik. Wenn diese Auseinandersetzung manchmal *cum ira et studio* geführt wird, sollen doch immer kritischer Zorn und Eifer begründet und die eigenen Kriterien dem Leser zur Prüfung vorgelegt werden. Kritik sollte eine genußreiche Einübung in die Mündigkeit sein, ihre größten Feinde sind genügsame Erbaulichkeit, ein Sensitivitätskult, der sich als apodiktische Kritik äußert, und raunende Dunkelheit, die sich als Tiefe gibt, indem sie rationale Klarheit als Untiefe denunziert. Es gilt für die Kritik, was Hegel von der Philosophie verlangte: ,,Wer nur Erbauung sucht, wer die irdische Mannigfaltigkeit seines Daseins und des Gedankens in Nebel einzuhüllen und nach dem unbestimmten Genusse dieser unbestimmten Göttlichkeit verlangt, mag zusehen, wo er dies findet; er wird leicht selbst sich etwas vorzuschwärmen und damit sich aufzuspreizen die Mittel finden. [...] Noch weniger muß diese Genügsamkeit, die auf die Wissenschaft Verzicht tut, darauf Anspruch machen, daß solche Begeisterung und Trübheit etwas Höheres sei als die Wissenschaft. [...] Die Kraft des Geistes ist so groß als ihre Äußerung, seine Tiefe nur so tief, als er in seiner Auslegung sich auszubreiten und sich zu verlieren getraut".[3]

Der Rezeptionsraum ist bestimmt durch das Werk und seine Rezipienten. Diese beiden Aspekte werden zunächst in zwei Übersichtskapiteln [1.1 und 1.2] skizziert. In der *Werkgeschichte* geht es hauptsächlich darum, den Kontext abzustecken. Kontext umfaßt hier biographische, gesellschaftliche, politische und literarhistorische Phänomene, die das Werk Bölls mit konstituiert haben, und deren Erfassen gleichzeitig ein kritisches Koordinatensystem zur Verfügung stellt, innerhalb dessen Bölls Werk zu lokalisieren ist. Um aber Mißverständnissen vorzubeugen: nicht ,Schubladen' oder Zettelkasten sollen aufgestellt werden, in denen historische Phänomene statisch fixiert und so der Erkenntnis eher entzogen als offengelegt werden. Um eine räumliche Metapher zu verwenden: die Wahrnehmung eines Gegenstandes ist bestimmt von seiner Umwelt, zu der er gehört und von der er sich abhebt. Der Kontext legt Bedingungen und Motivationen offen und erlaubt gleichzeitig ein kritisches Unterscheiden. Das Werk erhält seine Bestimmtheit nicht nur aus seinen positiv gegebenen Strukturen, es gewinnt sie ebenso aus der Negation vorhandener Möglichkeiten. Der Kontext schafft so wesentliche Voraussetzung für Kritik, insofern Kritik Unterscheiden ist. Der Anlage dieses Buchs entsprechend kann es sich hier nur um eine Skizze handeln, in der eine Auswahl einiger für wesentlich gehaltener Aspekte notwendig war.

Das zweite Übersichtskapitel [1.2] versucht einen historischen Abriß des *Rezeptionsverlaufs* und bereitet den Hauptteil vor, der die Rezeption systematisch gliedert. Der Rezeptionsverlauf bildet selbst wieder Kontext des Werkes und ist gleichzeitig von diesem Kontext bestimmt. Einbezogen werden sowohl die Kritik als auch die wissenschaftliche Auseinandersetzung mit dem Werk Bölls. So berechtigt die Unterscheidung zu einem gewissen Grad sein kann, ist sie doch in mancher Hinsicht fragwürdig.[4] Gehört, um nur ein Beispiel zu nennen, Durzaks Aufsatz über *Gruppenbild mit Dame* zur Kritik, oder gehört er zur wissenschaftlichen Rezeption? Deutschland gilt im allgemeinen nicht gerade als das Land der großen Kritiker. Immerhin ist es nicht ohne Tradition in dieser Hinsicht. Es gibt stattliche Namen von Lessing bis zu Hans Mayer, und die Öffnung der Germanistik in den letzten Jahren zu einer kritischen Auseinandersetzung mit der Gegenwartsliteratur läßt hoffen, daß die Tradition der Ausnahmen zur Regel wird. Große Kritik hat sich immer ausgezeichnet durch reflektierte kritische Maßstäbe; sie trägt zum ästhetischen Erkenntnisprozeß bei und ist deshalb mehr als bloßes Dokument einer historischen Sensitivität. Schlechte Kritik ist nur das letztere. Gute Kritik zeichnet sich auch dadurch aus, daß sie jeweils ihre eigenen Resultate mit anderen vergleicht. Schlechte Kritik gibt sich zu erkennen, indem sie ihre Augenblicksreaktionen als Maßstäbe setzt und womöglich noch nach Jahren gesammelt und natürlich unverändert in Buchform erscheint. Andererseits wäre es natürlich naiv, alles was in Fachzeitschriften publiziert wird, als wissenschaftlich zu bezeichnen. Die Literaturwissenschaft hat es schwer genug, von ihrem Objekt her sich als Wissenschaft zu behaupten. Die vielen beliebigen Vermehrer der Sekundärliteratur machen ihr diese Rechtfertigung nicht leichter.

Kritik und Literaturwissenschaft haben ihre Schranken und Bedingungen im historischen Kontext. Diese Bedingtheit soll vor allem durch den historischen Abriß etwas ausgeleuchtet werden. Der *systematische* Teil [2.1 und 2.2] konzentriert sich dann mehr auf die immanenten kritischen Maßstäbe und Methoden. Gleichzeitig sollte aus der gesamten Behandlung des Rezeptionsraums ein vorläufiger Begriff von Bölls Werk entstehen. Seine Qualität soll sich nicht zuletzt an dem zeigen, was es provoziert. Auch die Widersprüche in der Rezeption gehören dazu. Dabei ist allerdings zu unterscheiden zwischen Widersprüchen, die im Werk und seinem Kontext begründet sind, und solchen, die bloß der kritischen Schwäche entspringen. Selbstverständlich sind die letzteren für die Erkenntnis des Werks irrelevant.

Die Sekundärliteratur zu Böll hat unterdessen schon beträchtliche Ausmaße gewonnen, ist aber immerhin noch übersehbar. Eine Auswahl war trotzdem zu treffen, vor allem unter den zahlreichen Rezensionen. Die Auswahl versucht aber, die repräsentativen Tendenzen festzuhalten; ausgelassen wurden deshalb vor allem Wiederholungen oder Beiträge, die kaum über Inhaltsreferate hinausgehen. Allerdings werden Wiederholungen da nicht immer vermieden, wo sie repräsentative Tendenzen der Kritik belegen und gleichzeitig wichtige Aspekte von Bölls Werk hervorheben.

Es ist die erste Aufgabe dieses Buches, die vorhandene Rezeption aufzuzeichnen. Damit wird es aber selbst Teil der Rezeptionsgeschichte. Es ist zwar nicht sein unmittelbares Ziel, eine eigene Böll-Interpretation zu liefern; indem es aber eine kritische Auseinandersetzung mit vorhandenen Interpretationen ist, impliziert es auch eigene Positionen. In manchen Fällen, wo es mir schien, daß gewisse Aspekte in der Kritik nicht oder zuwenig hervortraten, entstanden auch explizit interpretatorische Exkurse. Schließlich ist das letzte Kapitel [3] ein Versuch, über die bloße Zusammenfassung hinaus die Perspektive zu erweitern und Anregungen für die weitere Böll-Forschung zu geben.

Wer anderen gegenüber hohe kritische Ansprüche stellt, setzt sich als Autor natürlich ins Glashaus. Das Risiko, darin zu leben, muß eingehen, wer die Verantwortung zu schreiben auf sich nimmt.

Anmerkungen

1 Böll selbst hat sich schon 1963 eindeutig gegen ‚Gesinnungs‘-Literatur gewandt. Vgl. dazu den Aufsatz „Gesinnung gibt es immer gratis" (AKR I, 136–139).

2 Böll kritisierte deshalb auch Reich-Ranicki: „Es fällt mir auf, daß Reich-Ranicki in seinem kleinen Vorwort unter anderem von Ordnen, Werten, Postulieren spricht, seine Wertmaßstäbe, Ordnungen, Postulate aber nicht nennt" (AKR II, 47). – In dem offenen Brief an Msgr. Erich Klausener spricht Böll davon, im Text „eine besondere Art Stacheldraht auszulegen, für Kritiker und Leser bestimmt, die nicht urteilen, sondern vorurteilen. Er braucht dann nachher nur die Stoffetzen einzusammeln, sie aufzukleben und mit einem intelligenten, kriminalistisch geschulten Schneider deren Klassifizierung vorzunehmen. Es ist erstaunlich, wie leicht ein wirklich intelligenter und erfahrener Schneider zu bestimmen weiß, welche Fetzen von einer Atheistenhose, welche von der eines atheistischen Links-, eines gläubigen Rechts-, eines gläubigen Links-, eines atheistischen Rechtsintellektuellen stammen [...]" (AKR I, 128).

3 G. W. F. Hegel, *Werke in 20 Bänden*, Band 3: Phänomenologie des Geistes, Frankfurt a. M.: Suhrkamp 1970, S. 17 f.

4 Ein Versuch, die Gebiete zu trennen, findet sich in dem Buch von Horst S. Daemmrich, *Literaturkritik in Theorie und Praxis*, Bern: Francke 1974 (UTB 311); vgl. vor allem das Schema S. 11 f.

1 Historischer Teil:
Böll 1945–1975

1.1 Böll im Kontext:
Nachkriegsgeschichte und Literaturproduktion

In seiner Flaubert-Analyse entwickelte Jean-Paul Sartre ein Interpreta-
tionsmodell, das die Wechselbeziehungen zwischen dem literarischen
Werk und seiner geschichtlichen Basis nicht nur behauptet, sondern
versucht, die Entstehung und Bedingungen einer solchen Wechselseitig-
keit zu begründen.[1] Sartre nannte sein Verfahren „Approximations-
methode" und definierte sie als ein „bereicherndes Hin-und-Her zwischen dem Objekt (das die ganze Epoche als systematisch gegliederte
Bedeutungsmannigfaltigkeit birgt) und der Epoche (die das Objekt in
seiner Totalisierung enthält)" (S. 302). Als Ansatz zu einer solchen Ap-
proximationsmethode sei dieses Kapitel verstanden.

Allerdings hatte Sartre in Flaubert einige Vorteile, die uns bei Böll
abgehen; dazu gehört vor allem das Untersuchungsmaterial. Im Falle
Flauberts liegen reiche biographische Materialien vor, die für Böll noch
weitgehend fehlen. Nun geht es zwar nicht um einen primitiven Biogra-
phismus, der, um einen paradigmatischen Fall zu zitieren, etwa im
Werther nach dem Anteil der wirklichen Lotte sucht, sondern darum,
möglichst an die Wurzeln des Vermittlungsprozesses zwischen dem im
Werk sich objektivierenden privaten Bewußtsein und seiner Repräsen-
tationsfähigkeit. Daß dieser Prozeß in den ersten Jahren der Kindheit
ansetzt, und dort wahrscheinlich am intensivsten, ist eine, wenn nicht
bewiesene, so doch durch reiches soziologisches wie psychologisches
Erfahrungsmaterial stark fundierte Hypothese. Einleuchtend ist daher
ein Satz wie „Er [Flaubert] gehört dem Bürgertum *an*, weil er *ihm* entstammt, d. h. weil er in einer *schon bürgerlichen* Familie zur Welt gekommen ist ..." (S. 292). In dieser Ausgangssituation werden Perspektiven, wenn man will ‚Strukturen', geprägt, die auf weiteres die Reak-
tionsweisen des Subjekts auf seine Welt mitbestimmen. Nicht daß es
damit völlig determiniert wäre, jede Erfahrung prägt neue Modifikationen, aber die möglichen Modifikationen selbst sind nicht unabhängig
von den anfangs vermittelten Perspektiven. Das Bewußtsein widerspie-
gelt nicht einfach seine Gegenwart, seine Vergangenheit spielt mit.

Suchen wir in diesem Sinn nach der Ausgangssituation bei Böll,
sind wir fast ganz auf die kurze autobiographische Skizze „Über mich
selbst" (H, 7–9)[2] angewiesen. Solche Rückblicke sind notwendig immer geprägt von der augenblicklichen Situation des sich erinnernden
Subjektes, das in diesem Fall noch rigoros die Erinnerung zu einigen
wenigen typisierten Situationen kondensiert. Immerhin erfahren wir
so, was Böll selbst für typisch hält. Wenig erfährt man über die Atmo-

sphäre des Elternhauses in Köln, wo Böll als achtes Kind eines Schreiner-
meisters geboren wurde. Was Böll emphatisch akzentuiert, ist eine
leicht anti-autoritäre Haltung sowohl seines Vaters als auch der Vaterstadt, von der es heißt, weder weltliche noch kirchliche Macht habe
man hier zu ernst genommen. Der abgedankte Kaiser wird vom Vater
als kaiserlicher Narr bezeichnet. Die Auswahl will hier offensichtlich
die eigene Position an die Kindheitsatmosphäre anknüpfen. Es gibt
keinen Grund, an der Anekdote über den Vater zu zweifeln; Vorsicht
ist eher geboten, wenn diese Atmosphäre auf die Stadt hin verallgemeinert wird. Zu leicht hat man bisher in der Böll-Literatur diese Charakterisierung Kölns übernommen.

Kein Zweifel: Köln hat den Schriftsteller Böll in mancher Hinsicht
geprägt. Faßbar ist dabei zunächst weniger die Stadt und ihre Geschichte selbst als Bölls Konzept von ihr. (Eine historische Untersuchung,
die die Geschichte der Stadt mit Bölls Vorstellung davon konfrontiert,
steht noch aus). Sein Konzept ist mehrschichtig: atmosphärisch (mit
dem Rhein im Zentrum), anekdotisch (Erinnerungen an Umzüge, Spiele
auf Straßen), politisch-gesellschaftlich (das leicht rebellische Köln,
aber auch die politische Provinz; erste Erfahrung von Klassengegensät-
zen unter den spielenden Kindern).

Atmosphärisches als emotionale Aura der Erfahrung darf bei einem
Erzähler nicht unterschlagen werden, wenigstens nicht bei einem Er-
zähler wie Böll, dessen Erzählmodus noch stark von der Tradition
des 19. Jahrhunderts geprägt ist. Die Aura spielt hier eine wesentliche
Rolle, wie zu zeigen sein wird, sogar eine argumentative. Noch vor der
Distanz zur Macht betont Böll ein Abweichen vom Klischee rheinischer
Fröhlichkeit. Köln liegt da, ,,wo der Rhein, seiner mittelrheinischen
Lieblichkeit überdrüssig, breit wird, in die totale Ebene hinein auf die
Nebel der Nordsee zufließt ...'' (S. 7). In einem späteren Essay heißt
es: ,,Der Niederrhein, zwischen Bonn und Rotterdam, der am wenigsten
bekannte Rhein ist, auch nach Kilometern gemessen, keineswegs der
geringere. Sprache, Lebensgefühl, Humor nehmen unmerklich nieder-
ländische Züge an; Bier und Schnaps, die Getränke der Völker, denen
Nebel und Regen vertraut sind, beherrschen die Kneipen'' (H, 87 f.).
Und auch ,,Undines gewaltiger Vater'' (E, 189–192) skizziert eher
eine Aura der Schwermut als sonnige Fröhlichkeit. Es ist eine Aura,
die Bölls erzählte Welt fast immer begleitet. Vermutlich ist es aber
weniger der geographische Ausgangspunkt, der die Aura schafft,
als vorläufig noch unbestimmte Faktoren, die der Umwelt diese Aura
verliehen haben. Erst von der so erfahrenen Welt wirkt sie zurück auf
die geschriebene, die erzählte.

Konkrete Inhalte gewinnt die Aura aus gesellschaftlichen Erfahrungen. Das beginnt bei Kinderspielen: der Unterschied zwischen Bürger-
kindern und Arbeiterkindern z. B. Ist es Projektion vom gegenwärtigen
Standpunkt aus oder Wirklichkeit, wenn Böll sich als Bürgerkind lieber
mit Arbeiterkindern spielen sieht? Auf jeden Fall bleibt eine nostalgi-

sche Distanz, die übrigens bis heute, und gerade in den neuesten Werken Bölls, seine proletarischen Figuren kennzeichnet. Ob wirklich oder imaginiert: die Gemeinsamkeit nimmt ein Ende, wenn das Bürgerkind aufs Gymnasium geschickt wird. Immerhin bleibt das Bewußtsein, daß der nördliche Teil des Rheinlandes von mehr bestimmt ist als von vager Aura; hier befinden sich die großen Industriegebiete. Böll hat sie mehrfach und auf verschiedene Weise evoziert, beschrieben, auch reflektiert. Kennzeichnend dafür ist der Aufsatz „Im Ruhrgebiet" (1957/58 − AKR I, 9−36). Eine eigenartige Mischung von Gesellschaftskritik, politischen Problemen und Beschwörung ursprünglicher Unschuld äußert sich hier. „Fabriken und Industrieanlagen strömen eine saure Sentimentalität aus, es scheint, daß sie ihrem Wesen nach zum Pathos neigen, und dieses gewaltige Pathos, diese giftige Sentimentalität zieht sich aus Gründen nackter Nützlichkeit nahe der Eisenbahn hin". (S. 11) „Saure Sentimentalität" erinnert an eine Kategorie, die sich manchmal auch in Bölls Werk einschleicht: eine Aufmüpfigkeit aus einem Unbehagen, das sich nicht ganz artikulieren kann und im melancholischen Ärger steckenbleibt? Die Arbeitswelt erscheint ganz als anonymer Prozeß. Da „sitzen junge Männer in großen, hellen Hallen und beobachten Lichtsignale [...] Vielleicht sollte man sie Schalterbeobachter nennen." (S. 13) Der Anonymität des Prozesses entspricht die Anonymität der Macht: „Die Macht an der Ruhr ist nicht mehr in Namen ausdrückbar: Krupp, Thyssen, Haniel. Macht entsteht heute durch Konzentration verzwickter, undurchsichtiger Verwaltungsgebilde: hinter unschuldig lächelnden Angestellten wird heute Macht versteckt". (S. 34 f.) Die häufige Erzählperspektive Bölls, der Blick von unten, der Blick von jenen, die die Macht zwar spüren, denen sie aber undurchsichtig bleibt, ist hier auch die Perspektive des Essayisten. Solche Zusammenhänge müßten in die Diskussion gebracht werden, wo es um das Verhältnis von Autor und Erzähler geht, das gerade bei Böll sehr umstritten ist.

Der Blick von unten kennzeichnet auch die politische Perspektive. Böll selbst hat deutsche Politik in ihren dramatischsten Augenblicken miterlebt: die letzten Jahre des Ersten Weltkrieges, die Weimarer Republik, schließlich den deutschen Marsch in den Nationalsozialismus und die eigene erzwungene Teilnahme am Zweiten Weltkrieg. Das alles, ehe er als Schriftsteller in Erscheinung trat. Politische Erfahrung also in reichem Maße. Zwar mußte, wer in Köln aufwuchs, dieselbe Geschichte aus anderer Perspektive erfahren, als wer in Berlin oder München seine ersten Eindrücke erfuhr. Doch dürfte das nicht entscheidend sein. Politik wird zunächst auch in Hauptstädten unmittelbar erfahren, d. h. so wie Böll sie in seiner autobiographischen Skizze beschreibt: der Anblick trostlos heimkehrender Soldaten aus dem Ersten Weltkrieg, den Böll als früheste Erinnerung ansetzt, später die Inflation wieder als konkrete Erfahrung: 1 Billion Mark für eine Zuckerstange; dann rote Fahnen in den Arbeitervierteln, die aber bald wieder verschwanden, während „die Reichsmark floß" (H, 9). Was hier skizziert wird, ist die abstrakte Unmittelbarkeit, so konkret es sich gibt. Und wiederum ist es die Perspektive auch des Erzählers Böll bis auf lange Jahre hin.

Daß Köln Provinz war, ist, wie gesagt, nicht letztlich entscheidend für die politische Perspektive. Schwerer wog schon die gesellschaftliche Distanz, der distanzierte Blick aus dem bürgerlichen Fenster auf die Ereignisse; so hat die von Böll beschriebene Situation mehr als zufälligen Charakter: „vom Arm meiner Mutter aus blickte ich auf die Straße, wo die endlosen Kolonnen auf die Rheinbrücken zumarschierten; später: die Werkstatt meines Vaters: Holzgeruch, der Geruch von Leim, Schellack und Beize; der Anblick frisch gehobelter Bretter, das Hinterhaus einer Mietskaserne, in der die Werkstatt lag ...“ (H, 8). Die Metaphorik dieser Ausgangssituation fortgesetzt, hat Böll sich im Verlaufe seiner Entwicklung mehr und mehr selbst auf die Straße begeben, sich guten Willens engagiert, aber das Hinterhaus mit seinem Geruch von Holz, in anderen Worten: Köln als Provinz, die Idylle als Gegenposition, bleibt eine bald stärker, bald schwächer hervortretende Dimension seines Werks. Fast programmatisch wird sie in der frühen Erzählung „Wiedersehen in der Allee“ aufgenommen, wo der Erzähler im Schützengraben von seiner Zeit als Schreinerlehrling erzählt: „Du machst dir eine Zeichnung auf schönes Papier, richtest dein Holz zurecht, saubere, feingemaserte Bretter, die du liebevoll hobelst, während dir der Geruch von Holz in die Nase steigt“ (W, 100). Aufbewahrt bleibt im Werk Bölls das Hinterhaus als heile Welt der Provinz, wenn auch nicht ohne Risse, durch die allenthalben, um im Bild zu bleiben, der arge Wind der Welt pfeift.

Schließlich gehört zur Ausgangssituation der Katholizismus, dem Böll auf seine Weise treu geblieben ist. Die konkrete Auswirkung davon auf sein Werk ist später zu behandeln. Faßbar ist zunächst auch hier etwas Atmosphärisches, das zu schaffen die katholischen Rituale schon immer erfolgreich waren. Böll hat das einmal drastisch formuliert: „Ob je jemand begreifen wird, daß einer katholisch sein kann wie ein Neger Neger ist? Da nützen Fragen und Erklärungen wenig. Das geht nicht mehr von der Haut und nicht mehr aus der Wäsche“ (AKR I, 208). Noch abgefallene Katholiken wie James Joyce vermitteln die psychologische Aura katholischer Kindheit. Bei Böll wirkt das umso stärker, als er, wenn auch auf eigenwillige Art, am Glauben festgehalten hat. So erklärt es sich, daß selbst seine Protestanten wie Hans Schnier sehr katholisch wirken.

„Schreiben wollte ich immer, versuchte es schon früh, fand aber die Worte erst später“ (H, 9). So schließt Böll seinen Bericht über sich selbst. ‚Später‘ meint hier die Zeit nach dem Krieg. Seit 1947 trat Böll als Schriftsteller in Erscheinung. Vorausgegangen war die zwangsweise Einziehung in die Hitlerarmee, eine beinahe abenteuerliche Zeit, wie sie von Léopold Hoffmann (L 94) detailliert erzählt wird. Die Abfolge von Verwundungen, Fluchtversuchen hat beinahe Schwejk'sche Qualitäten; der fast bewußtlos listige Überlebenswille des Machtlosen äußert sich hier und geht später ein in manche Figuren. Böll hat sich allerdings schon in den Frankfurter Vorlesungen (1963/64) vom braven Soldaten Schweijk und dessen Widerstand durch Humor distanziert: „dieser Humor ist nicht inhuman [wie der von Wilhelm Busch – R. N.], doch fast schon vegetativ, animalisch, er ist ziellos, wenn sein einziges Ziel darin besteht, nach dem Krieg in der Kneipe Bier zu trinken" (FV, 117). Das Mißtrauen in den bewußtlosen, vegetativen, also letztlich unpolitischen Widerstand ist ein Zeichen von Bölls eigener politischer Entwicklung, wie sich noch zeigen wird.

Wenn Böll sagt, daß er schon immer schreiben wollte, heißt das, daß er zum Schreiben nicht von der Situation provoziert worden ist, wie etwa Wolfdietrich Schnurre die Motivation der ersten Nachkriegsgeneration begründet hat, sondern er führt die Motivation zum Schreiben auf letztlich private und kaum noch faßbare Schichten zurück. Das wird deutlich ausgesprochen in dem Aufsatz „Das Risiko des Schreibens" (1956), wo Böll beschreibt, wie er sein erstes Manuskript einem Redakteur vorlegte. Auf dessen Frage, warum er eigentlich schreibe, antwortet der Autor: „ich habe keine andere Wahl". Und reflektierend heißt es dann weiter: „Ich konnte es ihm nicht erklären, und ich habe bis heute keine Erklärung dafür gefunden. Tatsächlich erscheint mir der Schriftsteller durchaus jenem Bankräuber vergleichbar, der unter unsäglichen Mühen einen Einbruch plant, der in tödlicher Einsamkeit nachts den Tresor aufknackt, ohne zu wissen, wieviel Geld, wieviel Juwelen er finden wird..." (H, 150/51). Überlebt hat hier ein Rest bürgerlicher Genie-Auffassung, ein Konzept von der Kunst als dem Unfaßlichen, auch etwas Anrüchigen, das hier in der an Thomas Mann gemahnenden Parallele von Künstler und Verbrecher zum Ausdruck kommt. Diese leicht irrationalistisch getönte Kunstauffassung hat sich bei Böll auch später erhalten, so noch in der 1966 in der *Neuen Rundschau* erschienenen Kurzgeschichte „Warum ich kurze Prosa wie Jakob Maria Hermes und Heinrich Knecht schreibe"[3], wo zwar dem Handwerklichen, dem Machbaren breiter Raum zugewiesen wird, aber immer auf der Basis jenes geheimnisvollen siebten Koffers, aus dem unerklärbar das ‚Leben' entspringt, und ohne den auch die best gemachte Geschichte tot bleibt. Mit bedenklichem Pathos heißt es in der zweiten Wuppertaler Rede (1960): „Wie Kunst entsteht, wird immer ein Geheimnis bleiben", und weiter mit gesteigertem Pathos: „Unausgeprochenes und Unaussprechbares ruht auf jenem Bindestrich, der hier in meinem Manuskript die Worte Kunstträger-Kulturträger voneinander trennt; auf diesem zarten Balken, dem Bindestrich, liegt auch das Wort Tragik [...]; es gibt kein anderes, um das Verhältnis des Künstlers zur Kultur zu erklären [...] der Bindestrich wird zum Abgrund ..." (AKR II, 201 f.). So wird in dem Aufsatz „Weggeflogen sind sie nicht" (1964) die ewige Trennung von Kunst und Gesellschaft postuliert: „Sind nicht Kultur und Gesellschaft untrennbar, ja unzertrennlich, wie Kunst und Gesellschaft auf ewig getrennt sind?" (AKR II,

185). Das kann sich in Augenblicken des Unmuts in erstaunlich elitären Äußerungen gegen die Literaturkonsumenten niederschlagen. So spricht Böll einmal der bundesrepublikanischen Gesellschaft schlechthin das Recht ab, „an einer erweiterten Redaktionssitzung, an einem öffentlich abgehaltenen Vor-Lektorat hinter dem Auge des großen Bruders versteckt teilzunehmen" (AKR I, 195). Wenn auch die Äußerung im Kontext — es geht um die gefährdende Wirkung der Publicity für die Gruppe 47 — eine besondere Motivation hat, bleibt doch ein Rest elitärer Arroganz. Immer noch überlebt da etwas von der alten deutschen Abneigung gegen ‚Gesellschaft', der man schon im 19. Jahrhundert gerne das kuhstallwarme Wort ‚Gemeinschaft' entgegensetzte. Die damit verknüpften Polarisierungen der deutschen Misere, die in Thomas Manns *Betrachtungen eines Unpolitischen* ihre brillanteste Formulierung und Jahre später im Faschismus ihre weniger brillante, aber umso nachhaltigere Realisierung gefunden haben, treiben auch im Bewußtsein der Nachkriegszeit noch ihren Spuk. Ist das nicht wieder die berühmt-berüchtigte Trennung von Künstler und Literat, wenn Böll die Kunst durch einen Abgrund von Kultur und Gesellschaft trennt?

Das scheint nun völlig dem allgemeinen Image von Böll als engagiertem Moralisten zu widersprechen. Wenn hier aber diese sonst weniger beachtete Seite Bölls etwas stärker hervorgehoben wird, so nicht, um den durchaus politisch engagierten Böll zu diskreditieren oder ihm sein Engagement abzusprechen. Es ist kein Zweifel, daß Bölls schriftstellerische Praxis von moralischen und politischen Impulsen wesentlich mitbestimmt ist. Die Entwicklung und Wandlung des Schriftstellers Böll ist zu einem großen Teil auch die Entwicklung seines politischen und moralischen Engagements, das nicht zu trennen ist vom künstlerischen Prozeß. Als eine bald mehr, bald weniger hervortretende Konstante ist aber immer jene irrationale Tendenz mitgemischt, die manchmal bis zum Rand des Anti-Intellektualismus reicht. Zwar hat sich Böll in seinen satirischen Briefen aus dem Rheinland (1962/63) ausdrücklich gegen eine pauschale Intellektuellenfeindlichkeit gewehrt: „Dein hin und wieder angedeuteter Verdacht, ich sei intellektuellenfeindlich, ist eins Deiner törichten Mißverständnisse: wo sich hohe Intelligenz mit Ausdrucksvermögen vereinigt, diese Intelligenz sich ideologisch keine Grenzen steckt und sich nicht durch Eitelkeit wieder auslöscht [...], da dient mir Intellektualität zur Freude [...]; aber solange man sich hier Intellektueller nennen kann, ohne den geringsten Intelligenznachweis erbracht zu haben, bleibt mir das Pathos, mit dem sich einer so nennt, peinlich, lächerlich und schief" (AKR II, 148). Gegen solche differenzierenden Verwahrungen verstößt allerdings Böll manchmal selbst auf Grund seiner Tendenz zu emotionaler Verallgemeinerung, die oft seine besten Argumente schwächt. Das allgemeine hermeneutische Problem der Diskrepanz von bewußter Intention und implizierter Tendenz tritt bei Böll oft in besonders starkem Maß hervor. Davon wird noch in konkretem Zusammenhang zu sprechen sein.

Bölls erste Kurzgeschichten erschienen 1947. Rückblickend auf jene Anfänge und gleichzeitig als Verteidigung seiner Generation gegen den Kritiker Reich-Ranicki schrieb Böll 1963: „Es fällt mir auf, daß Reich-Ranicki besonders streng mit seinen Altersgenossen ins Gericht geht; er müßte doch wissen, daß deren Ausgangsposition fast hoffnungslos war: eine geschlagene, fast ausgelöschte Sprache nicht nur schreibbar, sie auch lesbar zu machen [...]. Es liegen nicht zwölf Jahre zwischen 1933 und 1945, es sind Jahrhunderte eines Interregnums; es liegen nicht zwölf Jahre zwischen 1945 und 1957, es sind Jahrhunderte, Abgründe unterschiedlicher Zeitgenossenschaft [...]" (AKR II, 47 f.). Es war die Generation, die sich noch in den ersten Jahren nach dem Krieg am Nullpunkt fühlen konnte, im negativen wie im positiven Sinne. Der Begriff „Nullpunkt" war aber eine ungenaue, wenn nicht illusorische Bezeichnung der Lage. Das ist unterdessen von verschiedenen Seiten mit überzeugenden Argumenten dargestellt worden.[4] Es war keine tabula rasa, auf der man zu schreiben begann, sowenig die Gesellschaft, die hier mit emsigem Fleiß wieder aufgebaut wurde, eine neue war. Die internationale Politik spielte in dieser Entwicklung eine entscheidende Rolle. Die Stimmen, die sich für eine Umformung der Gesellschaft äußerten, die politische Alternativen verlangten, paßten nicht ins Konzept der westlichen Alliierten, deren Demokratieverständnis von konkreten wirtschaftlichen Interessen geprägt war. Symptomatisch war das Verbot der Zeitschrift *Der Ruf* durch die amerikanische Militärbehörde.[5] Angesichts der involvierten internationalen Wirtschaftsinteressen ist es vielleicht naiv zu glauben, daß Westdeutschland überhaupt eine Chance hatte, eine Alternative zur kapitalistischen Gesellschaft zu entwickeln. Das wäre gegen den Willen der westlichen Alliierten höchstens mit einer stark engagierten breiten Massenbasis möglich gewesen, die nach der zwölfjährigen Naziherrschaft und einem selbstmörderischen Krieg nicht gegeben war.

Für die Schriftstellergeneration Bölls gab es kaum die Tradition eines politischen Bewußtseins, mit dessen Hilfe die Lage zu analysieren gewesen wäre. Die ältere Schriftstellergeneration war wenig hilfreich. Zu den Emigranten wollte sich kein rechtes Verhältnis herstellen, zuviel Mißtrauen lag da.[6] Die selbststilisierte innere Emigration konnte kaum an Glaubwürdigkeit gewinnen, solange jene als die lautesten Repräsentanten auftraten, deren Verhältnis zum Nationalsozialismus am fragwürdigsten gewesen war. Schon bald war es möglich, den Emigranten Ressentiments vorzuwerfen, ihnen zynisch die Abwesenheit anzukreiden, während man ausgerechnet Ernst Jünger als Antifaschisten feierte.[7] Andere, politisch schamhafter, flüchteten sich in die Innerlichkeit oder in den Schutz tradierter Formen. Pointiert hat Heinrich Vormweg die literarische Situation zusammengefaßt: „Zugleich aber ist festzuhalten, daß die ersten literarischen Reaktionen auf den Zusammenbruch – Sonette erbrachten [...] Bezeichnender als alle Trauer, alle Bereitschaft zur Gewissenserforschung, alle Offenheit des Fühlens ist, daß Rainer Maria Rilke und nach dem Erscheinen seiner *Statischen Gedichte* 1948 auch Gottfried Benn die Idole fast all jener wurden, die versuchten, ihre Empfindungen in Gedichte zu bringen".[8] Gefährlicher als solche Rückzüge waren die oft damit verbundenen Tendenzen zu einem neuen Irrationalismus, kaum daß der Irrationalismuskult der Faschisten offiziell verschwunden war. Paradigmatisch sind Sätze wie der von Erich Kahler: ,,Aber beide, die Physik sowohl wie die Psychoanalyse haben gezeigt, daß die Ängste von außen und von innen nur Funktionen voneinander sind, beide jene eine und gleiche Angst vor dem Ungewußten, Unwißbaren, die die wahre Quelle des Mythos ist".[9] Bezeichnend für diese Tendenz ist die — vielleicht unbewußte — Manipulation in der suggestiven Parallelisierung von ,ungewußt' und ,unwißbar', die apodiktisch der Vernunft Grenzen setzt ohne auch nur den Versuch einer Begründung. Das Paradox war möglich, daß man die Vernunft diskreditierte — eine weitere deutsche Misere —, nachdem gerade die totale Unvernunft ihre Macht demonstriert hatte.

Daß gerade die Schriftsteller der jüngeren Generation anfällig waren für solche Tendenzen, ist aus der Situation verständlich. Sie waren mit einer geschichtlichen Lage konfrontiert, deren Ausmaße und Zusammenhänge sie kaum sofort erfassen konnten. Es galt zunächst, mit den unmittelbaren Erfahrungen fertig zu werden. Der Wille zum Realismus war da, aber paradox formuliert: die Realität verstellte den Weg dazu. Hans Werner Richter charakterisierte die Lage 1947 folgendermaßen: ,,Alle Anzeichen aber sprechen dafür, daß die neue Sprache realistisch sein wird. Die heutige schreibende Jugend hat sich zum großen Teil von dem ungeheuren Schock der letzten Jahre noch nicht erholt und zieht sich in eine imaginäre romantische Welt zurück".[10] Und während man noch mit bestem Willen der Realität habhaft zu werden versuchte, ging diese ihren Weg zur Währungsreform und von da zum Wirtschaftswunder, dessen Verbraucher- und Wohlstandsmentalität man bald mit ohnmächtigem Zorn gegenüberstand. In der Grassschen Parabel von den Mehlwürmern (*Hundejahre*) haben diese zwar die zukünftigen Wirtschaftsbosse und Politiker beraten, die Schriftsteller aber blieben aus, horchten auf ihre Erfahrungen und hörten — fast — nichts. Unmetaphorisch hat Frank Trommler die Lage gekennzeichnet: ,,Wie sehr manche unter ihnen mit ihrem existentiellen Wahrheitspathos Illusionen genährt hatten, offenbarte die Währungsreform, die sie mit ihrem kritischen Instrumentarium kaum erfaßten".[11] Die Währungsreform stellte die Schriftsteller und Intellektuellen vor die vollendete Tatsache eines etablierten Wirtschaftssystems, das für die innere Erneuerung des Menschen ebenso wenig übrig hatte, wie es davon betroffen wurde. Im folgenden soll nun eine detaillierte Analyse die textliche Verarbeitung der Erfahrungen und der Situation etwas konkretisieren.

Bölls erste publizierte Kurzgeschichte ,,Die Botschaft" (1947 — W, 67—71) spiegelt nicht nur wesentliche Elemente der eben skizzierten Situation, sondern enthält auch wichtige Momente zu Bölls weiterer

DIE BOTSCHAFT

Entwicklung als Schriftsteller. Das Thema war naheliegend: der Krieg, genauer: die Nachkriegssituation. Der Ich-Erzähler muß eine Frau besuchen, um ihr mitzuteilen, daß ihr Mann im Krieg gefallen ist. Als er bei ihr eintrifft, findet er sie mit einem anderen Mann. Diese emotional dramatische Szene bildet den Höhepunkt. Die Eigenart der Geschichte ist aber von der Erzählweise bestimmt, die Handlung selbst nimmt minimalen Raum ein. Der Text beginnt mit einer Anrede an den Leser, die gleichzeitig die Ausgangssituation charakterisierte: „Kennen Sie jene Drecknester, wo man sich vergebens fragt, warum die Eisenbahn dort eine Station errichtet hat; wo die Unendlichkeit über ein paar schmutzigen Häusern und einer halbverfallenen Fabrik erstarrt scheint ...‟? Auffallend ist sogleich die Kontrastierung zweier Ebenen, die signalisiert sind durch „Drecknester‟ und „Unendlichkeit‟, die einerseits zwei verschiedene Sprachniveaus einführen, andererseits die damit gekennzeichneten Bereiche zusammenführt, und zwar auf einer gemeinsamen Ebene, die durch die atmosphärische Qualität trostloser Einsamkeit gekennzeichnet ist. Böll schafft diese Atmosphäre hauptsächlich durch Häufung und Wiederholung innerhalb eines relativ kleinen Wortfeldes: trostlos, Langeweile, öde Äcker, ratlos, tote Fenster, gelblichgrüne Gardinen, schwarze Mauer, finstere Mauer, Totenhäuser, schmierig, zerbröckelnder Verputz, lang und fensterlos die düstere Fabrikmauer, eine Barriere ins Reich der Trostlosigkeit; das alles auf weniger als einer Seite. Fragt man nach dem ‚Realismus' der Darstellung, so findet man eigentlich wenig im Sinne einer Reproduktion ‚normaler' Perzeptionsweisen, d. h. einer zusammenhängenden gegenständlichen Welt, wie wir sie zu sehen gelernt haben. Es gibt einige gegenständliche Details, die aber, wie die Aneinanderreihung schon nahelegt, durch ihre Isolierung aus dem Zusammenhang verfremdet erscheinen und durch die Art ihres Zusammenseins eben jene vorher gekennzeichnete Atmosphäre schaffen. Anders ausgedrückt: nicht so sehr die Realität eines konkreten Dorfes erscheint als die Realität eines Reichs der Trostlosigkeit. Es zeigt sich bereits hier, daß nicht viel gesagt ist, wenn man an einem Autor seine Detailfreudigkeit hervorhebt, wie man es bei Böll immer wieder getan hat; es geht um die Funktion des Details. Und bereits in dieser Geschichte lassen sich für Böll typische Strukturen ablesen. Als Prinzip der Auswahl und Komposition könnte man die Verallgemeinerung bezeichnen, allerdings eine spezifische Art von Generalisierung. Sie wird hier von drei Verfahrensweisen vollzogen: Einmal tendiert die Anrede an den Leser „Kennen Sie jene Drecknester ...‟ auf eine leser-psychologische Verallgemeinerung; die suggestive Frage enthebt die Situation ihrer Einmaligkeit, macht sie zu einer wiederholbaren; zum zweiten subsumiert die Konzentration auf eine bestimmte Gefühlslage das Detail unter die einheitliche Aura; drittens schließlich erhält diese emotionale Einheit eine beinahe metaphysische Qualität. Das geschieht zunächst durch die Transformation des Adjektivs „trostlos‟ zum „Reich der Trostlosigkeit‟. Diese Transformation wird gestützt und intensiviert durch die leitmotivische Wiederholung des Wortpaars „unendlich" und „ewig": „die Unendlichkeit über ein paar schmutzigen Häusern", „zur ewigen Unfruchtbarkeit verdammt", „wie vor einem unendlichen Abgrund", „die graue Unendlichkeit", „Ewigkeit von Grau und Schwarz", „unendlich große Höfe".

Der Gesamteffekt ist die fast völlige Auflösung der gegenständlichen Welt, ein Prozeß, der zudem noch thematisiert wird, vor allem in der Beschreibung der Figuren: „eine verschwimmende Männergestalt", „Die Männergestalt verschwand im Dunkeln", die Frau wirkt „bleich und zerflossen", ihr Gesicht ist „völlig verwischt", „weich und formlos". Schließlich löst sich auch die Landschaft auf, wird „nebelhaft dunstig und undurchdringlich".

Bisher war von der ohnehin spärlichen Handlung kaum die Rede. Die beschriebene Situation erscheint fast zeitlos, erst spät wird das Kriegsthema, der eigentliche Anlaß für die Geschichte, eingeführt und damit der geschichtliche Augenblick, aber auch dann nur vage und indirekt angedeutet. Er erscheint als Anlaß, den die Erzählung durch die eben beschriebene Verfahrensweise hinter sich läßt. Der geschichtliche Augenblick wird zur scheinbar zeitlosen ‚existentiellen' Konfrontation; die Loslösung von der geschichtlichen Basis wird im letzten Satz noch ausdrücklich hervorgehoben: „Da war mir, als sei ich für mein ganzes Leben in Gefangenschaft geraten." Eine Realität des Krieges wird zur existentiellen Situation.

Vergleicht man diese Verfahrensweise mit dem Schlagwort von der „Kahlschlagliteratur", als deren Kennzeichen allgemein nüchterne Sachlichkeit und vor allem Abwendung von jedem Pathos gilt, so will dieses Konzept kaum zu den aufgezeigten, teilweise geradezu pathetisch zu nennenden und sogar direkt ins Klischee abrutschenden Stilelementen passen („Die Erinnerung schien sie wie mit tausend Schwertern zu durchschneiden"). Das Pathos wird nur gemildert, oder erhält eine andere Dimension, indem es in Spannung steht zu einer anderen Ebene, die durch das Wort „Drecknester" eingeführt wird und als ‚niedere' Realität beständig anwesend ist.

Die Personendarstellung ist ebenfalls durch einen gewissen existentiellen Zug gekennzeichnet. Dazu gehört die Dominanz des Inneren über die äußere Gestalt, die hier fast nur als zerfließend, unbestimmt erscheint. Als Äußeres erscheinen nur die Gesichtszüge der Frau sowie einige charakteristische Gesten als Reflexion ihrer Gefühlswelt. Die Gefühlssituation ist zugespitzt auf einen extremen Punkt. Übergänge sind hier immer „jäh" und „plötzlich". Das ist eine Eigenart, von der Böll nie ganz losgekommen ist. Ihm liegen nicht die differenzierten Zwischenlagen, die subtilen vielschichtigen Kommunikationsspiele. Das zeigt sich vor allem in seinen Liebesgeschichten bis hin zur neuesten Erzählung *Die verlorene Ehre der Katharina Blum*: da ist immer Liebe auf den ersten Blick, da braucht man meist nicht einmal verbale Verständigung. Das ist einfach da, und man weiß es. Hans Schnier z. B.

kann in *Ansichten eines Clowns* einfach zu Marie aufs Zimmer gehen, schon weiß sie, worum es geht (sie hatten vorher nur wenig miteinander gesprochen), und alles geht seinen Weg. In *Das Brot der frühen Jahre* wird eine solche Liebe auf den ersten Blick zum Anlaß eines radikalen und jähen Wechsels in der Lebensweise eines jungen Mannes. Auch Ehekrisen kommen so zum plötzlichen Ende. Die Entscheidung Fred Bogners in *Und sagte kein einziges Wort* zu seiner Frau zurückzukehren, ist nicht etwa Resultat der Aussprache oder langer Überlegungen, sondern ein impulsiver Entschluß, als er seine Frau unvermutet und plötzlich [!] wiedersieht. Diese Eigenart Bölls wirkt sich auch auf seine sonstige Personengestaltung aus: sie sind entweder, was sie sind, von Anfang an und unveränderlich, oder wenn sie sich ändern, sind es plötzliche und weder psychologisch noch sonst motivierte Veränderungen; Entwicklung gibt es kaum.

Plötzlich und jäh ist auch die Todesgewißheit für den jungen Soldaten Andreas in *Der Zug war pünktlich*, Bölls erster längerer Erzählung (1949).[12] Eine Analyse könnte zeigen, daß die an der Kurzgeschichte nachgewiesenen Eigenschaften nicht zufällig sind. Einige Hinweise müssen hier genügen. Die beiden Ebenen, die in der Kurzgeschichte sich abzeichneten, werden im ersten Satz als räumliche Gegensätze bereits angedeutet: ,,Als sie *unten* durch die dunkle Unterführung schritten, hörten sie den Zug *oben* auf den Bahnsteig rollen ..." [Hervorhebung von mir]. Die Gleichzeitigkeit zweier Ebenen kennzeichnet diese Erzählung: die in realistischen Details erscheinende Kriegswirklichkeit und dann das ‚existentielle' Erlebnis: die psychologisch unerklärliche Todesgewißheit und die damit verbundenen Reflexionen sowie auch hier eine ziemlich plötzliche Liebe. Wie-Vergleiche spielen eine große Rolle in der Vermischung der Ebenen. Einerseits wird das existentielle Geschehen mit der Kriegswirklichkeit in Verbindung gebracht (,,... fiel das Wort *bald* in ihn hinein wie ein Geschoß", S. 7), andererseits wird die Kriegswirklichkeit durch Vergleiche von der existentiellen Ebene her beleuchtet. Metaphern aus dem Naturbereich (,,als flössen seine Worte wie Eis von den Lippen", S. 5 f.; ,,es ist ihm wie einem Schwimmer, der sich nahe dem Ufer weiß und plötzlich [!] von einer schweren Sturzwelle zurückgeschleudert wird in die Flut", S. 12) tendieren dazu, dem Geschehen einen naturhaft-notwendigen Charakter zu geben. Das wird zudem noch thematisch ausdrücklich hervorgehoben: der Sprechende erfährt ,,plötzlich [!] die erschreckende und zugleich berauschende Gewalt alles Schicksalhaften" (S. 6); der Zug trägt den Soldaten seiner ,,Bestimmung" (S. 27) entgegen. Diese Schicksalhaftigkeit des Geschehens wird zudem mit einer stark atmosphärischen Aura umgeben, die wiederum durch Häufung und Wiederholung entsprechender Adjektive (vor allem unheimlich und grau — von den Gesichtern bis zum Kaffee ist alles ‚grau'), erzielt wird. Dazu kommen dann die leitmotivisch wiederholten ,,sonoren Stimmen" auf den Bahnhöfen, die beinahe zur Allegorie des anonymen Schicksals werden: ,,Alles Unglück kommt von diesen sonoren Stimmen; diese sonoren Stimmen haben den Krieg angefangen, und diese sonoren Stimmen regeln den schlimmsten Krieg, den Krieg auf den Bahnhöfen" (S. 15). Diese Reflexion von Andreas demonstriert paradigmatisch den mystifizierenden Charakter des unmittelbaren Details. Psychologisch ist es durchaus richtig, daß die Stimmen der Bahnhofsansager für den Soldaten so etwas wie Schicksal darstellen, sind sie doch der unmittelbarste wahrnehmbare Anlaß für die Bewegung des Zugs auf die Front hin. Aber das Hängenbleiben an der Unmittelbarkeit mystifiziert diese, das Konkrete schlägt um ins Abstrakte.

Die im Rahmen einer Einführung vielleicht ungewöhnlich ausführliche Interpretation läßt sich rechtfertigen durch die damit vermittelte Einsicht in prinzipielle Strukturen von Bölls Werk. Es erhebt sich nun aber die Frage, inwiefern die gefundenen Eigenschaften Eigentümlichkeiten Bölls, inwiefern sie charakteristisch für die Zeit sind. Eine Trennung dieser Aspekte wird erschwert durch die Verflechtung, die sich bereits im Bewußtsein des Autors ereignet, dessen Eigentümlichkeit ja mitgeprägt ist von den Erfahrungen seiner Zeit. Immerhin zeichnen sich Gemeinsamkeiten mit der allgemeinen literarischen Entwicklung ab, die sich mit dieser weiterentwickeln, aber auch eigentümliche Konstanten, die in den verschiedensten Transformationen wiederkehren. Wenn von Kahlschlagliteratur in den ersten Nachkriegsjahren gesprochen wird, vergißt man manchmal, daß dieser Begriff eher einen Wunsch ausdrückte — genauso wie das Konzept ‚Nullpunkt' — als eine literarische Praxis. Stilistisch zeigt sich das, wie wir sahen, in einer weitgehenden Abstraktion von der gegenständlichen Welt. Das war keineswegs nur ein Problem Bölls, es war ein Problem seiner Generation. Symptomatisch dafür war Wolfgang Borchert, dessen Prosa in der Konfrontation mit einer ungeheueren Wirklichkeit wieder den expressionistischen Schrei aufnahm: „Da! Da! Da! Da! Die Stadt. Die Lampen. Die Weiber. Der Mond. Der Hafen. Die Katzen. Die Nacht. Reiß das Fenster auf, schrei hinaus, schrei, schwöre, schluchze hinaus, brüll dich hinaus mit allem was dich quält und verbrennt: keine Antwort".[13] Böll hat 1955 seiner Bewunderung für Borchert in dem Aufsatz „Die Stimme Wolfgang Borcherts" (H, 135–140) Ausdruck gegeben. Zugleich wird darin etwas von seiner eigenen Realismus-Auffassung sichtbar: „Wo das Röntgenauge eines Dichters durch das Aktuelle dringt, sieht es den ganzen Menschen, großartig und erschreckend — wie er in Borcherts Erzählung ‚Brot' zu sehen ist" (S. 139).

Der Röntgenblick hat aber seine Tücken. Mancher, der glaubt, hinter die Oberfläche der Wirklichkeit zu sehen, sieht nur an ihr vorbei ins Leere. „Wie es aber eine leere Breite gibt, so auch eine leere Tiefe", hatte schon Hegel in der Vorrede zur *Phänomenologie des Geistes* festgestellt.[14] Das war immer eine Versuchung des Schreibenden; und je böser die Wirklichkeit, desto größer die Versuchung, sie zu hintergehen, wie Thomas Mann es so schön formulierte: ‚hinter die Schul' zu laufen. Kafka hatte die Sprache und die Methode zur Verfügung gestellt. Jede neue Wirklichkeitserfahrung muß sich ihre Methode und Sprache schaffen, sind diese aber einmal da, werden sie beliebig verfügbar. Das heißt nicht, daß alle, die etwa bei den Lesungen der Gruppe 47 die Kritiker mit Kafka-Reminiszenzen zur Verzweiflung trieben, keine Substanz hatten. Für manche war Kafkas Methode Ausgangspunkt, ihre eigene Technik der Wirklichkeitsfindung und -erfahrung zu entwickeln. Beispiel dafür ist Martin Walser. Aber die Gefahr der leeren Tiefe und des unverbindlichen Raunens verlockte manche. Je weiter man sich dabei vom Trauma der Vergangenheit entfernte, desto mehr ließ auch der moralische Druck nach. Bereits die Währungsreform bedingte eine Zäsur. Sie bedeutete für viele eine Rückkehr zum ‚Normalen‘. ‚Das Leben ging weiter.‘ Bereits 1949 konstatierte ein Kritiker anläßlich eines Treffens der Gruppe 47 hellsichtig: ,,Vielleicht zieht die Restauration des Ökonomischen auch eine Restauration der überlieferten ästhetischen Wertmaßstäbe nach sich‘‘.[15] 1953 schrieb ein anderer: ,,Sie schreiben noch immer ‚Vorwährungsreform-Literatur‘‘‘, und charakterisierte diese als ,,zynisch-perverse Wirklichkeitsschilderung‘‘.[16] Impliziert wird hier, so scheint es, daß nach der Währungsreform die Welt wieder in Ordnung sei. Man will sich jetzt lieber an ,,ironischer Plauderei‘‘ und ,,blitzenden Pointen‘‘ amüsieren. Ein Hörspiel über Korea stößt unter solchen Umständen auf negative Reaktionen. Ein Jahr später klagt ein Kritiker aber im umgekehrten Sinne: ,,Ganz anders hörten sich die Manuskripte der Gruppe an, als nach der Währungsreform der Atem ruhiger wurde und man eingesehen hatte, daß die Verhältnisse mit Hilfe von Stories und Gedichten kaum zu beeinflussen sind. Die zweite Phase der literarischen Bemühungen begann mit der Wiederentdeckung des metaphysischen Eulenspiegels, der sich in allerlei Verkleidungen in die ernstesten Themen einschlich und deren anklägerischen Charakter zersetzte. Die experimentelle Prosa blühte, man wurde interessant, die Themen lagen nicht mehr auf der Straße, sondern in den Wolken oder in einer privaten Schatulle‘‘.[17]

Gemessen an dieser Entwicklung konnte nun allerdings Böll als Realist gelten, als einer, der beharrlich die ‚Vorwährungsreform-Literatur‘ weiterführte. Denn Bölls Atem wurde auch nach der Währungsreform nicht ruhiger. Er selbst hat, wie manche andere auch, die politisch-gesellschaftlichen Konsequenzen erst später erkannt, sie dann aber umso schärfer verurteilt. Die Währungsreform wurde für ihn zum gesellschaftlichen Sündenfall der Bundesrepublik, hier wurden die Privilegien verteilt, heißt es in der Rede ,,Radikale für Demokratie‘‘ (1968) (NS, 18). Deutschland hatte damals die Chance verpaßt, ,,eine fast schon demokratische Gleichheit der Chancen und Existenz [...] als geschenkte Revolution wahrzunehmen‘‘ (NS, 119).

Während mehr und mehr eine zeitlose Parabolik die Erzählformen der Zeit dominierte, hielt sich Böll, zumindest in einem vordergründigen Sinn, an die Realität. Seine Stoffe sind meistens zeitlich und örtlich bestimmt und jeweils der Gegenwart und der jüngeren Vergangenheit entnommen. Von den ersten Kriegsgeschichten über den Kriegsroman *Wo warst du, Adam?* bewegen sich die Fabeln immer weiter in die Nachkriegszeit hinein, meist bis zum Jahr der jeweiligen Abfassungszeit. In diesem Sinne also blieb Böll immer aktuell; aber gerade diese Aktualität brachte ihm schon relativ früh den Vorwurf ein, mit seiner Zeit nicht Schritt zu halten, genauer müßte man sagen: mit der Literatur seiner Zeit, die gerade von dieser Art Aktualität sich wegbewegte. Einheitlich waren diese Tendenzen natürlich nicht. In den Tagungsberichten der Gruppe 47 kam es des öfteren zum Zusammenstoß zwischen ‚Realisten‘ und ‚Surrealisten‘, wie man etwas ungenau die gegenrealistischen Tendenzen der 50er Jahre pauschal benannte. Immerhin scheinen die letzteren eine gewisse Dominanz erreicht zu haben. So bemerkte ein Tagungsteilnehmer 1957: ,,Nur wenige von den ,Alten‘ (und noch weniger die Jungen, inzwischen Dazugestoßenen) verteidigen die realistische Ausgangsposition von 1947. Die Mehrzahl der Jungen von 1957 will − unabhängig von jeder Tendenz − jegliche sprachliche Konvention abstreifen. Die altklugen Knaben mit den Ponyfrisuren, die ihr Gegenstück auch unter den bildenden Künstlern haben, die seltsam in sich versunkenen Mädchen, die ‚hinter die Dinge sehen‘ − sie neigen zu einer gleichsam gegenstandslosen Sprache, zum surrealistischen Traum-Dialog und im vornehmen Einzelfalle zu einer Wiedergeburt der reinen Sprache‘‘.[18] Die anti-realistische Tendenz negiert eine bestimmte Form des Realismus, nämlich den bürgerlichen des 19. Jahrhunderts. Manche dieser Tendenzen darf man zwar als Fluchtbewegung aus der Problematik der Zeit ansehen, sei es − etwa unter dem Patronat Gottfried Benns − die bewußte Abwendung von der Geschichte, sei es eine mehr naive, oft kaum bewußte Tendenz zur Unverbindlichkeit aus dem schon von Hans Mayer analysierten ‚totalen Ideologieverdacht‘ heraus, der ja auch von dem eben zitierten Kritiker als Motivation angedeutet wird. Oft wird die Negation der Vergangenheit zur Negation der Geschichte überhaupt. Andererseits können aber gerade die Abwendung vom Realismus des 19. Jahrhunderts und die Suche nach neuen parabolischen oder sonstigen Ausdrucksformen als Suche nach einer genaueren, umfassenderen Wirklichkeitsdarstellung gesehen werden. In diesem Sinne verstand etwa Martin Walser seine Experimente mit der Parabel: ,,Die freischwebende Fabel, dieser absurde Vogel, ist entstanden aus der Einsicht in die Unbrauchbarkeit überlieferter Abbildungsverhältnisse.‘‘[19]

Ebensowenig sind die ‚Realisten‘ als uniforme Gruppe zu verstehen. Aus dem geschichtlichen Kontext erhält der Terminus zwar einen gewissen Sinn, und in dieser groben Kategorisierung läßt sich Böll als ‚Realist‘ verstehen. Hier geht es aber darum zu differenzieren. Bölls *Image* als Realist der ersten Stunde wurde stark mitgeprägt von seinem Aufsatz ,,Bekenntnis zur Trümmerliteratur‘‘ (1952 − H, 128−134), der in der Literatur über Böll immer wieder zitiert wird. Als Böll diesen Aufsatz 1952 schrieb, war es ein Protest gegen die schon beängstigend einsetzende Tendenz zum Vergessen, ein Protest gegen „Blindekuh-Schriftsteller", die nach innen flüchten: „Der Blindekuh-Schriftsteller sieht nach innen, er baut sich eine Welt zurecht" (S. 132). Aber auch Trümmerliteratur kann zur Pose werden, und Böll war sich dessen offenbar bewußt. 1956 schrieb er eine ironische „Selbstkritik" (AKR II, 97 f.), in der die zur genüßlichen Pose verkommene Trümmerseligkeit parodiert wird: „Morgens wenn ich erwacht bin, denke ich schon darüber nach, welches Problem schmutzig und zeitnah genug und damit wert ist, dargestellt zu werden. Wie andere Weihrauchstäbchen entzünden, lasse ich [...] von meinen Söhnen ein wenig Trümmerstaub im Schlafzimmer ausbeuteln [...]; auch habe ich Geheimquellen und einen Mittelsmann, der versprochen hat, in Zeiten äußerster Knappheit mir Trümmerbrocken zu mäßigen Schwarzmarktpreisen zu besorgen." Aus einem Beutel wird „feiner, köstlich nihilistischer Staub" geschlagen. Dazu frühstückt man dann „englisch und vornehm" und denkt darüber nach, „wie ein Satz aussehen muß, in dem sich mindestens drei Doppelpunkte — mein Lieblingssatzzeichen — verwenden lassen". Die ironische Kritik zielt auf eine Pose, die bald von Beckett neue Nahrung empfing und zum galanten „Endspielspiel" am Abgrund wurde und das von Martin Walser noch 1973 in xenienartigen Epigrammen aufgespießt wurde:

Diese Minderheit von wunderbar ernährten
Menschen räkelt sich in Garnituren,
spielt am Nabel sich und übt den
Belcanto desparat.[20]

Die distanzierte Ironie gegenüber gewissen Erscheinungsformen der sogenannten Trümmerliteratur ist nicht gleichzusetzen mit einer Abwendung vom Realismus. Was Böll unter Realismus versteht, läßt sich aus dem Aufsatz „Der Zeitgenosse und die Wirklichkeit" (1953 — AKR II, 61—67) ablesen. Kennzeichnend für die Stimmung der Zeit ist die Weise, wie Böll den bloßen Begriff ‚Wirklichkeit' verteidigen muß: „Die bloße Nennung des Wortes Wirklichkeit löst im allgemeinen Unbehagen aus. Wirklichkeit — das klingt nach Zahnarzt, und den Besuch beim Zahnarzt schiebt man möglichst hinaus, obwohl man weiß, daß es sinnlos ist, ihn hinauszuschieben. Der Zeitgenosse glaubt zu wissen, daß die Wirklichkeit häßlich und quälend sei, daß man sie nicht herankommen lassen darf ..." (S. 61). Dagegen postuliert Böll: „Es gibt nichts, was uns nichts angeht, das heißt positiv: alles geht uns etwas an." Damit beginnen aber für den Schriftsteller erst die Fragen. Wie läßt sich die Gesamtheit dieser Wirklichkeit von der Literatur erfassen? Bölls Ausführungen dazu bleiben ziemlich allgemein; immerhin ergeben sich einige grundsätzliche Aspekte: 1. Phantasie ist das vermittelnde Organ; 2. die Erfassung von Wirklichkeit ist nicht bloße passive Rezeptivität, sondern Aktivität; 3. „die Wirklichkeit bewegt sich"; 4. „Das Aktuelle ist der Schlüssel zum Wirklichen".

Im gleichen Jahr wie der eben zitierte Aufsatz erschien der Roman *Und sagte kein einziges Wort*, aus dem sich Bölls Realismuskonzept ablesen läßt. Manche Elemente aus der obigen Textanalyse lassen sich auch hier, nun allerdings schon verfeinert, wieder erkennen. Dazu gehören vor allem das Arrangement der Details, das die emotionale Aura schafft, und die Wiederholung als Mittel zur Intensivierung. Gleichzeitig erreicht Böll nun auch eine komplexere Darstellungsweise, die unter anderem durch die doppelte Perspektive des Romans erreicht wird, sowie durch einzelne Spiegelungstechniken (etwa in der Szene, bei der der Erzähler die andern und sich selbst beim Würstchenessen im Spiegel sieht und so als Erzählobjekt und -subjekt gleichzeitig auch bildlich sichtbar ist). Die relative Komplexität der so erzählten Welt ist auch bei weitem konkreter als diejenige der früheren Werke, wo oft das Detail unvermittelt in eine vage zweite Ebene mit metaphysischem oder existentiellem Charakter übergeht. Man könnte von einem ‚symbolischen' Realismus sprechen, umso mehr als das Symbol von jetzt an bei Böll eine gewichtige, wenn auch problematische Rolle spielt. Seine Vorstellung eines symbolischen Realismus spricht Böll einmal in einer Rezension von Jean Cayrols Roman *Der Umzug* (1958) aus: „In Cayrols Roman werden Symbol und Realität fast ganz kongruent, das Äußere, die Handlung, die Fabel entspricht genau dem Inneren, dem geistigen Vorgang" (AKR II, 14). Das ist zwar eine sehr allgemeine Formulierung. Ihren Wert muß sie in der schriftstellerischen Praxis erweisen. Und hier ergaben sich Schwierigkeiten für Böll, und zwar in seinem gerade in dieser Hinsicht anspruchsvollsten Roman, in *Billard um halbzehn* (1959).

1959 war ein reiches Jahr für den westdeutschen Nachkriegsroman. Außer Bölls *Billard um halbzehn* erschienen *Die Blechtrommel* von Günter Grass und *Mutmaßungen über Jakob* von Uwe Johnson. Es läßt sich rückblickend sagen, daß mit diesen drei Romanen die Literatur der Bundesrepublik, zumindest die erzählende Literatur, in eine neue Phase trat, in der sie nicht zuletzt auch eine gewisse Provinzialität überwand. Bei aller Verschiedenheit der drei Romane haben sie eine Komplexität gemeinsam, die mehr als nur technischer Natur ist. Die Komplexität ihrer Erzählweisen war der Versuch, die bloße Unmittelbarkeit der Erfahrung der Wirklichkeit zu überwinden, diese vielmehr in ihrer Vermitteltheit zu Wort kommen zu lassen, ohne sich jedoch andererseits in die Abstraktion der reinen Parabel zu begeben. Stofflich stehen sich *Die Blechtrommel* und *Billard um halbzehn* besonders nahe; beide sind eine Art Epochendarstellung, die vor die Zeit des Nationalsozialismus zurückreicht und von da bis zur bundesrepublikanischen Gegenwart führt. Gemeinsam ist auch die Technik, die Vergangenheit aus der Erfahrung der Gegenwart zu beschreiben; beide Erzählsituationen sind in die Gegenwart verlegt, von wo aus ein Erinnerungsprozeß abläuft. Beide Romane zeigen aber auch charakteristische Differenzen sowohl in der Auswahl des Materials als auch in der Verfahrensweise. Grass arbeitet sowohl mit den Mitteln des realistischen Details, das vor allem die kleinbürgerliche Welt in unheimliche Nähe rückt, und mit den Mitteln der phantastischen Groteske, die beständig und wie ‚natürlich' aus dieser Welt hervorgeht. Erst im dritten Teil, der in die Nachkriegszeit der Bundesrepublik hineinführt, überwiegt mehr und mehr die phantastische Groteske. Der Erzählverlauf selbst, der zudem durch strukturelle Anklänge an den Entwicklungsroman gestützt wird, entwirft nicht nur ein statisches Panorama, sondern betont vor allem die Entwicklung, die Übergänge von der ‚Kartoffelidylle' des Anfangs bis zur kommerziell einträglichen Vergangenheits- und Schuldbewältigung im Zwiebelkeller. Grass arbeitet außerdem mit einem komplexen Netz symbolischer Verweise: das Rot-weiß-Motiv z. B., das Blechtrommel, polnische Farben und Krankenschwester zusammenbringt und durch komplexe Beziehungen schließlich zur Schwarzen Köchin führt, jenem unheimlichen Wesen, das, von den Kindern beschworen, Oskar bis zum Ende verfolgt. Man kann hier zwar von einem Symbolnetz sprechen, jedoch ist es nicht möglich, die einzelnen Symbolkomponenten eindeutig festzulegen. Sie wechseln beständig ihre Identität, die also eine rein relationelle ist.

Gerade daran läßt sich der Unterschied von Bölls Verfahrensweise verdeutlichen. Auch er entwickelt ein Symbolnetz und Leitmotive, die die verschiedenen Realitätsebenen zu vermitteln suchen. Dazu gehört das wichtigste Symbolpaar: Lämmer und Büffel. Im Gegensatz zu Grass behalten diese beiden Zeichen durchgehend ihre Identität, stellen das Gute und das Böse in der Geschichte einander gegenüber. Der Statik in der Symbolik entspricht die Statik in der Figurendarstellung: fast immer bleiben die Personen Bölls, was sie einmal sind; sie gehören dem Reich der Lämmer oder dem der Büffel an, einigen wird eine gewisse Zwischenstellung erlaubt, aber in dieser sind sie dann auch wieder festgelegt. Wo eine Verwandlung stattfindet, geschieht sie wie ein Quantensprung von einem Feld ins andere. Voraussetzung dieser statischen Struktur ist zudem, daß es bei Böll etwas gibt, was es bei Grass nicht gibt: die reine Unschuld. Das Symbolverfahren erlaubt noch weitere charakteristische Aufschlüsse: Grass entwickelt seine ‚Zeichen' aus dem Material heraus. So ist die Schwarze Köchin zunächst im Kinderlied da und verselbständigt sich von da an mehr und mehr zur dominanten Figur, so wie die sadistischen Kinderspiele selbst in die dominante historische Realität übergehen. Bölls Lämmer und Büffel dagegen sind symbolische Kategorien, die der geschichtlichen Realität als Ordnungsraster aufgelegt werden. Die Signifikanten treten als Fremdes in das von ihnen Bezeichnete ein. Damit zeigt sich aber im Symbolverfahren eine ideologische Differenz: wenn wir im Symbol die jeweilige Deutung der geschichtlichen Realität sehen, so ist diese Deutung bei Grass eine geschichtsimmanente, so wie seine Signifikanten aus dem Stoff der Romanwelt entstammen; die von Böll aber ist letztlich eine transzendente Deutung und von dieser transzendenten Deutung her erhält auch die a-psychologische Figurendarstellung ihren Sinn. Der Vergleich wirft natürlich Fragen der Wertung auf. Will man rein immanent vorgehen, lassen sich beide Verfahrensweisen als konsistent rechtfertigen. Indessen ist es fraglich, daß sich irgendeine ästhetische Wertung an der immanenten Konsistenz befriedigt. Beide Romane haben schließlich eine referentielle Intention: sie verweisen auf historische Realität, die sie deuten wollen. Diese referentielle Intention ist Teil der ästhetischen Struktur. Die Referenz fordert aber den Vergleich heraus mit dem, worauf sie in ihrer Deutung tendiert. Damit muß das Werturteil auf sein eigenes Geschichtsverständnis rekurrieren. Wer selbst, sei es aus religiösen, sei es aus anderen Gründen, an Transzendenz glaubt, wird von Bölls symbolischem Verfahren *ästhetisch* mehr befriedigt sein als jemand, für den eine solche Transzendenz fragwürdig ist. Hier zeigt sich, was schon in der Einleitung behauptet wurde: daß nämlich ideologische Prämissen sich nicht aus der ästhetischen Erfahrung herauslösen lassen.

Die umfassende Hinwendung zu und Auseinandersetzung mit den gesellschaftlichen und politischen Realitäten der Zeit in den drei Romanen von Böll, Grass und Johnson haben symptomatischen Charakter für die Entwicklung der sechziger Jahre, wenigstens für eine bestimmte Richtung, die auf eine zunehmende Politisierung und auf gesellschaftliches Engagement in der Literatur ausgeht. Damit lassen sich allerdings die Tendenzen der sechziger Jahre nicht generell fassen. Es scheint sogar möglich, gegenteilige Strömungen dominieren zu sehen. Die Fortsetzung formalistischer Experimente aus den fünfziger Jahren spielte noch eine bedeutende Rolle und ist auch in den Treffen der Gruppe 47 stark vertreten; solche Experimente scheinen sogar dort jetzt erst richtig Fuß zu fassen. So schreibt Heißenbüttel vom Treffen 1960: „Eine gewisse Unruhe entstand, als gleich zu Anfang drei Autoren (Jürgen Becker, Dieter Wellershoff und Ludwig Harich) Texte vorlasen, wie sie sonst im Rahmen der Gruppe 47 selten zu hören waren, Texte, die bewußt auf inhaltliche Kontinuität verzichteten und versuchten, Bewegung und Komposition aus den Sprachelementen selbst zu entwickeln" (L 140, 157). 1962 beklagte Wolfdietrich Schnurre in dieser Tendenz eine Flucht aus der Zeit in den Elfenbeinturm: „Vom Handwerklichen und Thematischen her betrachtet fällt zunächst auf, daß die Prosaisten unter diesen Autoren das Erzählen verlernen. Sie schildern und beschreiben statt dessen, geben private Zustandsberichte, lassen rhythmisierte Pantomimen abrollen [...]. Ich glaube, hier handelt es sich — selbst bei einem so qualifizierten Autor wie Peter Weiss noch — um eine Flucht aus der Zeitbezogenheit. Ein neuer Elfenbeinturm wird errichtet [...]. Und selten waren die Grenzen [der] Kritik so deutlich zu erkennen wie jetzt, da sie den Inhalt hinter die Form zurücktreten läßt. Allein ihr auf ein paar Dutzend Signalworte wie ‚Sprachmate-

rial', ‚Klischee', ‚mathematische Durchstrukturierung', ‚Textfläche'
oder ‚Realitätsraster' zusammengeschrumpftes Vokabular, mit dem
sowohl nach der dichterischsten wie nach einer mittelmäßigen Lesung
gearbeitet wird, zeigt die Einengung deutlich" (L 140, 170 f.). Ebenfalls beklagt sich Jost Nolte ein Jahr später in der *Welt*: „Die Jungen
und die Jüngsten schreiben Texte ohne Inhalt, und jedenfalls auf den
ersten Blick ist schwer zu sehen, ob sich da eine Welt oder Gegenwelt
formuliert oder ob die Adepten einfach übernehmen, was jüngst allgemein im Gespräch war" (L 140, 183). Das alles scheint ebensosehr gegen die Tendenz zum gesellschaftlichen Engagement zu sprechen wie
das 1970 erschienene Buch *Grenzverschiebung*[21], das die literarischen
Verschiebungen der sechziger Jahre fast ganz in die formalen Experimente verlegt. Neben der Wiener Gruppe und den verschiedenen Modifikationen ‚konkreter' Texte (über die ebenfalls eine Kontroverse in
Gang ist) verschwinden andere Texte wie etwa die von Wallraff fast
ganz.

Sicher ist, daß auch die ‚Realisten' und die Engagierten nicht mehr
naiv erzählen konnten. Die formalistischen Experimente hatten die
Reflexion auf die Bedeutung der literarischen Vermittlungselemente
gelenkt. Der Vermittlungscharakter der Sprache war zu sehr ins Bewußtsein gedrungen, als daß man ihm beim Schreiben einfach hätte
ausschalten können. Auch auf Böll war all das nicht ohne Wirkung geblieben. Bereits *Billard um halbzehn* fiel Kritikern und Lesern als ein
formal sehr konstruiertes Werk auf. Man muß es allerdings völlig aus
dem Kontext der zeitgenössischen Literatur herausnehmen, wenn man
darin etwa eine Art deutschen *nouveau roman* sehen will. Die formali-
stische Konstruktion ist durchaus da, aber extrem scheint sie höchstens
im Vergleich zu Bölls bisherigem Werk, kaum im Vergleich zu wirklich
radikal konstruierten Texten. Selbst im Kontext der zeitgenössischen
deutschen Literatur blieb *Billard um halbzehn* vom erzähltechnischen
Standpunkt her ein eher gemäßigtes, wenn nicht fast konservatives
Werk. Schließlich machen die Betonung des Handwerklichen, das Experimentieren mit Konstruktionsformen noch nicht „den" modernen
Roman aus. Wenn Böll sich gegen primitive Inhaltsanalysen wendet,
wie etwa in dem Aufsatz „Gesinnung gibt es immer gratis" (1963 —
AKR I, 136—139), paßt das immer noch in den Rahmen einer traditio-
nellen Poetik. Daran ändert auch ein beiläufiges Kompliment an den
Nouveau Roman nichts, da es ohnehin nur vergleichsweise vorgebracht
wird: „Mich jedenfalls spannt die vielfach verschnörkelte, in Mustern
und Rhythmen gebotene Spannung mancher Erscheinungsform des
Nouveau roman mehr als so manche ständig wiederholte Gesinnungs-
Selbstverständlichkeit ..." (AKR I, 137). Dagegen wird in dem Aufsatz
„Über den Roman" (1960 : H, 119—122) die „Verantwortung des Romanciers" ausdrücklich weiter gefaßt, als eine der Kunst transzendente:
„Dieser Roman, der automatische, wäre die Konsequenz für alle Romanciers, die nur eine einzige Verantwortung kennen: die ihrer Kunst

gegenüber" (H, 121). Solche „totale Kunst" ist nach Böll aber auch der Ausdruck der totalen Verzweiflung.

Es ist natürlich Vorsicht angebracht in der generellen Bewertung solcher verstreuter Bemerkungen zur Poetik. In vielen Fällen sind sie aus konkretem Anlaß provoziert und danach in der Akzentuierung der einen oder anderen Seite gefärbt. Eine systematische Theorie ist Bölls Sache ohnehin nicht. Am nächsten einer zusammenhängenden Poetik kommen die Frankfurter Vorlesungen, die ein eher traditionelles Kunstverständnis vermitteln. Wichtig ist Bölls Ausgangspunkt: „Obwohl als einzelner schreibend [...], habe ich mich nie als einzelnen empfunden, sondern als Gebundenen. Gebunden an Zeit und Zeitgenossenschaft, an das von einer Generation Erlebte, Erfahrene, Gesehene und Gehörte ..." (FV, 7). Damit wird ausdrücklich die über die Kunst hinausreichende Verantwortung des Künstlers als Prämisse gesetzt. Der Traditionalismus Bölls darf allerdings nicht einfach in dieser Prämisse gesehen werden. Die Gleichsetzung von Avantgarde mit l'art pour l'art und Formalismus entspricht einer ideologischen Reduktion, die ziemlich willkürlich beispielsweise Gottfried Benn zum Literaturpapst der Moderne erhebt und damit eine doch längst schon historisch gewordene Epoche der sogenannten ‚Moderne' als immer noch verbindlich hinstellt. Die Grenze zwischen Traditionalismus und jeweiliger Moderne verläuft nicht zwischen Formalismus und Engagement. Nicht der Rückzug der Kunst aus der Welt in sich selbst konstituiert die Qualität der Kunst, sondern ihre jeweilige Weise der Auseinandersetzung mit der Welt.

Bölls ‚Gebundenheit' impliziert zwar ein moralisches Engagement, das aber keineswegs bruchlos in den Akt des Schreibens übergeht. Die stärkste Infragestellung schriftstellerischer Wirkung nach außen kam in der Nachkriegszeit nicht so sehr von formalistischen Ideologien her, sondern von der Erfahrung scheinbar völliger Wirkungslosigkeit irgendwelchen Engagements in der pluralistischen Gesellschaft.[22] Der Schriftsteller als Hofnarr, der die Wahrheit sagen darf, weil er nicht ernst genommen wird, gehört zum wiederkehrenden Bild solcher Erfahrung. In Walsers *Einhorn* erscheint wiederum dieselbe Erfahrung in den Meinungsäußerungs-Ritualen, die sich zu unverbindlichen Gesellschaftsspielen perfektioniert haben. Auch die Kritik gehört da zum Spiel und ist eingeplant ins Unverbindliche. Böll formuliert eine ähnliche Erfahrung in den Frankfurter Vorlesungen: „[...] sie erwarten etwas Freches, etwas Kesses, Gesellschaftskritisches, sie erwarten Zeitkritik, ich möchte fast sagen, sie erwarten — ob es sich nun um selbstsichere Industrielle handelt oder um Kleriker — sie erwarten Prügel, und seitdem mir das bewußt geworden ist, bin ich nicht mehr bereit, Prügel, wenn auch nur scheinbare, auszuteilen" (FV, 11). Der Kritiker sieht sich in der paradoxen Lage, durch seine Kritik die kritisierte Situation zu stabilisieren — solange er sich an die ungeschriebenen Spielregeln hält, müßte man allerdings hinzufügen.[23]

Böll versucht, dem Dilemma zu entgehen, indem er sich auf das Medium seiner Tätigkeit, auf die Sprache, besinnt. Die Misere der Gesellschaft äußert sich für Böll nämlich symptomatisch in der Misere der Sprache. Bereits Schiller hatte die Problematik der modernen bürgerlichen Kunst in der Problematik der allgemeinen gesellschaftlichen Arbeitsteilung gesehen, die sich im Auseinanderfallen der privaten und öffentlichen Sphären manifestierte. Böll sieht dieses Phänomen in der Sprache selbst verfestigt: „[...] es zeigt sich, daß es eine öffentliche und eine im trauten Verein gesprochene Sprache gibt" (FV, 11). Dieselbe Teilung setzt sich fort im gesamten Literaturbetrieb und dessen Trennung in Unterhaltungs- und ernste Kunst. Böll verweist auf das Fehlen von Kinderbüchern, Jugendbüchern und Kriminalromanen in Westdeutschland (FV, 16). Es fehlt natürlich nicht an Publikationen in diesem Gebiet, aber eben an ernst zu nehmenden oder auch an ernst genommenen Produkten dieser Sparten. Das aber ist nach Böll der Ausdruck der allgemeinen Sprachmisere: „Es scheint weder vertraute Sprache noch vertrautes Gelände zu geben, nicht einmal Vertrautheit mit der Gesellschaft, nicht mit der Welt, schon gar nicht mit der Umwelt" (FV, 16). Aufgabe des Schriftstellers wäre es demnach, diese Vertrautheit in und durch die Sprache zu schaffen. Von diesen Prämissen her müßte einmal Bölls Popularität und die Nähe seines Werkes zur sogenannten Trivialliteratur untersucht werden. Erst dadurch erhält die ‚Sprache des Humanen', von der in den Frankfurter Vorlesungen die Rede ist, konkreten Inhalt. Die Frage stellt sich dann, inwiefern Bölls Intention, die kulturelle Schizophrenie zu lösen, gelungen ist, inwiefern sie objektiv überhaupt zu leisten ist, ohne den gesamten Kulturapparat zu ändern. Da zudem die entfremdete Sprache Ausdruck gesellschaftlicher Verhältnisse ist, die ja die Spaltung in private und öffentliche Sphären, in ‚hohe' und ‚niedere' Schichten geschaffen haben, wäre auch zu fragen, ob denn der Ansatz an der Sprache, als an einem bloßen Symptom im Überbau, nicht zum Scheitern verurteilt ist. Böll würde dem allerdings seine eigene Sprachauffassung entgegenhalten, nach der die Sprache eben nicht zum Überbau gehört, sondern Teil der Praxis ist. „Politik wird mit Worten gemacht", heißt es in den Frankfurter Vorlesungen (S. 14) und etwas später: „Das geschriebene Wort, erst recht das gedruckte, ist in dem Augenblick, wo es geschrieben, gedruckt wird, sozial vorhanden ..." (S. 19).

Bölls Versuch, eine humane Welt zu schaffen, besteht in der Praxis allerdings nur zu einem kleinen Teil in der Veränderung der Sprache und läuft letztlich doch wieder auf die durch die Sprache geschaffenen Inhalte hinaus; dazu gehört die Provinz als Verkörperung des Sozialen und Humanen. Böll thematisiert den Zusammenhang von Provinz und Humanität vor allem in den Frankfurter Vorlesungen. Dort heißt es: „Die Abneigung der Deutschen gegen Provinzialismus, gegen das Alltägliche, das eigentlich das Soziale und Humane ist, ist eben provinzlerisch" (FV, 15). Das trifft zwar einen wahren Kern, aber das Problematische in Bölls Position liegt wahrscheinlich weniger in seiner Konzentration auf das Provinzielle als in seiner Identifikation des Provinziellen mit dem Sozialen und Humanen. Die unmittelbaren menschlichen Beziehungen, die in den Krähwinkeln dieser Welt bestehen, mochten aus der biedermeierlichen Perspektive des 19. Jahrhunderts noch idyllisch erscheinen. Ein nüchterner Blick entdeckt andere Seiten: die Geborgenheit ist allzuoft die unbezweifelte Herrschaft autoritärer Strukturen, die menschliche Nähe oft der Kleinkrieg verklemmter Aggressivität. Fast nichts davon befindet sich in Bölls Provinz, oder doch nur in schwacher, humorvoll belächelter Gestalt. Das mag mit Bölls Auffassung des Humors zusammenhängen, über den er sich ebenfalls in den Frankfurter Vorlesungen äußert. Wilhelm Buschs Humor wird demjenigen Jean Pauls entgegengesetzt, weil der Buschsche Humor ein inhumanes Element enthält, das aus der Schadenfreude und Mißachtung des Menschen hervorgeht, während bei Jean Paul die Achtung des Menschen dominiert; er vernichtet den einzelnen nicht, wenn er auch die Torheit des Endlichen mit dem Unendlichen in komischen Kontrast bringt. Der einzelne bewegt sich für Jean Paul zwischen dem Erhabenen und dem Komischen, hat an beiden teil; deshalb kann er zwar belächelt werden, wird aber von der Komik nicht vernichtet. Es mag also die Angst Bölls vor dem Antihumanen sein, die ihn zurückschrecken läßt vor gewissen Aspekten der provinziellen Welt, die als bösartige Idylle von anderen Autoren manchmal vielleicht allzu genüßlich aufgegriffen wurde. Am meisten enttäuschen die Frankfurter Vorlesungen durch ihren Mangel an konkreten poetischen Reflexionen. Böll spricht zwar anfangs von ,,kompositorischen, dramaturgischen, also ästhetischen Gründen", die den Ablauf eines Romans oder Hörspiels bestimmen. Nie aber kommt er auf diese Gründe zu sprechen. Und es bleibt bei einer abstrakten ästhetischen Notwendigkeit, deren ,muß' der Intuition überlassen ist.

Gerade vom Hauptthema der Frankfurter Vorlesungen, von der Sprachthematik her, zeigt sich der zunehmende Abstand Bölls zu einem großen Teil der Literaturproduktion der sechziger Jahre. Während nämlich Bölls Sprachkonzeption letzten Endes doch wieder auf Inhaltliches hinausgeht, entstehen in wachsenen Mengen Experimente, in denen das Sprachmaterial selbst zum Inhalt gemacht werden soll. Hier geht es nicht darum, eine ,bewohnbare' Sprache zu schaffen, sondern – um in der Böllschen Metapher zu bleiben – die bewohnte Sprache niederzureißen und als Gefängnis zu entlarven. So entstehen Texte aus vorgefertigtem Sprachmaterial, aus Klischees und Formeln, die nichts anderes wollen, als eben die Klischeehaftigkeit und Formelhaftigkeit der Sprache als Grenzen des Denkens vorzeigen. Es ist hier nicht der Ort, auf die Unterschiede etwa zwischen Heißenbüttel und Peter Handke einzugehen, es geht um die Distanz Bölls von beiden wie von ähnlichen Experimenten aus dem Wiener Kreis und von Einzelgängern. Ganz hat sich Böll jedoch nicht von solchen Tendenzen ferngehalten. *Gruppenbild mit Dame* sowie *Die verlorene Ehre der Katharina Blum* zeigen Ansätze zu Sprachexperimenten etwa im Spiel mit bürokratischen Stilformen.

Es wäre aber, wie früher schon erwähnt, einseitig, die formalistischen Tendenzen als die einzige Charakteristik der sechziger Jahre festzuhalten. Gleichzeitig nämlich, teils gegen sie, teils aber auch innerhalb solcher Sprachexperimente, entwickelte sich ein zunehmendes politisches Bewußtsein. 1961 wurde die Gruppe 61 gegründet, die aus dem Treffen der Mitarbeiter an einer Gedichtanthologie der IG Bergbau hervorging. Man wollte die Tradition der Arbeiterdichtung wieder aufnehmen und weiterführen. Die gesellschaftlichen Verhältnisse hatten sich aber seit den zwanziger Jahren verändert; unter anderem war der Verbürgerlichungsprozeß der Arbeiter sehr viel stärker geworden, und gerade die Erfolgreichen unter den Arbeiterdichtern erlagen dem Prozeß am leichtesten. Das Unternehmen hatte mit vielen Schwierigkeiten zu kämpfen, es kam zu Zersplitterungen, die Resonanz war lange Zeit eher gering. Dennoch dürfen die Impulse nicht unterschätzt werden, die von dieser Gruppe ausgingen und auch auf die etablierten bürgerlichen Schriftsteller teilweise einwirkten. Ferner haben die innen- und außenpolitischen Ereignisse der sechziger Jahre das Bewußtsein all jener Schriftsteller herausgefordert, deren Sensibilität über ihre eigene Haut hinausreichte. Die große Koalition, die Notstandsgesetze alarmierten das demokratische Bewußtsein vieler. Der Vietnam-Krieg öffnete in Westdeutschland nicht nur vielen die Augen über die Praxis einer imperialistischen Großmacht, er brachte auch Einsichten in die bundesrepublikanische politische Mentalität zutage, der es schon als antiamerikanisch galt, gegen den Vietnam-Krieg zu protestieren: abgesehen von einigen Rechtsdiktaturen erhielten die amerikanischen Militäraktionen ja weder im eigenen Lande noch sonstwo soviel moralische Unterstützung wie von seiten der Bundesrepublik. Das allgemeine politische Unbehagen summierte sich schließlich gegen Ende der sechziger Jahre in den Studentenbewegungen, die gleichzeitig den internationalen Charakter der Kritik ans Licht brachten.

Diese sehr skizzenhaften Hinweise auf die politische Entwicklung sollten wenistens andeutungsweise das öffentliche Klima kennzeichnen, in dem sich die Literatur der sechziger Jahre entwickelte. Bölls Stellungnahmen sind nicht leicht auf einen Nenner zu bringen. Generell läßt sich von einer Entwicklung Bölls sprechen, die von einem eher vagen moralischen Engagement zu einem konkreteren politischen Engagement führt, die sich auch in den kritischen Positionen Bölls abzeichnet; von einem allgemeinen Nonkonformismus kommt Böll nach und nach zu politisch und gesellschaftlich differenzierter Kritik. Solche Entwicklungslinien dürfen nur als allgemeine Trends verstanden werden, im einzelnen ergeben sich Ambivalenzen, auch ‚Rückfälle‘. Der 1973 erschienene Essayband *Neue politische und literarische Schriften* zeigt im Vergleich zu früheren Sammlungen eine gewisse ‚Radikalisierung' und Verschärfung im Ton. Gewisse anarchistische Züge lassen sich finden: „Zersetzung ist hier die einzig mögliche Form der Revolution", heißt es in den „Notstandsnotizen" (1968 – NS, 26). Böll identifizierte sich stark mit der Protestbewegung der Studenten sowie mit den damit zusammenhängenden Reformbewegungen in den Parteien: „Ich halte das Attentat auf Dutschke für ein großes Unglück – kein zufälliges. Es hat keinen Nachfolger gefunden. Meine einzige Hoffnung sind die Jungsozialisten und Jungdemokraten, und ich hoffe gleichzeitig, daß sie sich nicht ermüden lassen. Bei der Jungen Union sehe ich keinen Ansatz: das sind brave Herrennachfolger, die es nicht einmal fertiggebracht haben, sich Distanz zu einer so undiskutablen politischen Erscheinung wie Kiesinger zu verschaffen" (Protokoll zur Person, S. 42). Während hier das parteipolitische Engagement hervortritt, ist es in der Büchner-Rede eher der anti-politische non-konformistische Aspekt: „Wer wundert sich da, daß der Widerspruch der Jugend sich auch in Kleidung und Haarwuchs ausdrückt. Wie anders als durch Unruhen, eindeutig formulierten Widerspruch, in Kleidung und Haarwuchs sollen sie sich Ausdruck verschaffen, da ihnen das Wählerkreuzchen, mit dem Verantwortung delegiert wird und das keine andere Wahl mehr läßt, nicht genügen kann" (NS, 13).

Damit ergibt sich auch die Frage nach der konkreten parteipolitischen Position Bölls. Diese Frage muß in dem Kontext gesehen werden, der sich durch die SPD-Regierung in der Bundesrepublik ergeben hatte und eine gewisse Einmaligkeit im Kulturbetrieb der Nachkriegszeit darstellt. Kaum je zuvor hatten so viele prominente Schriftsteller sich nicht nur politisch, sondern auch parteipolitisch engagiert. Ausdruck dafür war schon der 1961 von Martin Walser veröffentlichte Band *Die Alternative oder Brauchen wir eine neue Regierung?*[24], in dem sich zwanzig Schriftsteller und Publizisten mehr oder weniger eindeutig für die SPD als Alternative engagierten. Böll war nicht darunter; an seiner Liebe für die CDU lag das aber bestimmt nicht, hatte er sich doch anderweitig eindeutig genug gegen die CDU ausgesprochen. Das alte Klischee von ‚Geist und Macht' als unversöhnliche Gegensätze schien für einmal beiseite gelegt. Bei vielen allerdings handelte es sich von Anfang an mehr um ein personales als parteipolitisches Engagement. Dieter E. Zimmers Vermutung in der *Zeit*[25], daß mit dem Abtreten von Willy Brandt auch dieses „Kapitel Geist und Macht" zu Ende gegangen sei, hat viel Wahrscheinlichkeit für sich, wenn auch die Gründe dafür nicht auf der personalen Ebene liegen. Von Anfang an war es kein uneingeschränktes Engagement für die SPD, deren S manchen so zweifelhaft schien wie das C von CDU/CSU. Die große Koalition war der erste kritische Schock, und die nachfolgende Kompromißbereitschaft des SPD-Establishments vor allem im sozialpolitischen Sektor hatte weitere Desillusionen zur Folge. Nur wenige konnten da den Enthusiasmus von Günter Grass teilen, der die Schnecke zum Wappentier des Fortschritts erhoben hatte. Martin Walser z. B. sah schon seit 1965 keine Alternative mehr in der SPD, gibt aber andererseits immer noch zu bedenken, daß in der Bundesrepublik der Weg zum Sozialismus nicht an der SPD vorbeiführen kann.

Böll, der aus seiner Verachtung für die CDU nie ein Hehl gemacht hat, stand und steht der SPD ambivalent gegenüber. Enttäuschung artikulierte auch er gelegentlich scharf, so in einem Interview mit Reich-Ranicki: „Im Jahre 1965 konnte einer noch, was er heute beim besten Willen nicht mehr kann: auf die SPD hoffen. In einem Land, in dem es keine Linke mehr gibt, nur noch linke Flügel von drei überwiegend nationalliberalen Parteien, ist es sinnlos, Zeitverschwendung, sich parteipolitisch zu engagieren. Als Schriftsteller kann einer nur mittelbar politisch wirken, und er muß auf diese mittelbare Wirkung vertrauen" (AKR II, 218). Manfred Durzak hat mit Recht darauf hingewiesen, daß eine solche Haltung bedenkliche apolitische Konsequenzen mit sich führt. Indes war das nicht das letzte Wort Bölls zur SPD. Seine Hoffnung auf die Jungsozialisten und auch die Jungdemokraten wurde schon zitiert. Neue Akzente setzt auch der in der *persona* George Bernard Shaw an Herbert Wehner gerichtete Brief, der in der Sammlung fiktiver Briefe unter dem Titel *Alarmierende Botschaften. Zur Lage der Nation* im Desch-Verlag erscheint und bereits in der *Frankfurter Rundschau* vom 31. August 1974 publiziert wurde. (Vorabdrucke anderer Briefe erschienen in mehreren westdeutschen Zeitungen). Bölls Brief ist eine Mischung von Sympathie für Wehner und tiefer Besorgnis über den Kurs der SPD nach rechts, der sich unter anderem im Streit mit der CDU um die wahre ‚Mitte' manifestiert.[26] Böll-Shaw kommentiert sarkastisch: „Was liegt denn, wenn man den Begriff Mitte topographisch interpretiert, etwa in der Mitte der Städte, der alten und der neuen? Die Banken, die Kathedralen, die Versicherungsgebäude. Will Ihre Partei etwa dorthin?" Ebenso attackiert Böll die Gleichsetzung dieser ominösen Mitte mit Vernunft: was für die Ölkonzerne z. B. vernünftig sei, sei nicht unbedingt vernünftig für die gesamte Gesellschaft. Böll muß Wehner daran erinnern, daß die SPD immerhin ein Ausläufer der Arbeiterbewegung ist. Wie groß aber die Sympathie für Wehner und seine Partei immer noch sein muß, zeigt sich nicht nur in dem eher besorgten als zynischen Ton, sondern auch in der an Heinrich Mann gemahnenden Beschwörung Heinrichs IV von Frankreich, „der den Giftmischern, Kardinälen, Spitzeln, Huren, Messerwetzern und Messerstechern von der Liga erklären wollte, daß es ihm wirklich um Frieden ging ..." Die Liga, daran läßt Böll keinen Zweifel, sind diesmal die Parteien mit dem großen C. Trotz dieses eindeutigen politischen Engagements zeigt sich aber auch hier eine Tendenz Bölls, seine Position unfreiwillig zu neutralisieren. Das geschieht in seinen Ausführungen über den Begriff der Radikalität und gegen die Radikalenerlasse. Ist die Frage, ob etwa Franz Josef Strauß radikal sei, berechtigt, so entzieht sich Böll doch die eigene Argumentationsbasis mit einer Radikalenliste wie: „Ein Priester, der das Evangelium vorliest, ein Lehrer, der ein Drama von Kleist oder ein Gedicht von Hölderlin lesen und interpretieren läßt, ein städtischer Gärtner, der die Rosen im Garten des Oberbürgermeisters beschneidet ..." Spätestens beim Gärtner dürfen alle Betroffenen beruhigt aufatmen und die Kritik als unverbindliches Feuilleton und poetische Lizenz abtun. Kleist und Hölderlin, vielleicht auch das Evangelium mögen ja ihre radikalen Potenzen haben; ihre Vermittler haben sich bisher eher dadurch ausgezeichnet, jede potentielle Radikalität zu neutralisieren. Und eben dadurch neutralisiert auch Böll seine eigene Position. Das war immer schon eine Schwäche der Böllschen politischen Essays, daß er sich allzu leicht zu Ungenauigkeiten verführen läßt, die seine Argumente schwächen und sie für leichte Attacken anfällig machen.

Nicht weniger ambivalent als zur SPD ist Bölls Position gegenüber dem Sozialismus und Marxismus. Parallelen zu Bölls Katholizismus drängen sich auf: eine allgemeine Sympathie für einige Grundsätze bei äußerst kritischer Haltung gegenüber den Institutionen, die den Katholizismus bzw. Sozialismus repräsentieren. Auch hier aber zeigt sich eine gewisse Entwicklung zu konkreteren Standpunkten hin. Der 1960 geschriebene Essay über Karl Marx (AKR I, 74–91) geht hauptsächlich von der Persönlichkeit aus. Zwar werden die „Sozialdemokraten aller Länder" kritisiert, die sich völlig von Marx distanziert haben, noch mehr aber die sozialistischen Länder Osteuropas angeklagt, Marx völlig verfälscht zu haben, zudem „auf eine bösere Weise [...] als die westlichen Sozialdemokraten je fähig wären" (S. 76). Gleichzeitig wird in diesem Aufsatz aber ein Aspekt Bölls sichtbar, der ihn weit vom Sozialismus trennt, seine Auffassung von der Armut, die eine bestimmte christliche Prägung hat und die er auch deutlich vom Marxismus abhebt: „Auf einer Erde, deren Mehrheit nach Sättigung verlangt, ist sie [die westliche Welt] mit den Sorgen der Übersättigung befaßt; sie hat − theoretisch versteht sich − die Armut abgeschafft; das Wort arm hat für sie keine mystische Bedeutung mehr; es ist ersetzt worden durch asozial [...]. Sie ist damit einen wichtigen Schritt weiter materialistisch geworden; auch für Marx hatte das Wort arm keine andere als nur soziale Bedeutung − und ein Jahrhundert lang haben die Christen Marx damit abgetan, mit Recht abgetan, daß Armut als die mystische Heimat Christi und all seiner Heiligen eine andere als soziale Bedeutung habe" (AKR I, 77). In dem Aufsatz „Hierzulande" aus demselben Jahr wird wiederum die Bundesrepublik kritisiert als ein Land, „wo Armut weder mystische Heimat noch Station zum Klassenkampf mehr ist" (H, 15). Diese Mystifizierung der Armut als Wert an sich hat Böll nie ganz aufgegeben. Das erklärt auch, warum etwa Leni im *Gruppenbild* eine proletarische Aura annehmen kann, ohne gesellschaftlich zum Proletariat zu gehören. Ihr Proletariertum ist gewissermaßen eine mystische Eigenschaft. Franz von Assisi eher als Karl Marx bestimmt das Bild der Armut bei Böll. Das heißt allerdings nicht, daß Böll die bestehende Klassengesellschaft akzeptiert. Gegen sie ist ihm immer noch der Sozialismus als Alternative ein Vorzug. Am eindeutigsten hat sich Böll im Interview mit Reich-Ranicki in dieser Richtung ausgedrückt: „Ich möchte nur, daß dem Kommunismus in der Ausübung seiner Macht mindestens so viele Jahrhunderte Zeit gegeben wird, wie sie der Kapitalismus gehabt hat. Denn ich halte den Kommunismus immer noch für eine Hoffnung ..." (AKR II, 220). Auch auf Bölls Kunsttheorie scheint sein Sympathisieren mit dem Sozialismus nicht ohne Wirkung geblieben zu sein. Kritisiert er noch 1964 im sozialistischen Realismus die Ideologie der heilen Welt (im Interview mit A. Rummel, AKR II, 217), findet sich in Bölls Vorwort zu Solschenizyns *Krebsstation* eine Verteidigung: „Jahrzehntelang hat man im Westen (ich schließ' mich in dieses ‚man' ein) den sozialistischen Realismus mit sanftem Spott bedacht. Die Rache hat schon angefangen, sie wird weitergehen. Was inzwischen an Autoren, Regisseuren, Grafikern aus Polen, der Tschechoslowakei, Jugoslawien und der Sowjetunion hierzulande begehrt ist, scheint zu beweisen, daß der sozialistische Realismus – und wenn auch nur als verhaßter dogmatischer Gegenpol – die Autoren dort, wo er regierte, weder entmündigt noch entmannt hat" (NS, 28). Zwar kritisiert Böll immer noch den Zwang zum Positiven – zu dem er doch selbst, wenn auch nicht von außen gedrängt, manchmal tendiert –, aber er sieht nun positive Alternativen zu den „formalistischen Spiele(n)" im Westen darin.

Die erneuerte Emphase auf Realismus ist auch von den Tendenzen der späten sechziger Jahre her motiviert. Das Experimentieren mit dokumentarischen Formen der Literatur verführt auch Böll zu einem fiktiven Dokumentarstil. Das Resultat wirkt manchmal verkrampft, und man fragt sich, wie Böll seine Technik weiterentwickeln wird oder ob er vielleicht in eine Sackgasse geraten ist, das umso mehr als er nun endgültig zum Bestseller-Autor avanciert und damit einem gewissen Erfolgsdruck ausgesetzt ist. Immerhin gibt es noch keine Anzeichen dafür, daß Böll sich der neuen Nostalgie und dem Kult einer Pseudo-Sensibilität anpassen will. Der konservative Trend der Bundesrepublik ist reicher Nährboden für die neue Innerlichkeit. Es bleibt abzuwarten, wie Böll darauf reagieren wird. Aus einer Notiz in der *Zeit* vom 11. Oktober 1974 ist zu entnehmen, daß er an einem neuen Roman arbeitet: „Die Hauptfigur: ein sechzig-, siebzigjähriger deutscher Politiker, den die Brutalität und der Nihilismus der Hitler-Jahre gezeichnet haben." Vielleicht doch ein Rückzug in die Vergangenheit, wenn auch nicht in eine idyllische? Das hängt davon ab, wie die Vergangenheit mit der Gegenwart vermittelt wird.

1.2 Abriß zur Rezeptionsgeschichte Bölls

Im folgenden werden kurz die wichtigsten Tendenzen der Böll-Rezeption skizziert. Es geht hier noch nicht um die detaillierte Bestandsaufnahme einzelner Stimmen zu Böll, sondern um typische Reaktionen, die möglicherweise auch repräsentativ für die Geschichte der Nachkriegskritik sind. Es kann sich dabei aber nicht nur um Literaturkritik im engeren Sinne handeln. Böll hat sich politisch und gesellschaftlich exponiert; die Reaktion auf Böll als öffentliche Person ist deshalb wesentlicher Teil einer Rezeptionsgeschichte. Schließlich verlangt auch die Rezeption im Ausland besondere Aufmerksamkeit.

„Sie wollten den Neuen eine Chance geben, und ein Neuer ging denn auch schließlich bei der Abstimmung über die preiswürdigste Arbeit durchs Ziel. Es war Heinrich Böll, der dreiunddreißigjährige Kölner Erzähler, von dem bisher zwei sehr eigenwillige Prosabände vorliegen" (L 140, 60). Es ist sinnvoll, die Geschichte der Böll-Rezeption im Jahre 1951 beginnen zu lassen, als im Mai in Bad Dürkheim der Preis der Gruppe 47 an Böll vergeben wurde. Zwar lagen, wie der Berichterstatter erwähnt, schon zwei Erzählbände von Böll vor (*Wanderer, kommst du nach Spa...* und *Der Zug war pünktlich*), aber für die meisten war er ein Neuer, „eins von jenen Talenten, die plötzlich da sind" (L 140, 65), wie es in einem anderen Bericht zu derselben Tagung über Böll heißt. Nur wenige konnten damals wie Louis Clappier von einem nicht mehr unbekannten Autor sprechen (L 140, 66). Es liegt aber darüber hinaus eine symptomatische Bedeutung darin, eine Rezeptionsgeschichte hier anzusetzen. Denn was immer man für oder gegen die Gruppe 47 vorgebracht hat, eins muß man ihr zugestehen: sie hat in der Bundesrepublik wenigstens Ansätze zu einer literarischen Öffentlichkeit geschaffen. Das war nicht leicht in einem Land, in dem literarische Öffentlichkeit eher ein Schattendasein geführt hatte, manchmal halbherzig gesucht, des öfteren aber mißtrauisch abgelehnt. Statt dessen florierten Vorstellungen vom einsam ringenden Genie, bestenfalls ergaben sich als Ersatz kleine Zirkel oder andächtige Gemeinden um einen Meister geschart. Bereits Schiller ließ seinen Traum von der ästhetischen Erziehung, die ja eine Öffentlichkeit voraussetzt, resigniert auf einige wenige auserlesene Zirkel zurücksinken. Das Dilemma, dem er sich gegenübersah, könnte man mit Klaus Berghahn zugespitzt als „Volkstümlichkeit ohne Volk"[27] bezeichnen, die Suche nach einem möglichst weiten Publikum einerseits, andererseits ein Kunstgeschmack, der sich immer mehr von den Massen entfernte. Es war der Beginn einer Entwicklung, die sich bis zur Moderne immer weiter zuspitzte, so daß für manche Moderne und Esoterik fast schon zu Synonymen geworden sind. Für eine Rezeptionsgeschichte ist nun aber von besonderer Bedeutung, daß erst im 18. Jahrhundert sich auch eine Literaturkritik im heutigen Sinne entwickelte: „Die kunst- und kulturkritischen Journale sind als Instrumente der institutionalisierten Kunstkritik typische Schöpfungen des 18. Jahrhunderts. ‚Merkwürdig genug ist es ja,' so wundert sich Dresdner mit Recht, ‚daß die Kunstkritik, nachdem die Welt jahrtausendelang ohne sie sehr gut ausgekommen ist, gegen die Mitte des 18. Jahrhunderts mit einem Male auf der Bildfläche erscheint'"[28] Jürgen Habermas hat den Zusammenhang von literarischer Öffentlichkeit und gesellschaftlichem Strukturwandel ausführlich behandelt. In unserem Zusammenhang ist vor allem wichtig, daß gleichzeitig mit dem Entstehen einer literarischen Öffentlichkeit und einer damit zusammenhängenden Literaturkritik bereits diese Öffentlichkeit auch schon problematisch wurde. Ihre Problematik war allerdings nicht nur auf Deutschland beschränkt, sie zeigte sich dort nur in extremerem Maße als in anderen europäischen Ländern und isolierte oft auch die Intellektuellen und Schriftsteller untereinander weit mehr, als das etwa in Frankreich der Fall war.

Erst in einem solchen historischen Kontext läßt sich die literatursoziologische Bedeutung der Gruppe 47 erfassen. Wir müssen uns hier auf Andeutungen und Hinweise beschränken. Einschränkend ist gleich vorwegzunehmen, daß die Gruppe natürlich nicht das kulturelle Hauptproblem, die Spaltung in Massenkultur und Elitekultur, lösen konnte. Erstens hatte sie ein solches Programm gar nicht, weil sie sich überhaupt kein Programm vorgenommen hatte, und zweitens wäre so etwas nur in einem gesamtgesellschaftlichen Umformungsprozeß möglich gewesen, wie er in der DDR unternommen wurde, wo denn auch Volkstümlichkeit und eine integrale Gesamtkultur im Mittelpunkt der kulturellen Diskussion standen. Die Probleme waren auch da nicht leicht und schnell zu lösen. Was die Gruppe 47 leistete, ist bescheidener und mußte notwendigerweise innerhalb der in der Bundesrepublik bestehenden Produktionsverhältnisse bleiben. Das bedeutete konkret, daß sich eine relativ freie literarische Diskussion entfalten konnte, die sehr bald durch die Vermittlung kommerzieller Produktionsapparate, hauptsächlich Verlage und Rundfunk, eine weite Resonanz fand. Wie tief aber in Deutschland das Mißtrauen gegen Öffentlichkeit saß, zeigten die feindlichen Reaktionen von Kollegen und Kritikern, die in einer solchen Gruppierung nur eine Art Mafia sehen konnten, nicht aber die Möglichkeit, daß die isolierten Literaturproduzenten aus ihren Winkeln hervortreten und die Konflikte und Probleme ihrer Arbeit in der Öffentlichkeit austragen könnten. Immerhin geschah hier, was in den Zeitungsfeuilletons höchst selten geschah, daß nämlich Literaturkritiker sich gegeneinander rechtfertigen und aufeinander eingehen mußten. Ansätze zu öffentlichen Gesprächen wurden so geschaffen, die von den traditionellen Monologen hätten wegführen können. Aber zu tief waren die Vorstellungen vom Kulturproduzenten als dem einsam Schaffenden verankert; das galt für Schriftsteller und Kritiker. Die Verdächtigungen wirkten lähmend auf eine produktive Entfaltung eines öffentlichen Diskurses. Man verwahrte sich von seiten der Gruppe ängstlich, irgend etwas zu repräsentieren. 1965 begründete Böll die vollkommene Harmlosigkeit der Gruppe damit, daß ihr jedes Minimum an Solidarität fehle (AKR I, 197). Jeder schaut auf sich selbst; immer wieder fällt man zurück auf die Scheinalternative von dirigierter Einheit und isolierter Freiheit. Das Konzept eines öffentlichen Diskurses, der Konflikte nicht in der Einsamkeit verinnerlicht, sondern dort austrägt, wo sie entstehen: in der Öffentlichkeit gesellschaftlich-kultureller Beziehungen, stößt auf größte Widerstände. Die Diskussion um eine IG Kultur am Ende der sechziger Jahre brachte die alten Ressentiments wieder ans Licht.

Als Böll 1951 den Preis der Gruppe 47 erhielt, begannen ihre Möglichkeiten sich gerade zu entfalten. Noch war der Enthusiasmus da, neue Talente zu entdecken, neue Möglichkeiten zu diskutieren, Fragen zu stellen, Probleme anzugehen. Gleichzeitig hatten sich bereits die kommerziellen Vermittlungsapparate eingeschaltet: ,,Auch eine ganze Reihe von Managern — Verlagslektoren, Rundfunkmännern, Publizisten — war zugegen, und ihre Anwesenheit gab der Veranstaltung fast so etwas wie den Charakter einer literarischen Börse. (Es kam vor, daß eine gute Erzählung bereits wenige Stunden, nachdem sie gelesen worden war, an drei Sendestationen verkauft war)". (L 140, 59). Diese Tatsache war für Böll besonders wichtig, da er sich eben in diesem Jahr zum ‚freien' Schriftsteller gemacht hatte, der nun von seinen Publikationen leben mußte. Dafür gab der Preis eine willkommene Basis, wichtiger aber für die Zukunft die Aufmerksamkeit der literarischen Börse.

Was hatte nun aber die Verleihung des Preises motiviert? Wir sind hier auf die eher spärlichen Tagungsberichte angewiesen, die Böll zum Teil recht kurz erwähnen. Aber die qualifizierenden Begriffe, die hier verteilt wurden, sollten sich in der Zukunft als beständig erweisen: ,,Er hatte mit seiner Geschichte von den schwarzen Schafen bewiesen, daß er nicht nur über eine breite menschliche Substanz und einen feinen Humor verfügt, sondern auch brillant und mit scharfer Pointierung zu erzählen versteht" (L 140, 60). Ein anderer fand, daß an Bölls Geschichte ,,etwas dran war, ein neuer Ton, die Trauer des kleinen Mannes, der eigentlich Künstler ist und der sich im Alltag verplempert, durch die Brille der Güte gesehen. Da war der Humor, der so fehlt. Und wenn man an das unerforschliche Walten des Zufalls glaubt, dann hat der richtige Mann diesen Preis bekommen" (L 140, 65). Menschliche Substanz, feiner Humor, scharfe Pointierung, Trauer und kleiner Mann gehören bis weit in die sechziger Jahre zum Grundbestand der Böll-Kritik. Bereits ein Jahr später erscheint Bölls Name in den Tagungsberichten unter den Etablierten, und 1953 wurde Bölls Roman *Und sagte kein einziges Wort* zum Zeichen genommen, daß nun die Ära der Trümmerliteratur vorbei, daß man über das Experimentieren zur ernsthaften Nachkriegsliteratur gekommen sei (L 140, 88).

Aber auch außerhalb der Gruppe begann nun Bölls Name bekannter zu werden. Zunächst schien der Preis selbst wie ein Auslöser zu wirken, der andere Preise nach sich zog. Bereits 1952 wurde der René-Schickele-Preis an Böll verliehen, 1953 waren es gleich drei Preise: der Süddeutsche Erzählerpreis, die Ehrengabe des Kulturkreises im BDI und der Kritikerpreis für Literatur. Der Preis der „Tribune de Paris" im Jahre 1954 demonstrierte das Interesse des Auslands an Böll.

Die ersten Bände Bölls hatten noch kein großes Aufsehen erregt. Der Publikumserfolg war eher gering. In der ersten Auflage von Holthusens *Der unbehauste Mensch* (1951), wo die Situation der Nachkriegsliteratur analysiert wird, erscheint der Name Böll noch gar nicht, erst in der 3. Auflage 1955. Allerdings gab es andere Kritiker und Autoren, die die junge Gegenwartsliteratur genauer verfolgten. Bereits im Januar 1951, also noch vor der Tagung der Gruppe 47, erschien ein Aufsatz von Hermann Kasack (L 114) über die literarische Situation in Deutschland (hauptsächlich der Bundesrepublik), in dem als hoffnungsvolle jüngere Autoren Arno Schmidt, Friedrich Rasche, R. A. Böttcher, Heinrich Böll, Walter Jens und Karl Waßmannsdorff genannt werden. Von ihnen wird erwartet, daß sie „die rückläufige Tendenz, die provinzielle Note mit kühnen, interessanten Versuchen" überwinden würden. Nicht alle genannnten Namen prägten dann die deutsche Nachkriegsliteratur, aber immerhin zeigt die Aufzählung, daß Böll für manche schon als Hoffnung galt.

Der eigentliche Durchbruch kam mit dem Roman *Und sagte kein einziges Wort*, es war ein Durchbruch nicht nur bei der Kritik, sondern auch beim Publikum. Der Weg in die Literaturgeschichte war gebahnt. Bereits 1953, kurz nach Erscheinen des Romans, wurde Böll von Wilhelm Grenzmann in *Deutsche Dichtung der Gegenwart* „Eindrucksvolle Gestaltung von Nachkriegsproblemen" (L 77, 441) bescheinigt. Die Begründung ist charakteristisch für die frühe Böll-Rezeption: Der Roman *Und sagte kein einziges Wort* sei „Zeugnis einer großen, an ewigen Maßstäben sich orientierenden Gesinnung, der es nicht genug ist, das Chaos und die Trostlosigkeit des Lebens aufzuweisen, sondern den Weg zur Rettung und Heilung zu führen". Böll wird zum positiven Kontrast gegenüber negativer zeitgenössischer Literatur: „das Gegenteil der nihilistischen Zeitbilder, die den Gegenwartsroman heute oft so fragwürdig machen". Erst in diesem positiven Rahmen wird dann vorsichtig die realistische Tendenz, die „genaue Gegenständlichkeit, nüchterne Sachlichkeit und Wirklichkeitstreue" gelobt, mit der Einschränkung jedoch, daß Böll „manchmal zu nah am Gegenstand" bleibe. Grenzmanns Emphase verzerrt die Akzente von Bölls Roman, aber was er hervorhebt, ist nicht von der Hand zu weisen und hat auch andere Kritiker und Leser angezogen und zu Bölls Popularität beigetragen, wahrscheinlich mehr, als ihm selber lieb ist. Schon früher wurde seinen Kriegsdarstellungen bescheinigt, daß sie ohne ‚vordergründigen Realismus' seien; und das ging dann auch in die Literaturgeschichten ein. So heißt es bei Franz Lennartz, Böll gehöre zu den ersten, „die das Kriegserlebnis gedanklich und sprachlich bewältigten", und ‚bewältigen' heißt hier „ohne vordergründigen Realismus" darstellen (L 137,

62). Böll wurde so unversehens zur Gegenfigur von Plievier, dessen
Stalingrad (1945) der bloßen Faktenwiedergabe, eben des ‚vordergründigen' Realismus bezichtigt wurde. Es gehört zur Eigenart der deutschen Literaturgeschichte, daß die großen realistischen Strömungen in
Europa hier immer nur mit einem mildernden Adjektiv akzeptabel waren. Als im 19. Jahrhundert in Frankreich, England und Rußland die
großen Romanciers mit den Möglichkeiten des Realismus experimen-
tierten, hatte Deutschland seinen ‚poetischen' Realismus. Jetzt, kurz
nach dem Zusammenbruch, suchte man wieder einmal nach einer hintergründigen Realität, nach einem ‚magischen' Realismus. Böll selbst
hatte solches kaum intendiert, aber was an emotionaler Aura in seine
Prosa einging, wurde begierig aufgenommen und als Positives der bloßen Faktenwidergabe, die bezeichnenderweise schon als Nihilismus
galt, entgegengehalten.

Nicht allen aber war Böll positiv genug, für manchen Geschmack
hielt er sich noch zu nahe an die Fakten. Das Schlagwort der Detailbesessenheit kam auf und hielt sich bis in die sechziger Jahre. Noch 1963
vermerkt das *Lexikon der Weltliteratur* „Neigung zur Manier minuziö-
ser Wiedergabe der Außenwelt" (L 215, 179). Das eine Wort ‚Manier'
genügt, dem scheinbar deskriptiven Urteil negative Wertkonnotationen
zu sichern. Abgesehen davon, daß Bölls Konzentration auf Details im
Vergleich zu vielen zeitgenössischen Autoren sich doch in einem eher
bescheidenen Rahmen hält, wäre auch jeweils nach der Auswahl und
Funktion der Details zu fragen. Daß dies meist nicht geschah, hängt
mit einem zweiten weitverbreiteten Ressentiment zusammen, nämlich
mit der Abneigung gegen Funktionsanalysen überhaupt, die überall
‚Konstruktion' wittert, wo man doch immer noch lieber organisch Ge-
wachsenes sucht. Da können dann die unterschiedlichsten Autoren
demselben Verdikt verfallen, wie etwa in der von Hermann Friedmann
und Otto Mann herausgegebenen *Deutschen Literatur im 20. Jahrhundert*: „die Romane und Erzählungen jüngerer deutscher Autoren wie
Schallück, Böll, Nossack, Aichinger, Horst, Kreuder, Koeppen, Gaiser,
Krämer-Badoni zeigen mehr Konstruktion als Gestaltung"(L 70, 197).
Wo denn nun die Grenze zwischen Konstruktion und Gestaltung verlaufe, bleibt allerdings im dunkeln. Zwar wird Böll eine gewisse Aus-
nahmestellung eingeräumt: „Nur der junge Heinrich Böll hat in seinem
jüngsten Roman *Und sagte kein einziges Wort*, wenn auch in einer
nicht ganz reinen Mischung von alltäglicher und geformter Sprache,
den geglückten Versuch einer dem neuen, uralten Thema, der Unauflöslichkeit der Ehe, entsprechenden Komposition gemacht" (L 70,
205). Charakteristisch ist auch hier das Vokabular, das in seiner Ungenauigkeit mehr unterschwellig suggeriert als kritisch urteilt. Was z. B.
die Mischung von alltäglicher und geformter Sprache „nicht ganz rein"
macht, muß der Leser erraten, nicht zu reden von der literarhistori-
schen Ungenauigkeit, die die Unauflöslichkeit der Ehe zu einem uralten Thema stilisiert. Es wird sehr schwierig sein, vor dem 18. Jahrhun-

dert in der Weltliteratur die Ehe überhaupt als zentrales Thema zu finden. Nicht kleinkarierte Beckmesserei soll hier getrieben werden; aber angesichts der schleichenden Inflation des kritischen Vokabulars müssen hohle Stellen gelegentlich aufgedeckt werden. Die Fortsetzung des obigen Zitats entzieht sich allerdings jeder Argumentation: ,,Doch fehlt seinem schätzenswerten Versuch die geistig-denkerische Leidenschaft und damit auch das eigentlich christliche mysterium inquietatis, die heilsgeschichtliche Dialektik, das spezifisch Pneumatische" (L 70, 205). Das mögen die Theologen untereinander ausmachen.

Zugegeben, wir befinden uns hier nicht auf den Höhen der Kritik. Es ist aber gerade die Frage, ob die ,Spitzen'kritik auch die Rezeptionsgeschichte bestimmt. Schon ihre Seltenheit läßt daran zweifeln. Es kann ja in einer Rezeptionsgeschichte nicht nur um das relativ isolierte literarische Gespräch in wenigen Feuilletons und Zeitschriften gehen, Beachtung verlangt auch jene Kritik, die in Nachschlagewerken und populären Literaturgeschichten in Leihbibliotheken ihr Wesen treibt. Die Kritik höheren Niveaus soll damit nicht ausgeschlossen werden, aber die Perspektive muß im Blick behalten werden.

Jeder Autor wird nach und nach bestimmte Kritiker anziehen, die sich eingehender mit ihm beschäftigen. Zwar läßt der kritische Betrieb nicht völlig freie Hand, welche Bücher rezensiert werden können, aber ein gewisser Spielraum bleibt dem individuellen Kritiker doch, Akzente zu setzen, Sympathien und Antipathien in seiner Auswahl auszudrücken. In gewisser Weise reflektiert ja das Niveau der Kritiker, die ein Autor anzieht, auf das Niveau seines Werkes.

Auch Böll hat sich einen Kreis von Kritikern erschrieben. Unter den frühesten war Hans Schwab-Felisch, der in einem Aufsatz über ,,Die Literatur der Obergefreiten" 1952 Böll besonders hervorhob (L 190). Im Gegensatz zur oben beschriebenen allgemeinen Tendenz stellte Schwab-Felisch Böll ausdrücklich neben Plievier in der Darstellung des Krieges. (Unterdessen war auch Bölls *Wo warst du, Adam* erschienen). Schwab-Felisch ging allerdings noch einen Schritt weiter; unter den vielen besprochenen Autoren, die sich mit dem Kriegsthema auseinandergesetzt hatten, sei Böll ,,zweifellos der Begabteste" (L 190, 649). Ein Jahr später stellte er Böll dann in einem ausführlichen Essay vor (L 191). Der Aufsatz ist auch deshalb von besonderem Interesse, weil er einen anekdotischen Nahblick auf die Rezeptionssituation gibt. Er beginnt mit einem Bericht über eine Diskussion nach einem Leseabend Bölls in Berlin 1953: ,,Fast alle, die ihn gehört hatten, waren enttäuscht, und nun hackten sie auf ihm herum. Den einen waren die an jenem Abend vorgetragenen Erzählungen zu sentimental, den andern erschienen sie konstruiert, und der kompakteste Vorwurf stellte Bölls Realismus überhaupt in Frage. An den wesentlichen Problemen unserer Zeit gehe er vorbei; er schildere zwar die Peripherie, dringe aber zum Kern der Dinge nicht vor" (L 191, 194). In diesen Vorwürfen sind wesentliche Einwände zusammengefaßt, die in der Böll-Kritik bis heute nicht verstummt sind. Gegen eine gewisse Sentimentalität hatte Böll immer zu kämpfen. Die Kritik an seinem Realismus scheint hier noch hauptsächlich motiviert von jener früher erwähnten Tendenz nach Hintergründigkeit. Auch sie ist nicht ganz verstummt, wenn auch später etwas anders begründet, eher soziologisch motiviert oder auch ideologiekritisch, so etwa in Reinhard Baumgarts Aufsatz „Kleinbürgertum und Realismus" (L 13).

Schwab-Felisch ging auf die Kritik ein, schloß auch Mängel nicht aus, aber Böll war für ihn eine Hoffnung; er setzte die Erwartungen hoch an: „Böll ist ja auch noch keineswegs ausgereift; ein bedeutendes Talent ist zwar sichtbar geworden, der Atem des Unvergänglichen aber noch nicht zu spüren. Doch daß überhaupt gewagt werden darf, Ordnungen so unbedingter Strenge zu bemühen, wenn auch noch im negativen Sinne, ist schon ein Ereignis" (L 191, 195). Rückblickend könnte man fragen, wie weit solche Hoffnungen gerechtfertigt waren. Die Antwort dürfte zwiespältig ausfallen, wie ja Bölls Werke fast immer auch auf seine positiven Kritiker zwiespältig gewirkt haben. Dem jungen Böll konnte noch seine Jugend als Hoffnungs-Kredit angeboten werden, beim späteren Böll könnte man dann von jeweiligen ‚Krisen' sprechen; aber mit der Zeit könnte man mit Manfred Durzak vermuten, „daß es sich offensichtlich um eine permanente Krise handelt, die letztlich gegen die schriftstellerischen Möglichkeiten des vielgerühmten Autors Heinrich Böll spricht" (L 52, 96). Der Prozeß hat einige Ähnlichkeiten mit der Rezeption Martin Walsers, dem seit dem Erscheinen des ersten Romans sprachliche und sonstige Brillanz zugestanden wurde, von dem man mit jedem nächsten Roman Großes erwartete, nur um diese Hoffnung immer wieder vor sich herzuschieben, bis man beim *Sturz* oder auch vorher schon resigniert aufgab. Nun sind Böll und Walser Schriftsteller sehr verschiedener Art, ihre ‚Krisen' und ‚Mängel' auf den ersten Blick kaum vergleichbar. Dennoch scheint die Parallele in der kritischen Reaktion auf eine tiefer liegende Gemeinsamkeit zu deuten, die die Rede von der individuellen Krise und den individuellen Mängeln in Frage stellt. Fragen ließe sich nämlich auch, ob nicht vielleicht die kritischen Erwartungen von der Kunst in die Krise geraten sind, weil sich diese Erwartungen immer noch auf einen Kunstbegriff beziehen, der einer anderen Kunstsituation entsprungen ist. Eine solche Vermutung drängt sich vor allem auf, wenn etwa mit der Kategorie der Unvergänglichkeit operiert wird. Dagegen ließe sich Adornos, wenn nicht unbestreitbare, so doch einleuchtende Situations-Beschreibung anführen: „Die Bemühung, dauernde Meisterwerke zu schaffen, ist zerrüttet. Was Tradition kündigt, kann schwerlich für eine rechnen, in der es bewahrt wäre. Dafür ist um so weniger Anlaß, als rückwirkend unendlich vieles von dem, was einmal mit den Attributen der Dauer ausgestattet war — der Begriff der Klassizität lief darauf hinaus —, die Augen nicht mehr aufschlägt: das Dauernde verging und riß die Kategorie der Dauer in seinen Strudel."[29] Die Verschiebung der

Krise vom schreibenden Subjekt auf die Kunst-Situation befreit jenes nicht von möglichen Mängeln. Die Frage bleibt immer noch, wie sich das jeweilige Werk zur konkreten Situation verhält. Es könnte ja eines vollkommen sein im Sinne überkommener Kunstkategorien und wäre eben deshalb höchst unvollkommen. Denn — und hier bekennt sich die Argumentation zu Adornos Prämissen — die Kunst bestimmt sich nicht aus einem fixierten abstrakten Begriff, sondern aus ihrem Bewegungsgesetz und ihrem ,,Verhältnis zu dem, was sie nicht ist".[30] Zu wünschen wäre eine Kritik, die ihre eigenen Kategorien mitreflektiert, d. h. auch die gesamte Situation, erst dann nämlich könnte sie wahrhaft kritisch scheiden zwischen den Mängeln des schreibenden Subjekts und den Qualitäten des Werks, mögen sie auch negativ sein, die der Kunstsituation selbst anhaften.

Schwab-Felisch ist Repräsentant einer Kritik mit Niveau, die aber oft unreflektiert ehemals sinnvolle ästhetische Kategorien als Maßstäbe übernimmt, ohne sie auf ihre Beständigkeit zu befragen. Der ästhetisch-konservative Zug zeigt sich denn auch in der Realismusbestimmung: Bölls ,,Personen sind auf den Typus hin angelegt; sie stehen immer im Schnittpunkt entscheidender gesellschaftlicher, geschichtlicher oder massenpsychologischer Komponenten. Böll ist demnach Realist, der Sprache und der Konzeption nach" (L 191, 198). Nicht zufällig ergibt sich in diesem Realismus-Konzept eine auffallende Nähe zu Lukács, der, zwar von einer marxistischen Basis herkommend, doch letztlich den Kategorien des bürgerlichen 19. Jahrhunderts verhaftet blieb. Es war denn auch Lukács, der zum 50. Geburtstag des Autors das Lob Bölls mit dem ,,Lob des neunzehnten Jahrhunderts" verband (L 173, 250—256). Der realistische Typus, den Schwab-Felisch in Bölls Werk findet, erfüllt die Bedingungen der Kategorie der Besonderheit bei Lukács. Dieser realistische Typus als Besonderheit, als Schnittpunkt von Allgemeinem und Einzelnem, setzt aber eine relativ unproblematische Vermittlungsmöglichkeit zwischen den Sphären des Allgemeinen und des Individuellen voraus. Wo diese Vermittlung durch die historische Basis problematisch geworden ist, wird die erzwungene Vermittlung in der Kunst zum negativen Schein, d. h. zum Kitsch. Hier liegt vielleicht Bölls größte Gefahr. Daraus entwickelt sich auch die nicht immer bewältigte Tendenz zur Sentimentalität. Das Unbehagen hat Böll wohl selbst verspürt und nach neuen Wegen in den letzten Romanen gesucht. Vielleicht liegt es daran, daß Schwab-Felisch sich mehr dem jungen Böll zugewandt hat. Aber wenn auch gegen seine allgemeinen ästhetischen Kategorien Vorbehalte am Platz sind, hat doch seine kritische Sympathie wichtige Einzelheiten in Bölls Werk entdeckt.

Literaturentwicklung und kritische Tendenzen sind nicht unabhängige Prozesse. So machten sich auch die existentialistischen Strömungen der Literatur der fünfziger Jahre in der Kritik bemerkbar. Aus einem christlich getönten Existentialismus heraus pries Gert Kalow 1955 Bölls Erstlings-Erzählungen *Der Zug war pünktlich* als unübertroffenes Meisterwerk (L 112). Böll wird zum „entschiedensten Katholiken", formale Aspekte dagegen werden als „stilistischer Amerikanismus" abgetan (S. 737). Was die Argumentation nicht leistet, muß die Entschiedenheit der Behauptung tragen: „Diese Festigkeit, diese Gewissenskraft entspringt nicht politischer, gesellschaftswissenschaftlicher oder moralischer Einsicht, sie ist Christentum" (S. 740). Auf einer breiteren Basis unternahm Werner Knoch im selben Jahr den Versuch, die gesamte deutschsprachige Literatur der vergangenen zwei Jahre aus existentialistischer Sicht zu deuten (L 120), allerdings eher von Heidegger als vom Christentum ausgehend: „... so scheint nunmehr der Existentialismus des erschütterten Fragens nach dem Sinn des Unmenschlichen und unerträglich Gräßlichen, der sich dann zuspitzte im Ethos der Entscheidung, endgültig überwunden zu sein, dadurch daß er sich auflöst in der neuen literarischen Weltschau, der das Dasein transparent wird und die in, hinter, unter allem Dasein das Subsistente durchscheinen läßt, das die Ordnung des Daseins schafft und ihm Sinn gibt" (L 120, 4). Die ‚Überwindung' des Existentialismus auf einen vagen Ontologismus hin scheint stark von Heidegger inspiriert zu sein. Was ihn aber durchaus mit den existentialistischen Tendenzen deutscher Prägung verbindet, ist die Diskrepanz von hochtönendem Vokabular und Dürftigkeit von Information, die über nebulöse Generalisierungen selten hinausgeht. So verschwindet das Konkrete in Bölls *Und sagte kein einziges Wort* in der Ununterscheidbarkeit des Allgemeinsten: „Aber gerade im Individuellsten, weil Lebendigsten, stellt sich das Allgemeine am eindringlichsten dar: dieses Großstadt-, dieses Alltagsleben mit seiner Trostlosigkeit ist auch unser Leben" (L 120, 9). Es scheint zur Eigenart der deutschen Existentialismus-Rezeption zu gehören, daß das intellektuelle Niveau eines Camus oder Sartre durch einen inflationären Jargon ersetzt wurde. Daran krankt auch noch die Böll-Monographie von Hermann Stresau (L 211). Vereinzelte existentialistische Böll-Deutungen finden sich natürlich auch später noch. Der Hesse- und Mystizismus-Kult der späten sechziger Jahre in Amerika hatte dort in akademischen Kreisen gelegentlich auch einem existentialistischen Vokabular wieder Vorschub geleistet. Von Böll schien dabei besonders der Clown solche Tendenzen anzusprechen, wie die beiden Arbeiten von Robert H. Paslick und Leonard Duroche (L 162 und 51) nahelegen.

In Frankreich dagegen war die Aufnahme zurückhaltend. Sartre z. B. war an Hans Erich Nossack mehr interessiert als an Böll. Immerhin hatte der Roman *Und sagte kein einziges Wort* in Frankreich auf Böll aufmerksam gemacht. Eine französische Ausgabe erschien bereits 1953 in den Editions du Seuil, und 1954 erhielt Böll dann den Preis der „Tribune de Paris". In dem 1953 erschienenen Aufsatz von Jacques Martin über den Nachkriegsroman in Deutschland wird Böll noch ziemlich beiläufig erwähnt als „un jeune écrivain catholique", der den Krieg dargestellt habe „comme une sorte de peste qui afflige l'humanité"

(L 148, 153). Der Autor spielte offenbar auf das Motto von *Wo warst du, Adam?* an. 1955 wird dann der Roman *Und sagte kein einziges Wort* von Martin kurz erwähnt, ohne jedoch mehr als ein ziemlich pessimistisches Nachkriegsbild daraus zu lesen: „Mais c'est Heinrich Böll qui, dans *Und sagte kein einziges Wort* [...] a donné sans doute le tableau le plus sinistre du désarroi de l'après guerre" (L 149, 47). Ausführlicher berichtete dann Pierre Cotet 1958 über Böll (L 41), allerdings beschränkt er sich in der Hauptsache auf inhaltliche Resümees. Erfolgreich ist seinem Bericht nach in Frankreich hauptsächlich *Und sagte kein einziges Wort* geworden. Dieser Roman, heißt es, „a connu en France un succès considérable" (L 41, 141).

1958 erschien die erste selbständige Publikation über Böll in Luxemburg, ein Essay über *Kulturpessimismus und seine Überwindung* von Léopold Hoffmann; daraus entwickelte sich dann eine Einführung in Leben und Werk Bölls, die 1965 in erster Auflage und 1973 in zweiter erweiterter Auflage erschien (L 94). Die kleine Monographie erhebt weder literaturkritische noch sonstige Ansprüche. Es ist eine Einführung für Katholiken, die mit Sympathie für Böll und manchmal ängstlicher Sorge über möglicherweise gar zu Negatives Leben und Werk behandelt. Als Dokument der Böll-Rezeption in katholischen Kreisen ist es auch für den Literaturhistoriker von Interesse.

Die wichtigste Buchpublikation über Böll in den fünfziger Jahren war aber der Sammelband *Der Schriftsteller Heinrich Böll*, der 1959 von Ferdinand Melius herausgegeben wurde und eine von Werner Lengning bearbeitete Bibliographie enthielt. Daraus entwickelte sich dann unter der Gesamtredaktion von Werner Lengning die zuverlässigste Böll-Bibliographie, die ab 1968 auch als dtv-Band leicht zugänglich ist (L 136 — ausführlich darüber unter 4.3). Außer der Bibliographie enthält der Band auch Beiträge von und über Böll, die ebenfalls mit den Jahren erweitert wurden. Hier sind unter anderem einige der wichtigsten Stimmen der fünfziger Jahre über Böll versammelt. Daß unter den fünf Beiträgen aus den fünfziger Jahren immerhin zwei ausländische Germanisten, Henri Plard und H. M. Waidson, vertreten sind, ist ein Zeichen für die Bedeutung, die Böll in der internationalen Germanistik annimmt. Vorsicht ist allerdings am Platz, will man davon auf die weitere Rezeption in den jeweiligen Ländern schließen. Die Tatsache, daß Böll in den germanistischen Seminaren des Auslands oft mehr Aufmerksamkeit erhielt als in deutschen, hat wahrscheinlich eher innerakademische Gründe; zunächst die Tatsache, daß die ausländische Germanistik schneller bereit war, sich der Gegenwartsliteratur zu öffnen, als das in der Bundesrepublik der Fall war. Als man dann vor allem in den sechziger Jahren auch in der Bundesrepublik mehr auf Gegenwartsliteratur einging, konzentrierte man sich meist mehr auf die scheinbar oder wirklich komplexeren Autoren, während umgekehrt gerade die relative Einfachheit Bölls ihn für ausländische Studenten zum geeigneten Lese- und Diskussionsobjekt machte.

Wie weit genau im einzelnen diese Faktoren in der Rezeption mitspielten, müßte erst von Fall zu Fall, von Land zu Land untersucht werden. Jedenfalls nehmen vor allem englische und amerikanische Germanisten in der Böll-Bibliographie relativ viel Raum ein. Zu den frühen wichtigen Beiträgen gehört der Aufsatz von Henri Plard „Mut und Bescheidenheit. Krieg und Nachkrieg im Werk Heinrich Bölls" (L 136, 41–64), der zuerst 1957 auf französisch („La guerre et l'après guerre dans les récits de Heinrich Böll") in der Zeitschrift *Europe* in Brüssel erschien. Diese zwar thematisch ausgerichtete Untersuchung geht auch auf spezifische erzähltechnische Aspekte bei Böll ein. Plard hat sich auch später wieder in mehreren Aufsätzen mit Böll beschäftigt (L 167 und 168). Bereits 1959 erschien das Buch des englischen Germanisten H. M. Waidson *The Modern German Novel* (L 209) und im selben Jahr auch ein Aufsatz, der sich spezifisch mit Böll beschäftigte und der nun in gekürzter Form und auf deutsch in dem bereits angesprochenen Sammelband *Der Schriftsteller Heinrich Böll* vorliegt. Auch Waidson unternimmt ausgehend von thematischen Aspekten eine Gesamtanalyse von Bölls damals vorliegendem Werk, geht aber weniger auf spezifisch formale Aspekte ein.

Es ist für die Rezeption aus den oben angedeuteten Gründen bezeichnend, daß unter den drei deutschen Beiträgen über Böll nur einer von einem Universitäts-Germanisten, die beiden anderen von Kritikern stammen: Karl Korn und Karl August Horst. (L 136, 65–66 und 67–71). Karl Korn spielt in der Rezeptionsgeschichte Bölls eine besondere Rolle. Als Mitherausgeber der Frankfurter Allgemeinen Zeitung hat er nicht nur durch zahlreiche Feuilletons und Kritiken Böll an seine Leser empfohlen, sondern sorgte auch dafür, daß seine Leser Böll aus erster Hand kennenlernten. Ein großer Teil von Bölls Romanen und einige längere Erzählungen sind in der FAZ im Vorabdruck erschienen. Korns Tendenz ist es im allgemeinen, Böll seinen Lesern als Autor von literarischem Niveau schmackhaft zu machen, und das heißt angesichts des konservativen Trends der Zeitung und ihrer Leser, daß oft die sozialkritischen Spitzen Bölls abgestumpft wurden. Eine ähnliche Tendenz findet sich auch bei Karl August Horst, allerdings von einem anderen Ansatz ausgehend. Horst hat sich vor allem mit Problemen der Moderne beschäftigt und von daher auch ein stark formalistisches Interesse entwickelt. Sah er in einem früheren Aufsatz in Böll noch vor allem den Moralisten ohne Ressentiment (L 100, S. 136), so entdeckte er in *Billard um halbzehn* den Formalisten. Horst hat diesen Aspekt bei Böll überschätzt, aber es gehört zu seinem Verdienst, darauf aufmerksam gemacht zu haben. Unterdessen hatte sich auch die Germanistik, teils aus Reaktion gegen kompromittierende politische Engagements der jüngsten Vergangenheit, den formalistischen Methoden geöffnet. New Criticism und Textimmanenz wurden populär. Sie brachten verfeinerte Interpretationsmethoden, verfielen aber oft auch wieder einer naiven Wort- und Strukturgläubigkeit, die zu unreflektiert in der kontextlosen Immanenz Objektivität suchte, aber häufig nur die eigene gepflegte Innerlichkeit produzierte. Die positiven Möglichkeiten formaler Analysen hat Wolfdietrich Rasch demonstriert; sie kommen auch in seiner Preisrede auf Böll (1959), die den Sammelband eröffnet, zur Geltung. Es ist eine zwar begrenzte, aber solide Untersuchung zu Bölls Erzähltechnik. Wo es dann allerdings zur Vermittlung von Technik und Inhalt kommt, verallgemeinert Rasch zu schnell die konkrete Situation auf das allgemein Menschliche.

Der Band wurde mit den späteren Ausgaben um weitere wichtige Beiträge erweitert, die wiederum die wichtigsten Namen der Böll-Kritik in den sechziger Jahren dokumentieren: Günter Blöcker, Joachim Kaiser, Heinz Ludwig Arnold, Werner Ross, Hans Joachim Bernhard, Werner Koch. Es fehlt Reich-Ranicki, der aber selbst eine Anthologie der Böll-Kritik herausgegeben hat.

Als 1959 *Billard um halbzehn* erschien, war Böll bereits ein hervorragender Name in der deutschen Nachkriegsliteratur. Mit diesem Roman stellte er sich nun als anspruchsvoller Romancier vor. Das zeigte sich nicht nur im Umfang, es äußerte sich mehr noch in der Thematik, die sich hier zu einem Epochenroman erweitert hatte. Konnten die bisherigen Romane noch als erweiterte Erzählungen mit stark novellistischem Einschlag gelten, so war hier offensichtlich epische Weite geplant. Die Reaktion der Kritik war gemischt, zum Teil äußerst skeptisch. Böll hatte ein Image, nämlich das eines talentierten Erzählers in kleinen Formen. Immer wieder wird betont, daß es die Kurzgeschichte sei, die Bölls Talent entspreche: „Vor allem liegt ihm die Kurzgeschichte, in der er mit erstaunlicher Fachkenntnis und mit treffender Präzision des Audruckes in der Darstellung der kleinen Verhältnisse überzeugend wirkt ..." (L 109, 438). Am vehementesten hat sich Walter Jens gegen die epischen Aspirationen Bölls ausgesprochen; er sah darin nur den offenen oder versteckten Druck des Literaturbetriebs: „Ein Jammer nur, daß man den bedeutendsten Satiriker der Gegenwart zwingt, zum Großschriftsteller zu werden und als Klassiker des Mittelmaßes [...] eine makabre Repräsentanz auszuüben: Böll, der einst die unvergleichlichen Szenen des Kriegsbuchs erfand – der Krieg als Prototyp der Langeweile: welche Konzeption! – Böll, der mit dem ‚Irischen Tagebuch' Jahre darauf die Detail-Konsequenz von ‚Wo warst du, Adam?' neu zu erwecken vermochte, Böll, dessen Schaffen in den ‚Murke'-Satiren gipfelte, der gleiche Böll, der das Episch-Verweilende ständig umgeht [...], sieht sich heute, um die prägnante story nicht ganz aus dem Sinn zu verlieren, zu Joyceschen Zeitexperimenten genötigt. Doch Disparation ist nicht Sammlung, und keine Lämmer- und Büffel-Symbolik holt die Magie des Episodischen wieder herbei" (L 104, 147 f.). Derselbe Roman *Billard um halbzehn*, dem Jens epische Qualitäten abspricht, führte einen Kritiker wie Karl August Horst dazu, seine Meinung zu modifizieren. 1957 zweifelte er noch an Bölls Qualitäten als Romancier: „Die stilisitischen Avantagen der story, die Böll meisterhaft beherrscht, lassen den Romancier im Stich, weil sie nicht als architektonische Elemente verwendbar sind" (L 100, 137). Wenige Jahre später pries er aber *Billard um halbzehn* als ein Werk, das „den Zeitroman über die Zeit hinausführt." Böll habe „ein Gebilde konstruiert, das so geschlossen und in Stil und Sprache so kohärent ist, daß jedem positiv geladenen Teilchen ein negatives an geheimnisvollem und transzendentem Gehalt zufliegt. Er hat Formeln geprägt, deren einschließende Energie zu Aufschlüssen verhilft" (L 136, 70). Die Metaphorik aus dem physikalischen Bereich erinnert an Jeziorkowskis Böll-Buch, in dem der Frankfurter Germanist aus den Strukturen der beiden Romane *Billard um halbzehn* und *Ansichten eines Clowns* ein Einsteinsches Weltbild ablesen will (L 105). Jeziorkowskis Buch führt darüber hinaus den stark übertriebenen konstruktivistischen Aspekt von Horsts Rezension weiter. Beide müssen aber auch als Reaktion verstanden werden gegen eine einseitig inhaltlich gerichtete Kritik, die oft nur den Moralisten Böll herauspräparieren wollte.

Gerade der Moralist Böll aber kam ins Kreuzfeuer der Kritik, als 1963 sein nächster großer Roman *Ansichten eines Clowns* erschien. Schniers kritische Ansichten und seine Attacken auf die bundesrepublikanische Gesellschaft und das katholische Establishment provozierten heftige Gegenreaktionen, in denen zwar manchmal noch mit ästhetischen Kategorien argumentiert wurde; der Durchblick auf die eigentlichen politischen Motivationen war indessen nicht schwer. Daß katholische Kreise vor allem gereizt reagierten, ist angesichts der Thematik kaum verwunderlich. Symptomatisch dafür ist die Änderung des Böll-Bilds in einer christlichen Literaturgeschichte (L 126). In der ersten Auflage von 1961 erscheint Böll durchgehend unter positiven Kategorien, die sich auf vier Punkte konzentrieren: 1. „Unter den Erzählern seiner Generation" sei Böll „der sprachmächtigste"; 2. „Mit harter Realistik schildert er den zermürbenden Kampf gegen Verfall und Stumpfsinn. Doch im Gegensatz zu den existentiellen Dichtern weist Böll die Verzweiflung zurück"; 3. „Die christliche Ehe und Familie hat in Böll einen starken Verteidiger"; 4. Böll ist entschiedener Katholik", der höchstens „Kritik an Amtsträgern der Kirche" übt (L 126, 514). In der zweiten Auflage, die 1968 erschien, hat sich der Ton gewandelt. Punkt 1 ist ganz ausgelassen; 3 wird nur noch als Zitat von Plard angeführt; 4 ist abgeschwächt zu „Ihn beschäftigt die Frage nach dem wahren Christentum", dafür folgt nun eine ausführliche Attacke auf *Ansichten eines Clowns*: „Wie sein Clown sammelt Böll Augenblicke, Details. Auf diese Weise gelingt es ihm, eine Stimmung zu beschwören, eine Situation zu zeichnen, aber keine Charaktere; Umwelt zu schildern, aber keine Welt. Die Gesellschaftskritik überwuchert die Spiritualität, und statt ein metaphysisches Weltbild ahnen zu lassen, bietet er vordergründige Realität und ressentimentgeladene Monologe. Er liebt groteske Vereinfachungen, Tragik ist ihm fremd. Er kann witzig sein, doch Humor fehlt ihm. [...] Durch ihre klischeeartigen Vorstellungen wurden seine Bücher volkstümlich und in zwanzig Sprachen erfolgreich. Bölls Ruhm wuchs in dem gleichen Maße, in dem seine künstlerische Leistung abnahm." Böll ist zum politischen Ärgernis geworden. Man sagt „künstlerische Leistung", aber meint politische Gesinnung.

Immerhin war *Ansichten eines Clowns* ein literarisches Ereignis oder wurde zumindest dazu gemacht. In der *Zeit* allein erschienen nacheinander acht Rezensionen (von Marcel Reich-Ranicki, Joachim Kaiser, Werner Ross, Ivan Nagel, Walter Widmer, Rudolf Augstein, Reinhard Baumgart und Rudolf Walter Leonhardt). Natürlich waren auch hier politische Irritationen oder Sympathien spürbar, sie gehören ja, wie früher schon bemerkt wurde, durchaus zur ästhetischen Auseinandersetzung; aber die Diskussion erschöpfte sich nicht in Ressentiments. Es ging um literarische Standpunkte. Dabei ergaben sich oft starke Umwertungen. Fast schien es manchmal in der ganzen Auseinandersetzung, daß *Ansichten eines Clowns* besonders jene enttäuschte, die von *Billard um halbzehn* höchst beeindruckt waren. Umgekehrt aber änderte ein Kritiker wie Günter Blöcker − und das war fast eine kleine literarische Sensation − seine Meinung über Böll in positivem Sinne. Ihm war Bölls Popularität unbehaglich, möglich schien ihm solche nur, wo simplifiziert, wo künstlerische Qualitäten geopfert wurden. Das kam deutlich zum Ausdruck in den beiden Rezensionen zu *Das Brot der frühen Jahre* und *Billard um halbzehn* (L 28, 285−289). Allerdings gestand er Böll einige schöne Stellen zu und deutete am Ende der ‚Billard'-Rezension sogar „Möglichkeiten eines neuen, entrümpelten Böll" an (L 28, 289). Eben diese Möglichkeiten schienen ihm nun in *Ansichten* verwirklicht zu sein. Und gerade jene Aspekte, die nach dem Urteil vieler Kritiker zum künstlerischen Mißlingen beitrugen, vor allem die Bitterkeit des Clowns, mit der sich Böll allzusehr identifiziert habe und von der er sich habe hinreißen lassen, wurde für Blöcker zum Medium des künstlerischen Gelingens: „Der Filter, den Böll für seinen neuen Roman mit glücklichem Griff gewählt hat, heißt: der Clown. Der Clown ist alles − der Mann der Nähe wie der Distanz. [...] Böll hat sich diesmal von einer heilsamen Bitterkeit leiten lassen, und sie hat ihn weitergebracht, als der begreifliche Wunsch nach Einebnung und Begütigung es hätte tun können. Der Clown Hans Schnier scheitert, aber der Anblick seines Scheiterns leistet mehr als ein Sieg, denn er trifft uns wie eine persönliche Schuld" (L 29, 21 und 23). Seltsam ungreifbar bleiben allerdings die kritischen Kategorien Blöckers. Und sosehr man dem Kritiker die Achtung nicht versagen kann, der bereit ist, jedem neuen Werk eine Chance zu geben und kritische Urteile zu revidieren, vermißt man doch überprüfbare Kriterien. Bitterkeit und fehlendes Happy-End reichen als literarische Wertkategorien nicht aus.

Nicht alle Katholiken hat Böll abgeschreckt. Manche versuchten, mit seiner Kritik zurechtzukommen. Schwieriger mußte das für einen Katholiken und CDU-Politiker sein, denn Bölls Haltung gegen die sich

christlich nennende Partei war niemals ambivalent, sondern immer eindeutig negativ. Dennoch versuchte der CDU-Politiker und Oberbürger-
meister der Stadt Münster, Albrecht Beckel, in seinem Buch *Mensch, Gesellschaft, Kirche bei Heinrich Böll* dem Autor Gerechtigkeit widerfah-
ren zu lassen (L 15). Das war von seiten der CDU, von wo man eher Worte wie ‚Pinscher‘ und Vergleiche mit Horst Wessel gewohnt war, wenn
von bundesrepublikanischen Schriftstellern die Rede war, eine
beachtenswerte Ausnahme. Ohne Schwierigkeiten geht es denn auch
nicht ab. Beckel möchte zwar den „weltweit bekannten katholischen"
Autor Böll retten, versucht aber gleichzeitig, ihn auf subtile Weise politisch zu disqualifizieren. In einem einleitenden ‚Brief über Böll‘ wird
Böll einem katholischen Kollegen gegenüber gleichzeitig verteidigt wie
auch zusammen mit den meisten bundesrepublikanischen Schriftstellern politisch neutralisiert: Schriftsteller sind Dilettanten, die meist
keine richtige Vorstellung von Politik haben. Beleg ist das für einen
CDU-Politiker natürlicherweise ärgerliche Buch *Die Alternative*
(1961), in der sich eine Gruppe westdeutscher Schriftsteller für die
SPD engagierte. Böll hatte daran zwar nicht teilgenommen, aber sein
Freund Carl Amery, zu dessen *Die Kapitulation oder Deutscher Katholizismus heute* (1963) Böll ein zustimmendes und Amerys Kritik zum
Teil weiterführendes Nachwort geschrieben hatte. Man kann Beckel
seine Verärgerung darüber nicht verübeln, doch verführt sie ihn u. a.
dazu, auf Grund eines einzigen aus dem Zusammenhang herausgerisse-
nen Zitats diesen Schriftstellern die Fähigkeit zur politischen Diskussion abzusprechen. Beckels Buch muß wohl auch als Versuch verstanden werden, der Entfremdung zwischen CDU und der westdeutschen
Intelligenz entgegenzusteuern. Dabei spielt auch viel taktische Selbstdarstellung mit hinein, die mit dem Autor Böll nichts zu tun hat.
Grundsätzlich fragwürdig wird die Darstellung aber, wenn Beckel nicht
nur seine eigene stark von Helmut Schelsky beeinflußte Sozialtheorie
vorträgt, sondern sie so vorbringt, als läse er sie aus Bölls Werk heraus.
Mit Schelskys konservativer Sozialtheorie läßt sich Bölls Werk nicht
auf einen Nenner bringen, wenn sich auch manchmal in Einzelheiten
Überschneidungen ergeben.

Es wäre natürlich eine unerlaubte Vereinfachung, die Böll-Rezeption in eine negative und positive aufzuteilen. Die vielleicht typischste
Reaktion dürfte vielmehr die Ambivalenz sein, die zwischen Gelunge-
nem und Mißlungenem hin und her schwankt. Beinahe zur Verkörperung solcher Ambivalenz Böll gegenüber ist der Kritiker Marcel Reich-
Ranicki geworden. Noch in seiner sehr positiven Rezension der Erzählung *Die verlorene Ehre der Katharina Blum* kommt das prägnant
zum Ausdruck: „Aber ist denn gegen dieses neue Buch gar nichts einzuwenden? Es war nie Bölls Sache, Vollkommenes zu schreiben. Immer schon hat er uns genötigt, mit dem Guten und bisweilen Unvergeß-
lichen auch Schwaches, Ärgerliches, ja Peinliches hinzunehmen"
(L 178). Beinahe wurde Böll so etwas wie das geliebte Sorgenkind Reich-

Ranickis, dessen Weg er zwar oft mit Tadel, aber immer mit besorgter Sympathie verfolgte. Und mit den Jahren scheint die Sympathie zu wachsen. Böll kam für Reich-Ranicki immer schon seiner Vorstellung einer gemäßigt realistischen Erzählweise am nächsten, die sich in den Experimenten der sechziger Jahre immer mehr zu verlieren schien. Zwischen der Skylla konkreter Texte und der Charybdis politisierter Dokumentarliteratur erzählte Böll seine Geschichten, wenn auch zum Kummer Reich-Ranickis nicht immer unbetroffen vom Soge links und von den Strudeln rechts. Wie sehr aber Reich-Ranicki in Böll den Bewahrer seiner Vorstellung von Literatur sieht, äußerte sich in dem Aufsatz über Bölls Stockholmer Rede zur Verleihung des Nobelpreises (L 177). Hier geht es „gegen die linken Eiferer", jene, die aus politischen Motiven die schöne Literatur in Frage stellen. Nicht nur greift Reich-Ranicki diesen Aspekt einseitig aus Bölls Rede auf, er verstärkt dessen Pauschalitäten auch noch, ohne kritisch nach deren Berechtigung zu fragen: „Reden wir offen und machen wir uns nichts vor: Die Kunstfeindschaft, die sich hierzulande und in diesen Jahren rasch und auf höchst bedenkliche Weise ausgebreitet hat, kommt leider von links oder, richtiger gesagt, von solchen, die sich, meine ich, zu Unrecht als ‚Linke' bezeichnen." Vergessen scheint hier die radikale Infragestellung der bürgerlichen Kunst seit einigen Dekaden, vergessen, um nur ein Beispiel zu nennen, Thomas Manns *Doktor Faustus*, vergessen aber vor allem, daß die von rechts erwünschte Regression auf scheinbar heile Kunstideale den sicheren Tod eben dieser Kunst herbeiführen müßte, während die Infragestellung der Kunst von seiten der ‚Linken', sosehr auch hier der Eifer manchmal blind machte, ihre vielleicht noch nicht verbrauchten Möglichkeiten provozieren kann.

1968 erschien — mit etwas Verspätung – zu Bölls 50. Geburtstag der von Reich-Ranicki herausgegebene Band *In Sachen Böll. Ansichten und Einsichten*, der inzwischen ebenfalls als dtv-Taschenbuch vorliegt (L 173). Nicht nur Literaturwissenschaftler und Kritiker, sondern auch Schriftstellerkollegen und Politiker artikulieren hier ihre jeweiligen „Ansichten und Einsichten" teils in systematischen Abhandlungen oder detaillierten Interpretationen, teils in essayistischen Skizzen. Der Band ist locker nach Themen geordnet und behandelt u. a. Aspekte des Erzählers, des Sozialkritikers, des Katholiken und des Rheinländers Böll. Zu den Überraschungen zählt die kurze Einführung von Theodor W. Adorno, die „keine Würdigung" sein will und doch eine fast überschwengliche Laudatio ist. Die einzelnen Beiträge des Bandes werden im systematischen Hauptteil dieses Buches noch eingehender behandelt.

Gruppenbild mit Dame (1971) hatte zu einer Zeit, da literaturkritische Gefechte fast schon ein Phänomen der Vergangenheit schienen, noch einmal eine beachtliche Quantität und auch Intensität kritischen Eifers provoziert. Dabei kam es allerdings selten zu einer echten Auseinandersetzung zwischen verschiedenen Kritikern. Es war eine leichte

Aufgabe für Heinz Ludwig Arnold, in seiner kurzen Übersicht über die ersten kritischen Reaktionen zum neuen Roman entlarvende Widersprüche nebeneinanderzusetzen, etwa Reich-Ranickis Diktum, daß die Figuren alle dasselbe Böllsche Idiom sprechen und Joachim Kaisers Lob, daß Böll die verschiedenen Tonfälle der jeweils Zitierten so schön treffe. Man versteht Unterschiede im Geschmacksurteil und sollte sie wohl auch endlich akzeptieren, aber derartig gegensätzliche Urteile über nachprüfbare Sachverhalte müssen bedenklich stimmen. Weder Reich-Ranicki noch Joachim Kaiser unterzogen sich der Mühe, anhand stilistischer Analysen ihr Urteil zu begründen. Wie schwierig aber das kritische Handwerk ist, wie leicht Emotionen verführen, demonstriert Arnold selbst in eben dieser Übersicht. In seinem Eifer gegen Reich-Ranicki kritisiert er ihn am vehementesten gerade da, wo Reich-Ranicki sinnvoll argumentiert: „Daß Böll die Einfalt liebt und die Armut als Wert an sich, daß er Zivilisatorisches häufig verspottet und der Bildung ein für allemal mißtraut, wissen seine Leser längst. Und obwohl mir da, wo man noch heute bei Vokabeln wie ‚Intellektueller' oder ‚Literat‘ sofort hinzufügen muß, daß sie nicht negativ gemeint seien, antizivilisatorische Affekte und antiintellektuelle Ressentiments – und für beides liefert der neue Roman leider viele weitere Belege – recht gefährlich scheinen, habe ich mich mit ihnen bei Böll [...] fast schon abgefunden" (L 9, 203 f.). Mit keinem Wort geht Arnold auf den Inhalt des Arguments (Bölls Anti-Intellektualismus) ein, den man nicht einfach von der Hand weisen kann, tut statt dessen das Ganze als „oberlehrerhafte Attitüden" ab. Arnold, unter anderem Herausgeber von *Text und Kritik*, hat auch das Januarheft 1972 Böll gewidmet. Außer seinem eigenen Beitrag über *Gruppenbild* und seine Kritiker konzentrieren sich die meisten Beiträge auf politische Aspekte und Bölls Katholizismus.

Eine solche Konzentration hatte Anfang der siebziger Jahre eine besondere Berechtigung. Mehr nämlich als seine literarischen Leistungen hatten politische Äußerungen Böll ins Kreuzfeuer der Kritik gebracht. Böll hatte aus seinem politischen Standpunkt nie ein Hehl gemacht, wenn dieser sich auch nicht immer eindeutig fixieren ließ. Die allgemeine Tendenz nach ‚links' war genug, um ihn bei der konservativen Presse suspekt zu machen. Es brauchte dann nur noch den gegebenen Anlaß, um zum großen Angriff zu blasen. Es war ironischerweise ein Versuch Bölls, Hysterie einzudämmen, die sie zum vollen Ausbruch brachte. 1971 erschien im *Spiegel* Bölls Aufsatz mit dem fragenden Titel: „Will Ulrike Meinhof Gnade oder freies Geleit?" (jetzt in: *Neue politische und literarische Schriften*, S. 230–238). Ausgangspunkt waren die verantwortungslosen Hetzereien der Springerpresse, wie sie sich unter anderem in der *Bild*-Schlagzeile vom 23.12.1971 „Baader-Meinhof-Gruppe mordet weiter" manifestierten. Bei Erscheinen der Zeitung war noch ungeklärt, wer an dem Banküberfall in Kaiserslautern beteiligt war. Böll prangerte diese Art von Journalismus an und versuchte gleichzeitig gegen die dadurch entfachte Massenhysterie anzugehen. Dabei ließ er sich dann allerdings auch wieder von seinem Eifer zu Ungenauigkeiten und rhetorischen Ambivalenzen verleiten und gab sich so unnötige Schwächen. Die grundsätzliche Intention aber war klar und unmißverständlich. Die Reaktion der Springerpresse widerlegte Böll nicht, sie bestätigte ihn durch weitere Hetzkampagnen auf erschreckendste Weise. Und nicht nur die Springer-Presse, auch angesehene Blätter wie die *Neue Zürcher Zeitung* redeten, wenn auch auf subtilere Weise, an Bölls Argumenten vorbei und unterstellten Komplizenschaft mit Terroristen. Die wichtigsten Pressereaktionen liegen unterdessen in einem Dokumentarband von Frank Grützbach vor (L 79). Erstaunlich war das zurückhaltende Schweigen der meisten Schriftstellerkollegen, es gab kaum Solidaritätserklärungen in einer Sache, deren überpersönliches Interesse außer Frage stand. Hans Schwab-Felisch und Jürgen Tern (L 193 und 199) versuchten eine abwägende Kritik und Verteidigung von Bölls Aufsatz. Ganz mit Bölls Position einverstanden sichtete Heinz Ludwig Arnold die Reaktionen im gesellschafts-politischen Kontext (L 10). Hier wäre noch manches zu leisten, denn was sich an Bölls Aufsatz entzündete, war ein gesellschaftliches Phänomen von symptomatischem Charakter, das in seiner vielfältigen Verflechtung der Analyse noch manches zu lösen gibt. Einzubeziehen wären Fragen der Pressepolitik und Pressesituation, des politischen Stimmungswandels in der Bundesrepublik, seiner gesellschaftlichen und wirtschaftlichen Gründe, schließlich die von den Politikern aus taktischen Gründen geschürten Ängste, die Radikalen-Erlasse und ihre Implikationen. Böll hat das für seine Person offenbar nun in Form einer epischen Verarbeitung versucht. Das Resultat, *Die verlorene Ehre der Katharina Blum*, schloß aber gerade diese Komplexität aus. Böll baut zwar — nach seiner eigenen Metaphorik — Dämme, Gräben und Querverbindungen, bleibt aber doch auf einer eher privaten Ebene, innerhalb eines ziemlich geschlossenen Kreises. Die Vermittlung der emotional stark aufgeladenen privaten Betroffenheit zum gesamtgesellschaftlichen Phänomen gelingt ihm nicht. Überzeugend wirkt das Entstehen der Gewalt von unten, die Gegenwehr der Getroffenen; die provozierende Gewalt dagegen bleibt sehr anonym und ungeklärt, und wo sie etwa in der Person des Journalisten auftritt, wieder privatisiert zur Zufälligkeit eines ekelhaften Typs. Wie dieser aber zum Instrument eines komplexen Gewaltsystems werden kann, würde den Kern des Problems treffen, wie es der Untertitel ausdrückt. Schließlich ist nur die Hälfte erfaßt, wenn die Gewalt der sich Wehrenden als Reaktion geklärt ist. Einsicht in die provozierende Gewalt und ihre Zusammenhänge erst wäre Einsicht in die Gewalt als umfassendes Phänomen.

In Zusammenhang mit der Diskreditierung Bölls von der Springerpresse ergab sich ein weiterer politischer Komplex: Böll wurde nicht nur zum Komplizen von Terroristen gemacht, die hohen Auflagen seiner Bücher in der Sowjetunion wurden ihm nun auch als Komplizenschaft mit politischer Unterdrückung ausgelegt; während er Terroristen in der Bundesrepublik verteidige, habe er als Präsident des PEN sowjetische Dissidenten im Stich gelassen. Unterstellt wurde dabei das schlechteste aller möglichen Motive: die Einnahmen Bölls von seinen Büchern in der Sowjetunion. Ausführlich hat Hellmut Karasek im Februar 1972 in der *Zeit* darüber berichtet und gleichzeitig die „perfiden Taktiken" von rechts angeprangert (L 113). Daß Böll nicht geschwiegen hat, ist unter anderem in dem 1973 erschienenen Aufsatzband dokumentiert, daß er als offizieller Repräsentant des PEN vorsichtig handeln und sprechen mußte, hat Böll selbst überzeugend dargelegt.

Unterdessen hat die taktische Verflechtung der beiden Komplexe eine neue Stufe erreicht, wobei Böll zwar nicht mehr im Zentrum der Attacke, aber immer noch beträchtlich exponiert dasteht. Der Tod Holger Meins', die darauffolgende Ermordung eines Berliner Richters, die politischen Demonstrationen, der Hungerstreik der Baader-Meinhof-Häftlinge, die Möglichkeit, daß sympathisierende Anwälte als Botschafter nach außen dienten, all das zu einer Zeit, da die politische Tendenz ohnehin wieder nach rechts schwang, brachte das Volksempfinden, geschürt von einigen Massenmedien, erneut nahe an den Siedepunkt. Gleichzeitig erregte die Exilierung Alexander Solschenizyns weltweites Aufsehen. Die Gründung der russischen Exilzeitschrift *Kontinent* gab den russischen Dissidenten eine Stimme auf internationaler Ebene, erhielt aber in der Bundesrepublik besondere politische Implikationen, weil sie von dem von Springer abhängigen Ullstein-Verlag herausgegeben wird. Günter Grass exponierte sich mit einem offenen Brief an die russischen Exilschriftsteller, in dem er sie vor der Gefahr warnte, sich von der Springerpresse zu innenpolitischen Zwecken mißbrauchen zu lassen. Die Warnung war nicht aus der Luft gegriffen. Zwar wurde in der *Welt* Grass vorgeworfen, er ziehe die russischen Exilschriftsteller in innenpolitische Quengeleien hinein; das wurde aber gerade von den Springerblättern ausgiebig getan. Darüber, wie die Zeitschrift *Kontinent* vor allem gegen Böll und Grass als Waffe eingesetzt wurde, hat Dieter E. Zimmer in der *Zeit* berichtet (L 223). Böll selbst hat sich eher zurückgehalten in seinen Kommentaren; er ist vorsichtig geworden in seinen Formulierungen, ohne doch seinen Standpunkt zu verdecken. Den Mördern des Berliner Kammergerichtspräsidenten Günter von Drenkmann warf Böll in einem Gespräch in der *Frankfurter Rundschau* vom 14. November 1974 ein doppeltes Verbrechen vor: den Mord selbst, aber auch seine Folgen, deren größte Gefahr nach Böll politische Resignation auf der einen Seite und pauschale Verdächtigung der Linken auf der anderen Seite sind. In einem weiteren Gespräch in der *Frankfurter Rundschau* vom 23. November 1974 geht Böll nicht nur auf die spezifischen Probleme der russischen Dissidenten ein, sondern auch auf allgemeine Probleme der deutsch-russischen Beziehungen und deren Belastung durch die Vergangenheit. Wohl wegen der Sensitivität der hier behandelten Probleme hat sich Böll diesmal besonders geschützt und auch auszugsweise Nachdrucke des Gesprächs „nur nach Genehmigung von und Rücksprache mit" ihm genehmigt. In der Kontroverse um *Kontinent* stimmte Böll mit Grass im allgemeinen überein, hob allerdings hervor, der Brief wäre besser an Maximow als an Sinjawski (beide russische Exilautoren) adressiert worden. Tatsächlich hatte sich Maximow mehr und direkter als die andern innenpolitisch in der Bundesrepublik engagiert, war auch auf einem Parteitag der CSU aufgetreten. Böll bedauerte das kühl und sachlich; er hat gelernt aus den vergangenen Erfahrungen, seine politische Argumentation hat viel an Überzeugung gewonnen, nicht weil er kompromißfreudiger geworden wäre — das ist er nicht —, sondern weil er seinen Standpunkt besser absichert. Seine Integrität hat er sich bewahrt. Jean Paul Sartre, der Andreas Baader im Untersuchungsgefängnis in Stuttgart besucht hatte und von den dort herrschenden Bedingungen schockiert war, schlug vor, ein internationales Komitee zur Verteidigung der Häftlinge zu gründen, an dem Intellektuelle, „die moralisch über jeden Zweifel erhaben sind", teilnehmen sollten und nannte unter anderen auch Böll. In einem Bericht in der *Zeit* vom 13. Dezember 1974 heißt es dazu: „Heinrich Böll ließ inzwischen seine Bereitschaft erkennen, solch einem Komitee beizutreten. Zuvor müsse allerdings klargestellt werden, ,daß der Strafvollzug in der Bundesrepublik natürlich nicht schlimmer, schrecklicher als in anderen Länder der Welt ist'". Das dürfte wohl weniger als Rückzug in die Unverbindlichkeit gelesen werden denn als Absicherung, um dem moralischen und politischen Protest desto mehr Gewicht zu verleihen. Er hat auch in seiner Rede auf dem PEN-Kongreß in Jerusalem im Dezember 1974 nicht gescheut, einige Wahrheiten, wenn auch sehr vorsichtig, auszusprechen. (Die Rede ist in der *Frankfurter Rundschau* vom 21. Dezember 1974 abgedruckt). Statt sich im Rahmen des allgemeinen Themas „Kulturelles Erbe und die schöpferische Kraft in der Literatur unserer Zeit" ins Unverbindliche und Allgemeine zu flüchten, ging Böll auf konkrete Probleme ein, auch auf das politische Erbe, das sich für ihn in einer bisher kaum gesehenen Ambivalenz zeigt. Zu einer wesentlichen politischen und menschlichen Erfahrung des 20. Jahrhunderts zählte Böll mit Recht Massen-Vertreibungen und Gefangenschaft, vor allem auch die unheimliche Tatsache, daß aus den Opfern leicht Verfolger werden können: „Und es gibt da noch eine grausame Voraussetzung, daß der, der die Vertreibung und die Angst vor ihr kennt, in den grausamen Zwang gerät, andere zu vertreiben, auf der Suche nach einer neuen Heimat andere in jenen Zustand versetzt, dem er gerade entgangen ist." So vorsichtig das formuliert war, wurde das doch von der israelischen Presse höchst ungnädig aufgenommen.[31]

Bölls größte internationale Anerkennung war die Verleihung des Nobelpreises 1972. Daß sie in der Bundesrepublik so wenig eitel Freude auslösen würde wie der Nobelpreis für Willy Brandt, war zu erwarten. Mit literarischen Auseinandersetzungen hatten die Reaktionen

von rechts in der Bundesrepublik wenig zu tun. Zusammengefaßt sind
sie in zwei Berichten in der *Zeit* von Rudolf Walter Leonhardt (L 139)
und Dieter E. Zimmer (L 222). In der gleichen Ausgabe erschienen internationale Pressestimmen zur Preisverleihung. Dort, entfernt von
den innenpolitischen Ressentiments, fielen die Urteile distanzierter
aus, nicht weniger kritisch oft, aber mit überzeugenderen Argumenten.
Wie ein roter Faden zog sich durch alle Berichte dabei eine Frage: war
dieser Literaturpreis tatsächlich ein Preis für literarische Leistung oder
eher einer für moralische Integrität? Die Antworten schwankten, aber
die allgemeine Tendenz bestand doch darin, dem Menschen Böll mehr
Kredit zu geben als dem Schriftsteller, dessen vereinzelte Leistungen
als Satiriker, als Humorist zwar anerkannt wurden, aber als Gesamtlei-
stung manche nicht überzeugten.

Diese Reaktionen müssen jedoch jeweils im Kontext der Gesamtre-
zeption in den entsprechenden Ländern gesehen werden. Im Rahmen
dieses Abrisses können wiederum nur einige wichtige Tendenzen festgehalten werden. Im einzelnen ist hier noch viel Detailforschung zu
leisten. Besondere Aufmerksamkeit verdient die Böll-Rezeption in der
DDR, wo Bölls Werk, wie überhaupt in den sozialistischen Ländern neben der Sowjetunion, große Popularität erreichte und auch im allgemeinen offizielle Anerkennung fand. Der größte Teil von Bölls Werk
ist in DDR-Verlagen bereits erschienen (vgl. 4.2). Zu den Ausnahmen
gehört *Ansichten eines Clowns*, wohl hauptsächlich wegen der Erfurt-
Episode, in der Schnier Parteifunktionäre verärgert wegen seiner Intention, in der DDR nicht bundesrepublikanische, sondern DDR-Institu-
tionen zu parodieren und dabei auch noch Ulbrichts sächselnden Akzent imitiert. Bisher liegen offenbar auch noch keine Ausgaben von
Gruppenbild und *Die verlorene Ehre der Katharina Blum* vor. Mag sein,
daß Bölls Eintreten für Solschenizyn manche verärgert und sein Werk
zurückgedrängt hat, ganz aufgehalten hat es die Böll-Rezeption keineswegs. Noch 1973 erschien im Insel-Verlag in Leipzig ein Band *Erzählungen 1947–1970* mit einem Nachwort von Hans Joachim Bernhard.
Bernhard ist ohne Zweifel der wichtigste Vermittler Bölls in der DDR;
sein Buch *Die Romane Heinrich Bölls. Gesellschaftskritik und Gemeinschaftsutopie* (L 22), das ursprünglich als Habilitationsschrift 1966 geschrieben wurde, gehört zu den wichtigsten Beiträgen der Böll-Forschung überhaupt. Bernhards Aufsatz über *Gruppenbild mit Dame*
(L 23) führt die früheren Ansätze weiter und kommt zu einem kritisch
ambivalenten Urteil. Die knappe Studie schließt allerdings ein genaueres Eingehen auf die komplexe Struktur des Romans aus. Zwiespältiger in ihrer Methodik sind die Publikationen von Günter Wirth, dem
zweiten wichtigen Böll-Forscher in der DDR. Ihm geht es vor allem
um die religiösen Aspekte in Bölls Werk, meist auf Kosten anderer Momente. Dabei ergeben sich seltsame Vermischungen einer ausgesprochen konservativen Theologie mit sozialistischen Parolen, die deshalb
als Parolen wirken, weil ihnen ein durchdachtes ideologisches Konzept,

wie es Bernhard aufzuweisen hat, fehlt. Sie wirken eher wie Pflicht-
übungen vor der üppig wuchernden Theologie und Metaphysik. Daß
dann ein Rezensent in der *Welt* nur noch rot sah (L 134), spricht allerdings auch nicht sehr für das Lesevermögen bundesrepublikanischer
Ideologen. Nicht besser erging es übrigens dem Buch von Hans Joachim
Bernhard in einer Rezension in der *Frankfurter Allgemeinen Zeitung*.
Dabei fallen die methodischen Unterschiede ins Auge: wo Bernhard
statt einer mechanischen Trennung von Form und Inhalt integrale
Analyse treibt, bleibt Wirth fast durchgehend am oberflächlich Inhaltlichen hängen — das beeinträchtigt auch noch seine interessantesten
Interpretationen wie die von Bölls Fortsetzung von Stifters *Nach-
sommer* (L 218).

Einen Versuch, Böll im weiteren Kontext der westdeutschen Nachkriegsliteratur darzustellen, stellt eine Monographie von Karl-Heinz
Berger dar (L 17). Berger kommt oft zu wichtigen einzelnen Einsichten, der Kontext bedürfte mancher Ergänzungen. Im Vordergrund
steht in der DDR-Kritik natürlich die Frage nach Bölls Realismus, so
bei Günter Cwojdrak (L 43 und 44) und Klaus Permsdorf (L 163),
und damit zusammenhängend dann Fragen nach bestimmten Wirklich-
keitsmomenten in Bölls Werken, denen vor allem Kuczynski nachging
(L 127 und 128). Horst Haase untersuchte Bölls Symbolik (L 81), ein
Aspekt, der später dann ausführlich auch von Bernhard in seinem Böll-
Buch behandelt wurde. Wenig Einzelstudien sind dem Frühwerk Bölls
gewidmet; zu den Ausnahmen gehört der Aufsatz von Werner Liersch
(L 142). Das akademische Interesse an Böll zeigt sich auch in den
zahlreichen Hochschulschriften und Seminararbeiten. Unter den von
Lengning aufgeführten 83 Arbeiten stammen immerhin 28 aus der
DDR (gegenüber nur 17 aus der Bundesrepublik). Zwar sind 13 von
diesen Arbeiten Referate aus einem Seminar, aber die relative Zahl solcher Arbeiten ist erstaunlich hoch. Auffallend ist aber, daß alle diese
Arbeiten vor das Jahr 1968 fallen, was vielleicht andeutet, daß Bölls
Engagement für die russischen Dissidenten und seine Stellungnahme
gegen den sowjetischen Einmarsch in die Tschechoslowakei zumindest
in den offiziellen akademischen Bezirken ihn zur persona non grata gemacht hat.

Über die Rezeption in der Sowjetunion liegen bereits einige detaillierte Untersuchungen vor. Anläßlich eines russischen Aufsatzes von S.
V. Roznovskij über Heinrich Böll berichtete Dora Angres über die Böll-
Rezeption, dessen Werke dort nicht nur auf russisch erschienen sind,
sondern auch „in georgischer, armenischer, ukrainischer, litauischer,
lettischer und estnischer Sprache" zu lesen sind (L 2, 204). Roznovskij
schrieb nach Angres die erste russische Monographie, „die den Leser
über Leben und Werk des Schriftstellers im Zusammenhang infor-
miert". Eine ausführliche Studie zur Böll-Rezeption in der UdSSR hat
unterdessen Henry Glade vorgelegt (L 72). Glade bietet sowohl reiche
statistische Informationen als auch kluge Beobachtungen und Reflexi-

onen. Böll selbst mußte sich in seinem „Offenbarungseid"[32] – einer
Verteidigung gegen die Verdächtigungen in der Springerpresse – auf
Glades Ergebnisse über die Auflagenzahlen seiner Bücher beziehen.
Nach Glade begann die Böll-Rezeption in der UdSSR im Jahre 1956,
als Böll mit zwei Kurzgeschichten („Die Postkarte" und „Die Waage
der Baleks") in *Novi Mir* eingeführt wurde. Seit 1957 erschienen Buch-
publikationen Bölls in durchschnittlichen Auflagehöhen von 100 000
bis 150 000 Stück. Im Gegensatz zur DDR konnte *Ansichten eines
Clowns* in der Sowjetunion erscheinen, allerdings ohne die Erfurt-Epi-
sode. Der Roman war sogar ein besonderer Erfolg. Er erreichte 1965
eine Auflagenhöhe von 300 000 Exemplaren. Verglichen mit anderen
deutschen Autoren steht Böll, gemessen an den Auflagenzahlen, an
dritter Stelle nach Anna Seghers und Erich-Maria Remarque. Mit
Recht argumentiert Glade gegen eine vereinfachende Interpretation
dieser Popularität; sie läßt sich nicht einfach reduzieren auf Bölls Kritik an der Bundesrepublik. Gewiß spielen Anti-Militarismus und sozia-
les Engagement, wie sie in den beiden zuerst in *Novi Mir* erschienenen
Kurzgeschichten Bölls zum Ausdruck kommen, eine bedeutende Rolle
für die positive Rezeption. Daneben sind jedoch auch andere Faktoren
zu berücksichtigen. Eine wichtige Rezeptionsschicht sieht Glade in
den liberalen Intellektuellen: „His [Böll's] use of alienated characters
speaks to the needs of Soviet liberal intellectuals and writers [...]. A significant segment of younger writers can easily identify with Böll's
anti-heros, his ironic mood and colloquial style" (L 72, 72). Dabei
könne die anti-klerikale Tendenz in Bölls Werk leicht auf eine anti-bü-
rokratische Haltung übertragen werden. Nach Glade haben weder Bölls
offener Protest gegen die sowjetische Intervention in der Tschechoslowakei noch sein Eintreten für Solschenizyn seine Wirkung wesentlich
beeinträchtigt. Glade untersucht auch die Böll-Übersetzungen ins Russische. Er beurteilt sie im allgemeinen positiv, obwohl sie in manchen
Fällen nicht die stilistische Eigenart Bölls wiedergeben, wie schon eine
russische Kritikerin festgestellt hatte. Allerdings macht sich auch die
Zensur in den Übersetzungen bemerkbar: „In *Billard* there were no
significant deletions or additions to the Soviet editions of the German
text; some of Böll's books have not gotten off that easily. In *Clown*,
for example, some erotic passages and the entire Erfurt episode were
expurgated in the two variant translations. However, censorship oper-
ates not so much in the process of translation as in the choice of material to be translated. For instance, the Soviets have been especially
choosy in deciding which of Böll's essays to translate" (L 72, 71).
Glade ist mittlerweile durch seine Forschungen und Reisen in der
Sowjetunion zu einem bedeutenden Kenner deutsch-sowjetischer Kul-
turbeziehungen geworden. Sein Bericht über die Böll-Rezeption wird
ergänzt durch einen Bericht über die Aufführung einer dramatisierten
Version von *Ansichten eines Clowns* in Moskau (L 73) sowie durch
jährliche Berichte über sowjetische Publikationen zur modernen deut-

schen Literatur (L 74).

Über die Böll-Rezeption in der Tschechoslowakei berichtet der frühere Prager Germanist Eduard Goldstücker (L 173, 247–250). Böll findet sich hier in der Popularitätsstufe – d. h. hier wohl nach Auflagenzahl – an vierter Stelle nach Lion Feuchtwanger, Stefan Zweig und Remarque. Goldstücker sieht in der Beliebtheit Bölls einen Ausdruck der Bedürfnisse „breiter Schichten von tschechischen und slowakischen Lesern". Dieses Bedürfnis gehe vor allem danach, aus der Isolierung herauszutreten und „Menschenschicksale verschiedener Völker und Zeiten mitzuerleben". Zugleich glaubt Goldstücker, Heinrich Böll sei es am meisten gelungen, „den deutschen Menschen seinen östlichen Nachbarn verständlich, ja sympathisch zu machen". Solche Kategorien werfen neue Perspektiven auf und dürften zu Fragen führen, die aber in der gegenwärtigen politischen Situation schwer zu beantworten sind. Interessant wäre es zu wissen, wie sich die Böll-Rezeption nach der sowjetischen Intervention entwickelt hat. Auch dazu ist vorläufig kein Material zugänglich.

Im Gegensatz zu den sozialistischen Ländern war die Böll-Rezeption im westlichen Ausland eher zurückhaltend. Am stärksten scheint die Resonanz in Schweden zu sein. Statistisches Material über Auflagenzahl und -steigerung, über Böll im Unterricht und in der Kritik bis 1968 bietet Gustav Korlén (L 173, 243–247). Böll erscheint danach als der erfolgreichste deutsche Autor. Die *Ansichten eines Clowns* erreichten z. B. eine Auflage von 54000 gegenüber nur 20000 Exemplaren der *Blechtrommel*. Auch Korlén sucht nach einer Begründung solcher Popularität und sieht sie eher im Moralischen als im Künstlerischen: „In Schweden, wo das Erbe der deutschen Aufklärung im Kästnerschen Sinne hoch im Kurs steht und wo, beispielsweise, angesichts einer alten Tradition der Arbeiterdichtung eine Verteidigung der Waschküchen nicht erforderlich wäre, wurde und wird ein Moralist und Realist wie Böll mit Teilnahme und Herzlichkeit betrachtet. [...] Möglich auch, daß Bölls Erfolg in Schweden weniger auf seine literarische Kunst zurückzuführen ist als in erster Linie auf seine menschliche Botschaft."

Während in Schweden Bölls Popularität schon relativ früh begann und Grass übertraf, sieht es in Amerika nach einem Bericht von Sigrid Bauschinger etwas anders aus. Zwar erschienen regelmäßig Übersetzungen seit den fünfziger Jahren, zum Erfolg kam es aber erst 1965 mit *Ansichten eines Clowns* (L 14). Mit dem steigenden Unbehagen am Vietnam-Krieg begannen auch Bölls Erzählungen und ihre antimilitaristische Haltung in Amerika Anklang zu finden. Symptomatisch ist eine Sammlung von Erzählungen, die 1970 unter dem Titel *Children are Civilians too* erschien.[33] Auch Manfred Durzak beschreibt die eher zurückhaltende Aufnahme Bölls in den USA: „Die literarische Öffentlichkeit Amerikas verharrt Böll gegenüber in der Distanz" (L 53, 444). In seinem Buch *Der deutsche Roman der Gegenwart* sucht Durzak

nach Gründen für die zurückhaltende Rezeption und sieht sie hauptsächlich in der formalen Konventionalität: „Denn bei der Rezeption
im angelsächsischen Bereich sind weniger inhaltliche Aspekte aus-
schlaggebend wie in Rußland etwa, sondern formale" (L 52, 7). Ich
bin allerdings nicht so sicher, ob das für die Rezeption in Amerika zutrifft. Die Buchbesprechungen urteilen in vielen Fälle auf Grund durchaus konventioneller Kriterien. Da gehören oft noch ‚convincing characters‘, glaubhafte Situationen, kurz: Einfühlungsästhetik zur Urteilsba-
sis.[34] Experimentelle Autoren kursieren fast nur unter wenigen Litera-
turkennern. Man könnte vielleicht eher vermuten, daß die schwache
Rezeption mit der spezifischen Thematik Bölls zusammenhängt. Zu
unterscheiden wäre ohnehin wieder zwischen den Reaktionen der Kritik und der allgemeinen Rezeption. Dokumentieren läßt sich fast nur
die Reaktion der Kritik. Bölls bisher letzter übersetzter Roman
(*Group Portrait with Lady*) sowie die Verleihung des Nobelpreises erhielten ambivalente Kommentare, die aber in mancher Hinsicht als typisch für die amerikanische Böll-Rezeption gelten dürfen. Der Kommentar in *Time*-Magazine zur Verleihung des Nobelpreises (L 3) legte
nahe, daß es hier nicht in erster Linie um literarische Werte ging:
„Böll's triumph may well be due to a line in Alfred Nobel's will that
recommends that the award go to writers of ‚idealistic tendency.‘
Deep compassion for the ordinary man abounds in Böll's books." Das
reflektiert, wie schon erwähnt, eine weitverbreitete Reaktion. Wenn
es dann allerdings zur literarischen Argumentation kommt, wenn literarische Leistungen zur Diskussion stehen, sind es selten die Rezensenten von *Time*, die literarische Maßstäbe setzen. Das zeigte sich ein hal-
bes Jahr später, als im Mai 1973 *Group Portrait with Lady* von Geoffrey Wolff rezensiert wurde (L 220), die eher die Reaktion eines oberflächlichen Lesers, der sich an einige Inhaltsmomente klammert, wie-
dergibt als eine kritische Auseinandersetzung. Das mag wohl auch mit
der erzwungenen Kürze der *Time*-Rezension zusammenhängen. Damit
hatte auch der Rezensent in *Newsweek* (L 4) seine Schwierigkeiten,
doch ließ er immerhin etwas mehr von der Gesamtstruktur des Romans
ahnen. Wahrscheinlich zutreffend ist die einleitende Bemerkung über
die allgemeine Rezeptions-Situation: „Böll is an acerb, intelligent, un-
glamorous writer who inspires only muted respect in this country and
a guilty feeling that we ought to read him but would rather read Günter Grass" (L 4). Zumindest entspricht das dem Konsensus der amerikanischen Kritiker, wie sie auch selber jeweils Böll einschätzen mögen.
So schreibt Richard Locke in *New York Times Book Review* (L 143):
„Although 11 of his books have been published here to good reviews,
the award of the 1972 Nobel Prize for Literature to Heinrich Böll for
his ‚contribution to the renewal of German literature‘ has made little
impression in America. Solzhenitsyn, Beckett, even Neruda — among
recent prizewinners — seen closer to home." Und Melvin Maddocks
im *Atlantic Monthly* (l 145): „There are writers who have what can

only be described as ‚star quality'. They may or may not be the best writers, that is another question: they are the visible ones. [...] By contrast, Heinrich Böll is one of those writers who can win the Nobel Prize without losing anonymity. Is this difference — say, the difference between a Heinrich Böll and a Günter Grass, who (Nobel or no Nobel) still holds front stage center as *the* German novelist of the post-World War II era - a matter of nature's variations in plumage?" Maddocks Antwort, daß Böll eher eine private als öffentliche Persönlichkeit sei und daß dies quasi als Charakterzug in sein Werk eingehe, trifft vielleicht einen wichtigen Aspekt jener oft kaum faßbaren Idiosynkrasien, die in der Rezeption eine wichtige Rolle spielen. Interessant ist allerdings, daß in der Bundesrepublik Böll in den letzten Jahren stärker als Grass eine öffentliche Figur darstellte. Auf jeden Fall ist der Kontrast zwischen dem Bestsellerautor in Westdeutschland und dem fast anonymen Böll in Amerika auffallend. Fragen stellen sich ein: liegt das im Unterschied der Rezeptionssituation? Sind Bölls Bücher zu provinziell ‚deutsch', um wirklich anderswo Anklang finden zu können? Dagegen spricht doch wieder die Popularität in anderen Ländern. Andererseits: wie steht es mit der Popularität in der Bundesrepublik selbst? Sind die Auflagenzahlen eine adäquate Repräsentation der wirklichen Rezeption? Oder spiegeln sie eher den Erfolg einer groß aufgemachten Werbekampagne wider, die es geradezu notwendig macht, den jeweils neuesten Böll zu kennen? Die Fragen führen zu Problemen der allgemeinen Rezeptionsästhetik, deren Methoden erst noch zu entwickeln sind.

An Reaktionen seitens der amerikanischen Kritiker hat es bestimmt nicht gefehlt. Die ausführlichen Rezensionen von Richard Locke, D. J. Enright und Melvin Maddocks versuchen Böll gerecht zu werden. Das Resultat ist hier, wie in der westdeutschen Kritik, ambivalent. Richard Locke kommt sogar nahe an Reich-Ranicki heran, wenn er *Group Portrait with Lady* einerseits preist als ‚‚as warm and rich as any foreign novel published here in the last few years", aber gleichzeitig hinzufügt: ‚‚It is a far from perfect work of art" (L 143). Hervorgehoben wird Bölls ‚‚sensitivity for his women characters" — ein Lob, das vielleicht gerade Frauen in Frage stellen könnten —, andererseits wird auf die Gefahr der Sentimentalität und die Tendenz zum Manieristischen (‚‚labored whimsy") hingewiesen. Kritisch vermerkt Locke auch den zu leichten optimistischen Schluß. Zu wenig beachtet wird in dieser Kritik die Struktur des Buches; sie als ‚‚Brechtian collage" zu charakterisieren, ist nichtssagend, wenn nicht irreführend. Das Problem in kulturellen Beziehungen zwischen verschiedenen Ländern ist immer wieder die Kenntnis des Kontexts, aus dem ein Werk hervorgegangen ist. Unkenntnis dieses Kontexts kann oft zu Mißverständnissen führen, die zwar manchmal schöpferische Mißverständnisse sein können, wenn es um den Einfluß eines fremden Werkes auf die Literatur eines Landes geht, für die kritische Vermittlung dagegen können solche Nebeneffekte

kaum die Nachteile aufwiegen. Das gilt keineswegs nur für sekundäre
Werke, es gilt auch für die Klassiker. Auch Dante läßt sich nicht reduzieren auf sogenanntes Allgemeinmenschliches, das sich aus dem historischen Kontext lösen ließe, weil eben auch das Allgemeinmenschliche,
sofern man davon überhaupt sprechen kann, sich durch den historischen Kontext vermittelt. Und das gilt für alle Werke, was immer ihr
literarischer Rang sein mag. Aber gerade dieser Kontext wird von der
Kritik – das ist in Deutschland nicht anders als in Amerika – allzuoft
unterschlagen. Und das obwohl – oder vielleicht weil? – in diesem
Fall auf Grund der wirtschaftlichen und gesellschaftlichen Relationen
die kulturelle Situation immer noch relativ ähnlich ist. Am Rande
berücksichtigte D. J. Enright den Kontext von *Gruppenbild*, allerdings
nur den literarischen und auf eine Weise, die schon den Kenner voraussetzt (L 58). Er kommt dabei zu einer interessanten Hypothese: ,,one
might suggest that it seems more like a new novel by Günter Grass. Or
even a new novel – and, if corporeality is to be expected of this literary form, more of a novel than his earlier ones – by Uwe Johnson.
Perhaps, in a period of consolidation, these novelists are merging one
into another, eventually to form the definitive German Novelist?'' Die
Konvergenz, die hier hypostatiert wird, hat aber selbst ihren Kontext;
zunächst die gemeinsamen ideologischen und artistischen Voraussetzungen, auf die schon Baumgart (L 13) hingewiesen hat. Sie muß aber
auch gesehen werden im Kontrast zu anderen Entwicklungen, wobei
dann weniger der definitive deutsche Roman das Resultat wäre, als
vielleicht der Roman der Mitte, auch das im ideologischen artistischen
Sinne. Mehr in einem historischen Kontext wird Böll von Melvin Maddocks gesehen, wenn er Böll als verhinderten Idylliker charakterisiert,
dem die geschichtliche Erfahrung die Idylle verweigert hat (L 145).
Eher als Kuriosität der Rezeption ist eine Rezension des Romans im
Christian Science Monitor zu werten, in der sich die moralische Entrü-
stung einer Rezensentin Luft macht: ,,I find *Group Portrait* distasteful,
its scatological detail humiliating to the reader.''[35]
Interessant wäre einmal eine Untersuchung der Beziehungen zu
zeitgenössischen amerikanischen Autoren. Nach Richard Locke, dem
Herausgeber der *New York Times Book Review*, käme augenblicklich
fast nur Joseph Heller in Frage, dessen neuester und lange erwarteter
Roman *Something Happened* einiges Aufsehen erregte, aber auch eine
sehr zwiespältige Kritik erhielt. Locke sieht eine gewisse Ähnlichkeit
zwischen Böll und Heller: ,,Like Joseph Heller, who is almost the only
major American writer to have praised him, Böll is an expert on war-
time jargon and bureaucratic stupidity seen from the bottom up''
(L 143).
Die stärksten Bemühungen, Böll dem amerikanischen Leserpublikum näherzubringen, gingen von germanistischer Seite aus. In den
akademischen Programmen spielt Böll eine relativ große Rolle. Beliebt
sind seine Kurzgeschichten in Lesebüchern für die Mittelstufe Deutsch;

auch Anthologien, die nur Böll-Erzählungen enthalten, liegen vor. Unter den germanistischen Arbeiten und Dissertationen über Böll stammt eine große Zahl von amerikanischen Germanisten. Darüber hinaus gibt die Zeitschrift *Books Abroad* den jeweiligen Fachleuten für fremdsprachige Literaturen reiche Gelegenheit, Autoren vorzustellen. Seit 1952 brachte *Books Abroad* 19 Rezensionen und Aufsätze über Böll. Angefangen mit *Wo warst du, Adam?* bis zu *Gruppenbild mit Dame* wurden nicht nur alle Romane und Erzählbände Bölls rezensiert, sondern auch Aufsatzbände, Hörspiele und Theaterstücke. Zu den stärksten Anregern gehörte Theodore Ziolkowski, der außer mehreren sehr positiven Rezensionen auch zwei längere und ziemlich enthusiastische Aufsätze über Böll in *Books Abroad* publizierte (L 225 und 229); dazu kamen mehrere Aufsätze in verschiedenen anderen Fachzeitschriften. Neuerdings scheint sich sogar eine Art wissenschaftlicher Böll-Gemeinde in den USA zu bilden. Unter der Initiative von Robert C. Conard, Germanist an der Universität von Dayton (Ohio), findet seit 1972 jährlich an der MLA (Modern Language Association)-Konferenz ein Böll-Seminar statt, in dem jeweils Kurzvorträge gehalten werden, die dann in der *University of Dayton Review* publiziert werden. Bisher liegt die erste Ausgabe vom Herbst 1973 mit den Vorträgen des vergangenen Jahres vor (Die einzelnen Beiträge von Friedrichsmeyer, Conard, Glade, Ley und Whitcomb sind im Literaturverzeichnis aufgeführt und teilweise auch im Hauptteil besprochen).[36]

Ziemlich positiv schätzt Frank E. F. Jolles die Böll-Rezeption in England ein (L 107), wobei als Grund ein Aspekt angeführt wird, den Durzak als negativen Faktor für die Rezeption in der angelsächsischen Welt bezeichnete: „Eine gewisse Nähe zu dieser englischen Überlieferung [gemeint ist die Tradition des realistischen Romans] und das Interesse an sozialen Fragen haben Heinrich Böll zum erfolgreichsten deutschen Erzähler der letzten fünfzehn Jahre gemacht" (L 107, 427). Jolles kann zumindest einen Rezensenten von *Times Literary Supplement* zugunsten seiner Ansicht anführen: „Böll, who has succeeded abroad because of his craftsmanship in bringing unremarkable people to life, has been faulted by many German critics precisely because of these aspects of his work" (S. 427). ‚Craftsmanship' steht hier als Gegenbegriff zu experimenteller Artistik; es bezeichnet die Kunst, ‚lebensnahe' Charaktere und Situationen zu schaffen.

Ähnliche Aspekte hebt François Bondy für die Rezeption in Frankreich hervor: „An Böll interessiert das Christliche, besonders das Katholische, das Sozialkritische, der Humor, die Satire, die Gesellschaftskritik, während die eigentlich formalen Elemente seiner Romane und Novellen von den Kritikern weniger beachtet wurden. Um ihn ist Sympathie, nicht Kontroverse, und es mag wohl sein, daß seine Aussage mehr zur Kenntnis genommen wurde als seine Erzählkunst"(L 30, 418). Bondys Feststellungen sind allerdings wenig dokumentiert und vermitteln schon in der sprachlichen Nachlässigkeit – was unterscheidet denn ‚Sozialkritisches' von der ‚Gesellschaftskritik', und was sind denn ‚eigentlich' formale Elemente gegenüber uneigentlichen? – den Eindruck der Flüchtigkeit. Hier bleibt noch viel zu tun, sowie auch für die Rezeption in anderen Ländern, für die noch kaum Material zur Verfügung steht.

Anmerkungen

1 Jean-Paul Sartre, „Flaubert-Analyse I–V", in: *Marxismus und Literatur*. Eine Dokumentation in drei Bänden, hrsg. von Fritz J. Raddatz, Hamburg: Rowohlt 1969, Band II, 292–303.

2 Zu den Abkürzungen vgl. das Siglenverzeichnis.

3 Jetzt in: *Erzählungen 1950–1970*, S. 389–396.

4 Vgl. vor allem: Frank Trommler, „Der ‚Nullpunkt 1945' und seine Verbindlichkeit für die Literaturgeschichte", in: *Basis* 1 (1970), S. 9–25. Derselbe: „Der zögernde Nachwuchs. Entwicklungsprobleme der Nachkriegsliteratur in Ost und West", in: *Tendenzen der deutschen Literatur seit 1945*, hrsg. von Thomas Koebner, Stuttgart: Kröner 1971, S. 1–116. Heinrich Vormweg, „Deutsche Literatur 1945–1960: Keine Stunde Null", in: *Die deutsche Literatur der Gegenwart. Aspekte und Tendenzen*, hrsg. von Manfred Durzak, Stuttgart: Reclam 1971, S. 13–30.

5 Vgl. dazu Herbert Lehnert, „Die Gruppe 47. Ihre Anfänge und ihre Gründungsmitglieder", in: *Die deutsche Literatur der Gegenwart*, a. a. O., S. 31–62. – Die Zeitschrift *Der Ruf* ist in der Serie dtv-Dokumente (39) erschienen, hrsg. von Hans Schwab-Felisch.

6 Daß er weder zu den ‚inneren' noch zu den tatsächlichen Emigranten ein rechtes Verhältnis finden konnte, äußerte Böll im Werkstattgespräch mit Bienek (L 26, 140). Nicht weniger mißtrauisch waren manche der Emigranten gegenüber der jungen deutschen Generation; das zeigt sich etwa in der Abneigung Thomas Manns gegenüber der Gruppe 47, die er einmal als „Rasselbande" bezeichnete (zitiert nach Jochen Ernst, „Rowohlt wird unsicher", in: *Die Gruppe 47*, hrsg. von Reinhard Lettau, Neuwied: Luchterhand 1967, S. 401). Es ist allerdings hervorzuheben, daß dieses nie ganz überwundene Mißtrauen nicht für die damalige Sowjetzone und spätere DDR galt, wo von Anfang an die Emigranten mit offenen Armen empfangen wurden und wo sich auch eine produktive Zusammenarbeit mit den jüngeren Talenten ergab.

7 Charakteristisch dafür ist der Aufsatz von Hans Egon Holthusen, „Die Überwindung des Nullpunkts" (L 97, 137–168).

8 Vormweg, „Deutsche Literatur 1945–1960", in: *Deutsche Literatur der Gegenwart,* a. a. O., S. 15.

9 Zitiert nach Frank Trommler, L 203, 25.

10 In: *Die Gruppe 47*, L 140, 25.

11 L 203, 17.

12 Zitate und Seitenangaben nach der Ullstein-Ausgabe.

13 Wolfgang Borchert, *Das Gesamtwerk*, Hamburg: Rowohlt 1949, S. 55.

14 *Werke in zwanzig Bänden*, Band 3, a. a. O., S. 17.

15 *Die Gruppe 47*, L 140, 41.

16 Ibid., S. 94.

17 Ibid., S. 98.

18 Ibid., S. 126 f. – Den Streit zwischen Realisten und Anti-Realisten spitzte J. Martin ins Extrem zu: „Plus que le rideau de fer et que l'opposition entre les deux générations actuelles d'écrivains, cette querelle marque la principale ligne de clivage de la littérature allemande contemporaine" (L 148, 153).

19 Martin Walser, „Vom erwarteten Theater", in: M. W., *Erfahrungen und Lese-erfahrungen*, Frankfurt a. M.: Suhrkamp 1965 (edition suhrkamp 109), S. 62.

20 In: *Tintenfisch* 7, Berlin: Klaus Wagenbach Verlag 1974 (Quartheft 68), S. 59.

21 *Grenzverschiebung. Neue Tendenzen in der deutschen Literatur*, hrsg. von Renate Matthaei, Köln: Kiepenheuer & Witsch 1970.

22 Ausführlich wird das Problem der pluralistischen Gesellschaft in bezug auf die Literatur der Nachkriegszeit von R. Hinton Thomas und Wilfried van der Will behandelt (L 200a – vor allem das Schlußkapitel der deutschen Ausgabe).

23 Ausführlich zum Dilemma der Kultur- und Gesellschaftskritik: Theodor W. Adorno, „Kulturkritik und Gesellschaft", in: Th. W. A., *Prismen*, München: Deutscher Taschenbuchverlag 1963, S. 7–26.

24 *Die Alternative oder Brauchen wir eine neue Regierung?*, hrsg. von Martin Walser, Hamburg: Rowohlt 1961 (rororo 481).

25 *Die Zeit*, Ausgabe vom 24. Mai 1974.

26 Die Ideologie der ‚Mitte' wurde auch vor einiger Zeit von Martin Walser kritisch analysiert in dem Aufsatz „Über die Architektur einer Moral", in: DVZ vom 12. September 1974.

27 Klaus Berghahn, „Volkstümlichkeit ohne Volk", in: *Popularität und Trivialität*, hrsg. von R. Grimm und J. Hermand, Frankfurt a. M.: Athenäum 1974, S. 51–75.

28 Jürgen Habermas, *Strukturwandel der Öffentlichkeit*, Neuwied: Luchterhand 1971 (Sammlung Luchterhand 25), S. 58.

29 Theodor W. Adorno, *Ästhetische Theorie*, Frankfurt a. M.: Suhrkamp 1973 (suhrkamp taschenbuch wissenschaft 2), S. 48.

30 Ibid., S. 12.

31 Vgl. dazu Rolf Michaelis, „Streitaxt in der Friedensstadt", in: *Die Zeit*, Ausgabe vom 27. Dezember 1974.

32 *Die Zeit*, Ausgabe vom 8. Februar 1972.

33 Heinrich Böll, *Children Are Civilians too*, New York: MacGraw-Hill 1970.

34 So heißt es z. B. in einer Rezension zum *Gruppenbild* in der *New York Times*: „Leni Pfeiffer, the heroine of ‚Group Portrait With Lady', is described by some 60 people – yet they have not persuaded me that she exists" (L 33).

35 Pamela Marsh, in: *Christian Science Monitor*, 16. Mai 1973.

36 Gerade bei Abschluß dieses Manuskriptes erhielt ich freundlicherweise noch die Korrekturbogen der Ausgabe von 1974 von Professor Robert Conard, sowie das Manuskript seines MLA-Vortrags 1974: „Heinrich Bölls Essays as Art Form: An Interpretation of ‚The Moscow Bootblacks'". Die einzelnen Beiträge sind als Ergänzung der Bibliographie zugefügt, ihr Inhalt wird in der Einleitung der Zeitschrift summiert:

Keith Stewart's article surveys the American reviews of Böll's work from the first appearance in the United States in 1954 of *Acquainted with the Night* through the publication of *Group Portrait with Lady* in 1973. Böll's works demonstrated varied styles and interests in that nearly twenty-year period, and still the reviews of the novels and short stories of one of this century's most talented writers and Nobel laureates were consistantly mixed. What American reviewers value in a work of literature and often fail to find in Böll is still a mystery to be explained.

Margareta Deschner's analysis of *Group Portrait* centers on its heroine Leni Pfeiffer. With support from insights gleaned from Böll's *Frankfurter Vorlesungen* she concludes that Leni is a vision of the writer's feminine ideal, the new woman, not only Eve, but also Maria and Magdalene combined.

Gertrud Pickar's perceptive analysis of the narrative point of view of *Billiards at Half-past Nine, The Clown* and *Group Portrait* of works published from 1959–1971 – reveals a variety of narrative methods employed by Böll in this period, and her disclosures offer evidence that Böll is a subtle innovator in his use of previously developed artistic techniques.

Klaus Jeziorkowski broadly defines a political author as anyone who publishes, arguing that when one brings his work before the public, that work becomes something social; it establishes dialog if only one reader is found. In this comprehensive sense, he sees also Celan, George and Rilke as political writers. With such a starting point it follows that Jeziorkowski does not divide Böll's *oeuvre* into belletristic and essayistic but treats its entirety as a contribution to Germany's recent political literature.

An additional Böll contribution by Prof. Ingeborg Carlson of Arizona State University on *Group Portrait* complements Prof. Deschner's article. Where Prof. Deschner concludes that *Group Portrait* embodies in the heroine Böll's ,,new woman,`` Prof. Carlson sees the novel as a summons to a new social order, one without class distinctions, socialistic in nature, and founded on the religious principles of the Gospels.

2 Systematischer Teil

2.1 Leitthemen der Diskussion

2.1.1 Heinrich Bölls Popularität

Am 6. Dezember 1961 prangte Bölls Porträt von allen deutschen Kiosken. Der *Spiegel* hatte ihn einer Titelgeschichte würdig befunden (L 16). Anlaß war ironischerweise die bevorstehende Aufführung von Bölls Theaterstück *Ein Schluck Erde*. Es stellte sich später heraus, daß kein Werk Bölls zuvor und nachher so einhellig zum Mißerfolg erklärt wurde. Daß dieser Anlaß aber überhaupt eine Titelgeschichte im *Spiegel* anregen konnte, belegt, wie hoch damals Böll schon im Kurs stand. So wird er denn auch vorgestellt als „Deutschlands erfolgreichster Nachkriegsautor". Was ihm aber vor allem Beachtung eintrug, war eine wachsende Popularität auch im Ausland: „Böll ist der bislang einzige deutsche Nachkriegsautor mit einem nachhaltigen Erfolg über die speziell literarisch interessierten Zirkel und über die deutschen Grenzen hinaus." (Immerhin war 1959 schon *Die Blechtrommel* erschienen, die auch nicht wenig über die Grenzen hinaus wirkte.) Und schon 1961 gab es Nobelpreis-Gerüchte: „Seit einigen Jahren wird Böll als Anwärter auf den Nobelpreis genannt [...]" (S. 71).

Aber auch damals schon gab es Zweifel: „In der Tat wird gerade unter deutschen Kritikern nicht selten die Meinung vertreten, Bölls literarische Qualität bleibe hinter seinem Renommee zurück." (L 16, 72) Böll sei „gewiß weniger ein Schriftsteller für Literaten als ein Schriftsteller für Leser". Für viele Kritiker, so scheint es, ist ein „Schriftsteller für Leser" an sich schon abgeschrieben. Popularität und Trivialität, so unterstellt man oft, sind identisch. Man müßte aber wohl erst fragen, was im konkreten Fall Popularität meint, und was sie begründet. Schon im *Spiegel* finden sich Vermutungen und Gründe, die in variierter Form die Sekundärliteratur durchziehen. Dazu gehört eine „solide mittlere Position zwischen Tradition und Moderne", die den Leser nicht durch Esoterik abschreckt; weiter ein Realismus, der aber „nicht zu kraß, und stets recht gefühlvoll" sei. Bedenken gegen allzuviel „Jauche" und „Gosse" erhebt nur das besinnlich erbauliche Büchlein von Léopold Hoffmann, das im übrigen liebevoll und sanft Heinrich Böll als verschreckten Katholiken vorstellt (L 94). Abgesehen davon aber dürfte die im *Spiegel* geäußerte Vermutung ein allgemeines Gefühl treffen. Hinzu kommt noch das Happy-End oder wenigstens irgendein Trostschimmer am Ende, der den Leser nie ganz ohne Hoffnung entläßt, auch wenn diese Hoffnung oft gering scheint (ein Lächeln z. B.); aber gerade solche Art von Hoffnung wird von einem zu Ruhe und Ordnung erzogenen Leserpublikum weit mehr geschätzt als Hoffnung, die den Leser auf seine Verantwortung und sein Handeln verweist.

Immer wieder hervorgehoben werden Bölls Integrität und seine sympathische Menschlichkeit, die inzwischen zum Topos der Böll-Forschung geworden sind und schon 1961 „zum eisernen Bestand deutscher Böll-Rezensenten" gehörten (L 16, 72). Aber auch solche Topoi können ins Wanken geraten, wo gesellschaftliche Tabus und das von der Springer-Presse vorgeschriebene gesunde Volksempfinden in Frage gestellt werden. So hat Bölls Appell gegen Hysterie im Fall der Baader-Meinhof-Gruppe ihm manche Sympathie gekostet. Es gibt nicht nur die Popularität Bölls, es gibt, wie im vorangehenden Kapitel berichtet, auch seine Unpopularität. Es bleibt aber die Tatsache, daß seine Bücher Leserschichten erreichen, an die sonst wenige Gegenwartsautoren herankommen.

Henri Plard fragte schon 1957 nach den Ursachen für Bölls Erfolg im Ausland und begründete diesen mit der Allgemeinheit der Erfahrungen, die in Bölls Werk ihren Ausdruck finden: „Seine Erfahrung [...] ist nicht spezifisch deutsch: so erklärt es sich vielleicht, weshalb er im Ausland einen so großen Leserkreis gefunden hat: seine Erfahrung ist all denen gemein, die auf der Schwelle zum Erwachsensein vom Krieg erfaßt wurden" (L 136, 45). Wolfdietrich Rasch sieht den Grund eher in der erzählerischen Qualität, und zwar in dem, was er die „elementare Kraft des Erzählens" nennt (L 136, 9). Diese besteht für Rasch in der „Gabe zu fesseln, zu spannen, den Leser in Bann zu schlagen" (S. 9). Das sind allerdings Eigenschaften, die man nicht so leicht gewohnt ist, im Zusammenhang mit modernem Erzählen genannt zu hören. Und in der Bewertung solcher Eigenschaften scheiden sich denn auch die kritischen Geister. Negativ mögen sie als unzeitgemäße Naivität, als Mangel an reflektierendem Bewußtsein und Fehlen artistischen Niveaus erscheinen; auf der anderen Seite ließe sich argumentieren, daß Böll eben dadurch eine elitäre Artistik im Elfenbeinturm durchbricht, daß sich gerade hier Möglichkeiten einer wahren populären Kunst abzeichnen. Das Dilemma, das hier erscheint, liegt in der Antinomie einer Kulturindustrie, die säuberlich trennt zwischen Unterhaltung für die breiten Massen und Kunst für den kleinen Zirkel Eingeweihter. Die Frage wäre: ist es angesichts dieser tief in der gesellschaftlichen Basis und ihrer Klassenstruktur verankerten Antinomie objektiv überhaupt möglich, „wahre" populäre Kunst zu erzeugen, d. h. eine Kunst, die ohne Abstriche an den jeweiligen Bewußtseinszustand, ohne verfälschende Simplifikation breite Leserschichten anspricht, eine Literatur, die anstatt das immer bereite Bequemlichkeitsgefühl zu hätscheln, die vielleicht ebenso starke Neugierde provoziert, den Willen, in Frage zu stellen, Probleme zu lösen. Hier ließe sich, vielleicht ausgehend von Blochs Aufsatz über den Kriminalroman[1], eine Ästhetik der Spannung entwickeln.

Im Falle Böll scheiden sich, wie gesagt, die Geister. Wo Wolfdietrich

Rasch lobt, mißtraut Blöcker gerade dem Eingängigen, jenen Qualitäten, die Bölls Werk weiten Leserkreisen nahebringen: ,,Der Erzähler
Heinrich Böll vertritt eine Form von Seelenhaftigkeit, eine situations-
gerechte Spielart der deutschen Innerlichkeit, die begreiflicherweise
Anklang findet" (L 28, 285). Verdächtig ist ihm ein ,,Talent, das so
genau auf der Linie des allgemeinen, des risikolosen Geschmacks liegt,
das sich mit so fataler Sicherheit auf der Bahn einer mittleren Erwartung bewegt ..." (L 136, 72). In wenigen Sätzen äußerst sich hier prägnant die gegenwärtige Rezeptionssituation, in der der allgemeine Geschmack zum negativen Kriterium werden kann. Was Blöcker hier unreflektiert zur Basis seiner Kritik macht, entspricht Adornos immer
wieder ausgesprochenem Postulat, daß heute auf Kunst nur Anspruch
erheben kann, was sich ganz in die Negation begeben habe. Diese Negation manifestiert sich unter anderem in der anti-mimetischen Tendenz der westlichen Moderne, in der Absage an realistisches Erzählen
im traditionellen Sinne. Und ,,realistisches Erzählen" ist es, das sich
nach Baumgart ,,am besten konsumieren" läßt (L 13, 651). Das tief
verwurzelte Dilemma zwischen Kunstanspruch und Popularität bestimmt explizit oder implizit immer wieder die Urteile über Böll. Werner Ross bezeichnet die Kombination von ,,Volksschriftsteller und Grün-
dermitglied der Gruppe 47" als ,,ein Phänomen" (L 136, 84). Daß Popularität auf Kosten der Kunst gehe, meint auch Werner Hoffmeister:
,,There is reason to suspect that the universal appeal of Böll's novels
exists, to some extent, because of certain artistic insufficiencies: his
tendency to use an overdose of sentiment, to make satire just a bit too
entertaining, to overextend his capacities as a humorist, to choose an
overtone of irony that is too vigorous" (L 95, 291). Im übrigen nennt
auch Hoffmeister ,,moderate use of modern forms" und ,,traditional
approach" als Gründe für Popularität. Demetz stellt die zweifelnde
Frage, ,,ob seine Popularität nicht eher auf seinen sentimentalen früheren Arbeiten beruht als auf der energischen Kunst seiner späteren
Prosa" (L 47, 234 f.). Wie erklärt sich dann aber der eminente Verkaufs-
erfolg gerade der letzten beiden Bücher Bölls? Ist das nur das Resultat
des gewaltigen Werbeaufwands? Hier bleiben noch manche Fragen offen.
   Versuche, den Antagonismus von Popularität und Kunst zu überwinden, gibt es allerdings auch. Aber sowenig der Antagonismus von denen, die ihn akzeptieren, in seinen übergreifenden Implikationen reflektiert wird, so sehr wird er oft von denen unterschätzt, die ihn überbrücken möchten. Yuill argumentiert, daß bei Böll die Simplizität nicht
gleich Simplifizierung sei. Seine Romane und Erzählungen, heißt es,
,,deal with ideas and experiences that are none the less profound because they can be understood by the great majority of people" (L 221,
155). Aber schließlich kann es in einem ästhetischen Urteil nicht einfach um die abstrahierbaren Ideen gehen. Man muß auch nicht unbedingt elitär denken, wenn man der leichten Identifikation mißtraut.
Was jenes Aha!-Erlebnis bietet, die spontane Reaktion: ,das ist unsere

Welt, hier wird unsere Sache verhandelt', ist allzuoft nur die Bestätigung einer Perspektive, die von existierenden Herrschaftsverhältnissen
geschaffen und als die ‚natürliche' etabliert wurde. Es ist möglich, daß
verfremdete Kunst, die es der Identifikation nicht leicht macht, ‚volkstümlich' im besseren Sinne ist, als solche Bestätigung. Natürlichkeit,
wie sie Zuckmayer als Lob meinte, ist als ästhetische Kategorie obso-
let: ,,Er hat dem Volk aufs Maul geschaut, obwohl er keineswegs im
trivialen Sinne ‚volkstümlich' schreibt. Aber er schreibt ‚natürlich'"
(L 173, 54). Was man aber dem Volk vom Maul abliest, ist allzu oft nur,
was ihm von oben in den Mund gelegt wurde.

Zusammenfassend wäre bis hierhin zu sagen, daß die Hauptgründe
für Bölls Popularität in seiner Sympathie und menschlichen Integrität
zu finden sind. Es sind keineswegs nur die ‚einfachen Gemüter', die
ihn wegen seiner Integrität hoch schätzen. Für Adorno ist Böll Zeichen
standhafter Integrität schlechthin: ,,Mit einer in Deutschland wahrhaft
beispiellosen Freiheit hat er den Stand des Ungedeckten und Einsamen dem jubelnden Einverständnis vorgezogen, das schmähliches Mißverständnis wäre" (L 173, 7). Nicht ohne Verwunderung liest man solche Sätze bei Adorno, in dessen Ästhetik der totalen Verweigerung
Bölls eher traditionelle und gerade dadurch die Leser einladende Erzählweise gar nicht zu passen scheint. Aber durchaus im Sinne seiner
Ästhetik feiert Adorno Böll als den Autor des verweigerten Einver-
ständnisses. Meint er in Wirklichkeit nur den Autor? Vom Werk ist
eigentlich nicht die Rede, weder hier noch sonstwo. Man möchte daher fast vermuten, es gehe hier eher um die Person Bölls als um sein
Werk. Den Maßstab setzt Adorno hoch an: ,,Seit Karl Kraus hat es
nichts dergleichen unter deutschen Schriftstellern gegeben" (L 173, 8).
Nicht weniger begeistert äußerte Ernst Fischer seine Sympathie: ,,Bü-
cher können faszinieren, erregen, erbittern, langweilen und mancherlei
andres — doch daß man einen Autor einfach liebhat von der ersten bis
zur letzten Zeile, in seinen schwächeren und in seinen Meisterwerken,
ist ein ungewöhnlicher Fall. Heinrich Böll hat diese elementare *Sympathie* seiner Millionen Leser gewonnen ..." (L 173, 156). Zu untersuchen wäre aber einmal, wie Holthusen vorschlug, ,,was diese Art von
menschlichem Appeal für den literarischen Erfolg überhaupt, was sie
insbesondere für das deutsche Publikum der Gegenwart bedeutet"
(L 173, 39). Hier liegen noch Aufgaben für die Forschung und Material
für die Rezeptionsästhetik, die hinter die reine Evidenz der Sympathie
zurückfragen müßte auf ihre Bedingungen. Bisher gibt es dazu nur
Ansätze. Marcel Reich-Ranicki deutet eine psychologische Erklärung
an: ,,Denn er [Böll] hat der Welt zu bieten, was sie nach wie vor, bewußt oder unbewußt, von einem deutschen Schriftsteller erwartet und
verlangt: Moral und Schuldbewußtsein" (L 174, 339). Leider bleibt
das, wie oft bei Reich-Ranicki, als aphoristische Blüte stehen. Und
doch läge hier ein möglicher Ansatzpunkt, Bölls Popularität rezeptions-
ästhetisch zu erfassen.

Ein weiteres Moment für Bölls Erfolg ist seine Einfachheit. Amery begründet diese Einfachheit mit der Legendenstruktur, die allen Werken zugrunde liege (auf sie wird später noch einzugehen sein): „Ich wage die Ansicht, daß die Böllsche Poetik, diese Konstante der Legende in der hominisierten Welt von heute, der Hauptgrund für Bölls gewaltigen Erfolg ist (– nicht zuletzt in Rußland –)" (L 173, 96). Während manche Kritiker gerade solche Einfachheit kritisieren, sieht Ulrich Sonnemann gar „Revolutionshoffnung" darin. Naivität erscheint ihm als Spontaneität, „die der Widerschein ist der Freiheit im Unfreien", und keineswegs schließt das aus, „daß ein entschieden volkstümlicher Erzähler, ein ‚naives' und ‚Natur'-Talent seinem Anfang nach, zu einem immer kritischeren Literaten wurde ..." (L 173, 139).

Verbunden mit der Einfachheit, zum Teil durch sie begründet, ist die zur Identifikation einladende Welt Heinrich Bölls. Zu untersuchen bliebe allerdings noch, welche sozialen Schichten zur Identifikation geladen werden. Für Harry Pross sind es, etwas allgemein, jene, „die unten bleiben", und zwar „im Osten wie im Westen" (L 173, 144). Bei Waidson sind es noch allgemeiner „many readers", die sich in Bölls Welt zu Hause fühlen können (L 209, 110). Konkreter formuliert Hans Christian Kosler, wenn er sagt, „daß Böll seinen Erfolg vornehmlich jenem Publikum zu verdanken hat, das das Proletariat bildungsbürgerlich verriet und mit Bölls Trümmermentalität nach langer Pause wieder einmal große Kultur einatmen wollte" (L 124, 791). Die These erscheint vom Gedanken her einleuchtend, bedürfte aber empirischer Belege.

Wiederum mit den vorangehenden Punkten eng verbunden ist ein weiteres Moment: die Allgemeinverständlichkeit, auf die Paul Konrad Kurz hinweist als die Grundlage eines Volksschriftstellers, als den er Böll sieht: „Der Volksschriftsteller stellt, was alle angeht, gemein verständlich dar: das Geschehen, die Gesellschaft, Menschsein, Moral, die Trauer und das Prinzip Hoffnung" (L 131, 18). Aber das „Volk" ist soziologisch differenziert und das „Prinzip Hoffnung" geht dementsprechend in viele Richtungen (wo es nicht überhaupt schon paralysiert ist von der Werbeindustrie). Sogar noch anläßlich von Bölls letztem Roman, *Gruppenbild mit Dame*, der keineswegs mehr einfach genannt werden kann, preist Geno Hartlaub Böll als einen Autor, der „allgemeinverständlich" schreibt und so „auf seine Weise wahr" macht, „was Soziologen mit ihrem gesellschaftlichen Engagement in ihrem weithin unverständlichen Fachvokabular fordern. Er ist lesbar für ein großes Publikum ..." (L 87, 794).

Für ein gesellschaftskritisches Engagement, das gewiß von Böll intendiert ist, scheint nichts besser als solche Popularität und Verbreitung. Jedoch wirken die beiden nicht immer zu ihrem gegenseitigen Besten zusammen. In einer Gesellschaft, die weit wirkungsvoller und subtiler als offene Zensur die Kritik genußvoll in die Kulturindustrie integriert, meint weitverbreitete Popularität nicht unbedingt viel. Holt-

husen meint gar, es sei „gerade der gesellschaftskritische Autor, der in
dieser Gesellschaft eine Chance hat, zu reüssieren ..."(L 173, 35). Allerdings sieht Holthusen nicht die Bedingungen solchen Zusammenhangs
von Popularität und Gesellschaftskritik, und sieht auch nicht, daß dieses Gesetz nur gilt, solange die Kritik gewisse Tabus nicht mißachtet,
solange sie im Ritual bleibt. Stefan Heym fürchtet nicht zu Unrecht,
daß es einen Beifall gibt, der die intendierte Kritik neutralisiert: „Böll,
der in seinem Teil Deutschlands nach bestem Wissen und Gewissen die
Wahrheit schreibt und sich keine Binde ums Auge legen und keine wie
immer gefärbte Brille auf die Nase setzen läßt, findet den Beifall des-
selben Establishment ..." (L 173, 152). Gegen solche Neutralisierung
ist auch ein Autor nicht gefeit, der nach Ernst Fischer bei aller Popularität „niemals Konzessionen" macht (L 173, 156).[2]

Alle diese Begründungen aber bleiben mehr oder weniger einleuchtende Vermutungen oder einfallsreiche Aphorismen ohne eine detaillierte soziologische und psychologische Analyse des Phänomens „Popularität". Heinrich Bölls Werk und Wirkungsgeschichte böte dazu ge-
eignetes Material.

2.1.2 Realität, Fiktion, Gesellschaftskritik

In dem Werkstattgespräch mit Horst Bienek bemerkte Heinrich Böll:
„Es ist ein Irrtum, zu glauben, jeder Autor mache Milieustudien. Ich
glaube, er muß nur die Elemente des menschlichen Lebens kennen,
und die muß er, so scheint mir, bis spätestens zu seinem 21. Lebensjahr
kennen" (L 26, 141). Hier deutet sich eine Tendenz zur Reduktion
komplexer Wirklichkeitszusammenhänge an, die auch an den Figuren
Bölls zu bemerken ist. Andererseits belehrt ein Blick in Bölls Arbeits-
pläne – Manuskripte und Pläne Bölls werden in einer Spezialkollektion
in der Boston-University-Library archiviert (vgl. 4.3) –, daß Böll für die
meisten seiner Romane sehr genaue Detail-Forschung treibt. So existiert
z. B. zu *Billard um halbzehn* ein von Böll zusammengestellter Frage-
bogen, der unter anderem Informationen über genaue Größe und Anzahl der Löcher eines Billardtisches, über Uniformen im Ersten Weltkrieg usw. sucht. Diese Verbindung von Reduktion und genauem, oft
penibel beschriebenem Detail ist von der Kritik denn auch recht unterschiedlich gesehen und bewertet worden. Ein weiteres Problem ist,
daß nur in seltenen Fällen die Interpreten auf das komplexe Verhältnis
von Realität und Fiktion reflektieren und oft so grundlegende Aspekte wie Perspektivengestaltung übersehen.

So ist man nicht wenig erstaunt, bei Henri Plard zu lesen, Böll halte
„es für unnötig, die Tatsachen zu kommentieren: ihre Abfolge, die er
mit kalter Objektivität erzählt, enthält ein unausgesprochenes Urteil
über die Grausamkeit der Welt..." (L 136, 48). Gewiß, der Erzähler
Böll kann sich manchmal – aber auch nicht immer – des direkten

Kommentars enthalten, aber kalte Objektivität ist damit noch nicht gegeben. Eine genaue Analyse der Perspektiven kann bestätigen, daß der Erzähler meist in sehr eindeutige Richtungen lenkt. Wichtig ist jedoch Plards Hinweis auf die zeitlich und räumlich begrenzte Welt Bölls (S. 48). Diese Begrenzung hat Baumgart kritisch untersucht (L 13). Baumgart nennt Böll zusammen mit Grass und Johnson realistische Erzähler, „insofern sie zeitgenössische Realität, vor allem Sozialmilieu, treu reproduzieren möchten" (S. 651). Mit Realismus meint Baumgart ein Erzählen, wie es sich vor allem im 19. Jahrhundert entwickelt hat. Diese Feststellung hat eine gewisse Berechtigung, muß aber doch einigermaßen eingeschränkt werden, wenn wir uns der oben zitierten Aussage Bölls über Milieustudien erinnern. Zutreffend sind aber Baumgarts Beobachtungen zum Auswahlprinzip in der Böllschen Welt – zumindest in den früheren Werken. Man findet da „wenig technische und zivilisatorische Aktualität", und eine solche Verengung erlaubt „eine kleine, noch wenig bewegte Welt mit engem Gesichtskreis" (S. 652). Es ist die noch überschaubare Welt, in die der Leser sich hineinversetzen, mit deren Figuren er sich identifizieren kann. Und so gehört zu dieser Welt ein weiteres wichtiges Moment: die sympathetische Empfindung. Die Eingeschränktheit der Perspektive bemerkt auch Albrecht Beckel und deutet sie: „Diese Identifikation mit dem Augenblick, die Sicht des Lebens aus dem Prisma des Augenblicks heraus, ist gleichzeitig eine Aussage über die schwere Überschaubarkeit des ganzen Lebens in der komplizierten modernen Gesellschaft" (L 15, 32). Hier wäre noch zu differenzieren: wesentlich zur eingeschränkten Perspektive gehört ihre funktionale Abhängigkeit von der Figur des sogenannten „kleinen Mannes", für den der gesellschaftliche Prozeß eine anonyme undurchsichtige Macht darstellt, deren Opfer er ist, die er aber nie ganz durchschaut. So bedingt die eine Verengung die andere: die Sicht von unten bleibt am Detail hängen. Diese doppelte Verengung erzeugt die Ambivalenz Böllscher Erzählungen: einerseits ihre zur Identifikation einladende kleine Welt, andererseits die oft groteske Verfremdung, wo die Sicht aus dieser Welt ausbrechen möchte und keine Perspektive findet. Setzt man eine so verengte Perspektive in den Kontext des Weltgeschehens, so scheint sie allerdings weniger noch als bescheiden: „Was sich zwischen Prag und Vietnam, zwischen dem Vorderen Orient und Biafra abspielt, ist aus dem rheinischen Küchengeruch Bölls nur noch undeutlich herauszuschmecken."[3] Man könnte gegen diese Konfrontation Horst Krügers einwenden, daß es Böll auch gar nicht darum gehe, die großen Weltprobleme zur Darstellung zu bringen; das hieße aber, daß ein bedeutender Teil des modernen Bewußtseins ausgespart bliebe, und Böll sich in die geistige Provinz begeben habe. Andererseits stellt sich die Frage, ob vielleicht auch aus dem besagten Küchengeruch der Provinz Weltbewußtsein sich kondensieren ließe. Der Weltgeist, scheint es, kocht seine braunen und andersfarbigen Suppen gerne im Mief der kleinen Küchen, wo die auferlegte Repression Ressentiments und Aggressionen brütet. Wo solche Zusammenhänge sichtbar würden, erhielte auch die engste Provinz ihren künstlerischen Sinn und — das viel mißbrauchte Wort sei gestattet — Relevanz. Gerade hier aber melden sich Zweifel. Denn, wie schon früher bemerkt wurde, ist Bölls kleine Welt eher der idyllische Winkel als die Hexenküche der Geschichte wie bei Grass. Böll sieht, wie Durzak festgestellt hat, „die kleine Welt als eigentliche Wirklichkeit, die es zu gestalten gilt, als Wirklichkeitszone, die noch ‚human‘ ist in dem Sinne, daß der einzelne sich trotz der Beschränkung, die ihm die Gesellschaft auferlegt, hier noch individuell auszudrücken vermag" (L 52, 25).

Hans Mayer sieht gerade in der lokalen Begrenzung auf Köln und nähere Umgebung eine Tugend: „Köln ist nicht der Kosmos Heinrich Bölls. Es ist bloßer Schauplatz vieler Geschichten dieses Schriftstellers, aber die Situierung erfolgte aus Gründen des literarischen Handwerks, weil sich Böll in seiner Vaterstadt gut auskennt, nicht jedoch aus Gründen einer tiefen Affinität des Kölners Böll zu seinen Landsleuten" (L 173,16). Auch Holthusen findet im Regionalen bei Böll die Tugend der Konkretheit, die ihn nicht hindere, „im regionalen Weltausschnitt ein Ganzes zu erfassen" (L 173, 35). Dieses „Ganze" wird von Holthusen dann aber zu einem amorphen und „ewige[n] Cosi fan tutte, das sich nicht ideologisieren läßt ...“ (S. 36). Solche Art Ganzes hatte schon Hegel als die „Nacht" erklärt, „worin, wie man zu sagen pflegt, alle Kühe schwarz sind".[4]

Der Frage nach dem „Realismus" bei Böll geht auch Günter Wirth nach (L 216, 235 ff.). Er kommt aber über Klischees schon in der Fragestellung nicht hinaus. Weder die marxistische noch die bürgerliche Realismus-Diskussion werden in die Argumentation einbezogen.

Umso mehr darf man gespannt sein, was ein hervorragender marxistischer Theoretiker des Realismus wie Lukács zu Böll zu sagen hat. Sein Böll-Aufsatz ist — wieder einmal — eine Konfrontation des 19. Jahrhunderts, dessen Tradition nach Lukács Böll weiterführt (wie vor ihm Thomas Mann) mit der Moderne. Schon Brecht hatte — mit Bezug auf die Expressionismus-Debatte — in diesem Festhalten Lukács' eine Art Formalismus gesehen, der den Realismus nicht an der Wirklichkeit mißt, sondern an einem historischen Stilkonzept. Was Lukács im Böll-Aufsatz an der Moderne kritisiert, ist ihre „entideologisierte Allgemeinheit" (L 173, 252). Damit meint Lukács vor allem die Vorherrschaft des Absurden in der modernen Literatur, deren Grundlage sei, „daß jeder Kampf, jeder Konflikt seinen Sinn verloren hat, entideologisiert wurde, und damit die Kraft eingebüßt hat, auf das Menschenleben, wenn auch durch Tragödien hindurch, sinngebend, gattungsformend einzuwirken" (S. 254). Lukács hat damit wichtige Tendenzen der Moderne getroffen, und seine Kritik ist in mancher Hinsicht berechtigt, aber als generelles Urteil über die Moderne doch zu pauschal. Besonders problematisch wird die Argumentation, wenn er die Probe aufs Exempel macht und an Böll die Gegenmöglichkeit aufzeigt: „Daß Ökonomie und Gesellschaft heute entfremdend wirken, kann — objektiv — weder gedanklich noch institutionell aufgehoben werden. Wohl aber kann, auch heute, jeder Mensch jederzeit erklären: Ich mache *meine eigene* Entfremdung nicht mehr mit, auch wenn ich dabei tragisch untergehe, was freilich objektiv auch nicht ein fatales Schicksal ist" (S. 255). Ist das nicht wieder der altbekannte Rückzug in die Innerlichkeit und die Kapitulation vor der fatalen Außenwelt? Und dazu auch noch die alte deutsche Lust am Tragischen. Weiter wäre zu fragen: Erzeugt nicht gerade die Identifikationsmöglichkeit mit dem Helden, der sich in seine private Freiheit rettet, die Illusion, Freiheit sei möglich in einer so beschaffenen Gesellschaft und letzten Endes also doch alles gar nicht so schlimm? Andererseits ließe sich zwar wieder argumentieren, ein solcher Held könne kraft seiner Verweigerung zum Bewußtsein der wahren Zustände führen. Welche Richtung eine derartige Ambivalenz nimmt, hängt nicht zuletzt auch von der vermittelnden Kritik ab.

Am häufigsten bemerkt, weil sie ins Auge fällt, wird Bölls Detailfreudigkeit. Ihre Deutung dagegen ist wiederum kontrovers. Rasch sieht sie als Darstellung einer Welt ohne Zusammenhang, als Zeichen einer „Entfremdung zwischen Mensch und Welt" (L 136, 14 f.). Kurt Ihlenfeld konstatiert kritisch Bölls „Lust am Detail, man muß schon sagen: am Detail des Details" (L 102, 40). Beckel dagegen entwickelt aus solcher Detailfreudigkeit gar eine neue Moral, die vom Soziologen Schelsky und dem Theologen und Historiker Friedrich Heer inspiriert ist: „In gleichem Sinn hat für Friedrich Heer der ‚Wandel der Gesellschaft vom Gestern zum Morgen' die Folge, daß der Mensch zu einer ‚Spiritualität des Kleinen und Kleinsten' genötigt erscheint; er hat ‚in das Kleine einzugehen' und ‚diese Arbeit so sauber, so nüchtern, so unerbittlich aufrichtig zu leisten, als gelte es die ganze Welt'. Solche ethischen Appelle sind dem Erzähler Böll natürlich fremd. Gleichwohl ist die Entsprechung zwischen seiner Liebe zur Kleinigkeit und diesen sozialreformerischen Aufrufen unverkennbar"(L 15, 34 f.). Damit hätte denn die total entfremdete Arbeit ihren ethischen Überbau erhalten, an dem die Unternehmer ihre Freude haben dürften. Allerdings, wie Beckel zu Recht bemerkt, bei Böll steht eine solche Moral nicht geschrieben und ist auch nicht impliziert. Schwab-Felisch sieht in der Vorliebe fürs Detail eher ein formales Mittel, womit Böll „Parabelhaftes" anstrebt (L 173, 168). Es wäre höchst interessant, diese Theorie etwas weiter ausgeführt zu sehen. Nach Frank Trommler liegt „die Überzeugungskraft der Werke von Böll, Johnson, Grass, Walser u. a. eindeutig [in] ihrer Fähigkeit zu präziser Darstellung von Einzelheiten" (L 203, 71).

Es wäre zu einer genaueren Bestimmung der Detail-Funktionen bei Böll hilfreich, vergleichende Analysen vorzunehmen. In der Literatur der westdeutschen Nachkriegszeit bietet sich als Vergleichspunkt Martin Walser an, der mehr noch als Böll für seine Detailfreudigkeit berühmt

und berüchtigt wurde. Ein Vergleich kann zeigen, wie unterschiedlich
die Vorliebe fürs Detail im Roman fungieren kann. Keineswegs garantiert die Häufung von genauen Einzelheiten schon Objektivität oder
Realismus. Sie kann sogar gegenteilig wirken. Die verfremdende Wirkung des isolierten Details ist ein bekanntes Phänomen in der Malerei
wie in der Literatur und wurde auch schon an einer Kurzgeschichte
Bölls gezeigt (vgl. 1.1). Eine andere Möglichkeit demonstriert Brecht
in seinem *Galilei*. Dort versucht der Mönch, das harte Leben seiner Eltern zu rechtfertigen: ,,Die Phasen der Venus beobachtend, kann ich
nun meine Eltern vor mir sehen, wie sie mit meiner Schwester am
Herd sitzen und ihre Käsespeise essen. Ich sehe die Balken über ihnen,
die der Rauch von Jahrhunderten geschwärzt hat, und ich sehe genau
ihre alten abgearbeiteten Hände und den kleinen Löffel darin. Es geht
ihnen nicht gut, aber selbst in ihrem Unglück liegt eine gewisse Ordnung.'' [5] Hier dient das Detail der Sentimentalisierung der harten Wirklichkeit, deren Zusammenhänge nicht analysiert werden, so daß die
aus dem isolierten Detail gewonnene Rührung beinahe bruchlos übergehen kann in die abstrakte Vorstellung einer schönen Ordnung. Ich
habe dieses Beispiel von Brecht gewählt, weil mir scheint, daß auch bei
Böll in einigen Fällen die Auswahl und Verwendung der Details in eine
sentimentalisierende Richtung wirken. Mit Recht ist auch festgestellt
worden, daß Bölls Details mehr meinen als sich selber. James Reid sieht
in ihnen Epiphanien: ,,More interesting still is Schnier's statement to
his brother Leo towards the end of the novel: ‚I am a clown [...] I col-
lect moments'. Each of his turns represents a significant moment in
ordinary life, an ‚epiphany', to use the Joycean term'' (L 180, 62).
Tatsächlich dürfte ein wesentlicher Unterschied zu Walser darin bestehen, daß Böll oft seine Einzelheiten mit symbolischer Bedeutung auf-
lädt. Positiv wird das von Karl Heinz Berger gegenüber anderen westdeutschen Tendenzen gewertet: ,,Setzt man an Stelle ‚verlorene Einheit' [ein Ausdruck von Walter Jens — R. N.] die realere Bezeichnung
‚verlorene Übersicht', die oft durch eine erstaunliche Detailkenntnis
und Detailfreudigkeit ersetzt wird, dann hat man sich der gegenwärtigen Position der bürgerlichen Literatur genähert, die im Formalen auch
die Position Bölls ist, der sich der Wirklichkeit gleichfalls vom kleinst-
möglichen Ausschnitt her nähert. [...] Doch steht Böll dem Detail nicht
hilflos oder mit der vorgetäuschten Objektivität des Photographen gegenüber. Er setzt es in echte Funktion, indem er ihm Symbolcharakter
zuweist'' (L 17, 287).

Zu den Realitätsmomenten, die bei Böll eine besondere Rolle spielen, gehört der Krieg, dessen traumatische Erfahrung vor allem beim
frühen Böll dominiert und auch in den späteren Werken immer noch
beträchtliche Schatten wirft. Es ist interessant zu beobachten, daß
vom ganzen Komplex des ,,Dritten Reiches'' das Moment des Krieges
fast ganz überwiegt, während andere Aspekte eher im Hintergrund
bleiben. (Der Unterschied wird vor allem deutlich, wenn man Böll mit

Grass vergleicht.) Böll läßt den Leser in keinem Zweifel über seine Haltung gegen den Krieg. Henri Plard bemerkt in einem implizierten Vergleich mit Ernst Jünger: „Nie erwähnt er [Böll] den kurzen Rausch des Kampfes, nie die Erleichterung, die schnelles und rücksichtsloses Handeln für Minuten sein kann" (L 136, 48). Im Vordergrund der Böllschen Darstellung ist grauer und greulicher Alltag des Kriegs. Beckel zufolge hat der Krieg für Böll eine dreifache Bedeutung: er ist zunächst „das entscheidend prägende Erlebnis einer Generation, der sich der Autor zugehörig weiß," er ist weiter ein „beherrschendes Ereignis im Hintergrund unserer Epoche" und schließlich „Symbol für die Ohnmacht des Einzelnen gegenüber den gesellschaftlichen Abläufen" (L 15, 58–60). Besonders das letzte Moment ist wichtig: der Krieg erscheint fast immer, vor allem in den frühen Erzählungen, im Spiegel einer individuellen, zum Teil existentiell gefärbten Erfahrung. Günter Wirth bemerkt deshalb kritisch, es gelinge dem jungen Böll nicht „den gesellschaftlichen Horizont des Krieges aufzureißen, weil dieser für ihn im Sinne des Saint-Exupéry-Wortes, das noch dem Adam als Motto vorangestellt ist, eine ‚Krankheit' darstellt. Deshalb reduziert sich die literarische Erfassung des Krieges auf die Erfassung individuellen Menschseins im Kriege, also vor allem auf die Verzweiflung, Angst und Verlorenheit des Einzelnen" (L 216, 41). Auf die doppelte Sinnlosigkeit des Kriegs bei Böll verweist auch James Reid: das Geschehen hat weder einen finalen Sinn auf irgendein Ziel hin, noch erhält es einen kausalen Sinn im Kontext der Geschichte und der Gesellschaft (L 180, 27 und 30). Schwab-Felisch sieht diese Darstellungsweise im Zusammenhang mit Bölls Vorliebe fürs Detail: „Böll interessiert nicht die Panorama, nicht das Massengesicht kriegerischen Geschehens. Ihn interessiert das Detail, von dem aus das Ganze sichtbar gemacht wird" (L 173, 167). Die implizierte positive Wertung stützt sich auf das Detail als das Konkrete gegenüber dem abstrakten „Massengesicht" des Krieges. Das Detail bleibt aber abstrakt ohne seine Vermittlung mit dem Ganzen. Zu fragen wäre, ob diese von Schwab-Felisch vorausgesetzte Vermittlung tatsächlich stattfindet bei Böll. Die bloße Sinnlosigkeit des Krieges ist noch kein vermittelndes Ganzes. Sie ist zwar stimmig als Perspektive der Betroffenen, wird aber fragwürdig, wo sie nicht kritisch auf die tatsächlichen Ziele und Gründe bezogen wird, noch fragwürdiger, wenn der Leser zur Identifikation mit einer solchen Perspektive eingeladen wird.

Neben dem Krieg ist es vor allem die Familie, die in Bölls Welt einen bedeutenden Platz einnimmt. Henri Plard stellt mit Erleichterung fest, daß bei Böll die Familie noch in Ordnung sei, vor allem aber, daß es keine Vater-Sohn-Konflikte gebe (L 136, 42). Ähnliches bemerkt Beckel: „Böll ist wohl einer der wenigen modernen Schriftsteller, deren ganzes Gestalten immer wieder um die Familie kreist und gleichzeitig die Familie niemals zum Problem werden läßt" (L 15, 67). Dagegen wendet Joachim Bernhard mit Recht ein, daß das harmonische Familienbild bei Böll sich mit den Jahren problematisiert, angefangen von der

Schutzfunktion einer durch die gesellschaftlichen Umstände bedrohten Familie in *Und sagte kein einziges Wort* bis zum Zerfall der Familie in *Ansichten eines Clowns* (L 22, 113 f.). Zugleich weist Bernhard auf die künstlerischen Möglichkeiten hin, die im Familienthema liegen: „Es erlaubt, über eine enge, individuell begrenzte Thematik hinaus wichtige gesellschaftliche Probleme aufzunehmen. Andererseits gestattet dieses Sujet, die Schutzfunktion einer kleinen sozialen Einheit gegenüber einer bedrohlichen Umwelt herauszustellen" (L 22, 112). Den problematischen Aspekt der Familie betont auch James Reid: „It is not the sacrament nor the institution of marriage that is upheld, for these have become tainted with the fascism of bureaucracy. Instead we find the search for a community not based on bureaucratic principles, found in this case in the personal relationship of two people who happen also to be married" (L 180, 39). In den bisher letzten beiden Werken Bölls ist die Problematisierung der Familie noch weiter getrieben. An ihre Stelle treten spontane menschliche Beziehungen wie etwa die Solidarität der kleinen Gruppe um Leni Pfeiffer.

Wo immer bestimmte Wirklichkeit zu Wort kommt, spielt die Zeit eine wesentliche Rolle. Der Bedeutung der Zeit bei Böll hat James H. Reid einen Aufsatz gewidmet (L 192). Im Vordergrund steht dabei die Erinnerung. Vergangenheit tritt immer wieder in Form der Erinnerung in die Gegenwart und formt sie. Reid weist ferner auf transparente Zeitmomente hin; er meint damit epiphanieartige (im Sinne von James Joyce) Momente, in denen das Bewußtsein glaubt, die Dinge zu durchdringen. Was nach Reid aber vor allem die Bedeutung der Zeit bei Böll ausmacht, ist ihr Bezug zum Tod. Er zitiert eine Aussage Bölls: „Denn alles Geschriebene ist gegen den Tod angeschrieben" (L 179, 481). Als formales Mittel sind vor allem zwei Aspekte wichtig: die Konzentration der Zeit auf kleinstem Raum und eine Tendenz zur Gleichzeitigkeit, ja Zeitlosigkeit, die durch Leitmotive gestützt wird. Reid vermutet hier einen Konflikt zwischen Bölls „artistic conscience", das ihn zur Aufhebung der Zeit dränge, und seinem „moral conscience", das solche Zeitlosigkeit als Eskapismus beurteilen müsse.

Eine eingehende Studie zur Zeit bei Böll bietet Klaus Jeziorkowski (L 105). Er konzentriert sich hauptsächlich auf *Billard um halbzehn* und *Ansichten eines Clowns*. Sein Buch hat das Verdienst, die bei Böll allzuoft vernachlässigten formalen Qualitäten anhand von zwei Werken genauer analysiert zu haben. Problematisch wird die Analyse allerdings, wo sie nicht nur die formale Technik aufweist, sondern sie als funktionale Sinnträger untersucht. Die Interpretation neigt zu einem allzu leichtfertigen Gebrauch klischeehafter Formeln, wie etwa der von der Absurdität der modernen Welt. Wenig überzeugend wirkt auch der beinahe ausschweifend gebrauchte Parallelismus von subjektiver Zeit-Relativität, die als Phänomen der Gestaltungstechnik im Erzählen mindestens bis zu Sterne zurückreicht, mit der Einsteinschen Relativitätstheorie. Bölls Technik der Zeitstrukturierung hat mehr mit der in der Literatur immer schon bekannten psychologischen Zeit zu tun als mit der physikalischen Zeit Einsteins.[6] Was überhaupt zu einer solchen Parallelisierung führen konnte, ist die häufig vorkommende Zeitverschachtelung bei Böll. Günter Wirth meint, es gebe bei Böll „keine voneinander getrennten Schichten der Vergangenheit, der Gegenwart und der Zukunft" (L 216, 123). Das ist etwas ungenau, trifft aber doch eine wichtige Tendenz. Vor allem die Erinnerung spielt eine große Rolle. Wirth möchte ihr einen so elementaren Charakter zurschreiben „wie Essen und Trinken, Lachen und Weinen" (L 216, 125). Auch Joachim Bernhard stellt Erinnerung und Vergessen als wesentliche Erzählmomente bei Böll fest. In einem aufschlußreichen Aufsatz untersucht Roy Pascal den Zusammenhang zwischen Erinnerungstechnik und Sozialkritik (L 173). Er unterscheidet verschiedene Formen des Erinnerns und Vergessens: „Es kommt also auf das Was und das Wie des Erinnerns an; nicht lähmendes ‚unnützes Erinnern', sondern protziges Vergessen, nicht überkleisternde Redensarten, sondern ein konkretes Erinnern, das das Leben mitbestimmt, ohne es krankhaft zu verrenken" (S. 65). Die Vergangenheit in der Gegenwart macht für Schwab-Felisch erst die „essentielle Wirklichkeit" bei Böll aus (L 173, 165 f.). Und ähnlich formuliert Ernst Fischer: „*Erinnerung*, ‚die Kunst, die nur von wenigen beherrscht wird', und *Phantasie*, die produktive assoziierende und antizipierende Erinnerung, wirken zusammen, um das Aktuelle, das Jetzt und Hier, zum Wirklichen zu verdichten, zur Wirklichkeit zu erweitern" (L 173, 159).

Damit ist ein weiteres wichtiges Moment von Bölls erzählter Welt angedeutet: eine Tendenz, die empirische Welt zu transzendieren. Walter Sokel interpretiert sogar die gesellschaftlichen Aspekte nur als Sekundärphänomen: „Essentially we witness not a social, but a Christian problem clothed in social and economic guise" (L 196, 13). Ich glaube allerdings, daß bei aller Tendenz zur Transzendenz man die gesellschaftlichen Aspekte bei Böll durchaus „eigentlich" nehmen muß, zumindest müßte man zeitlich differenzieren: während beim frühen Böll metaphysische, religiöse und existentielle Aspekte noch stark die krude Kriegswirklichkeit durchleuchten, tritt nach und nach gesellschaftliche Wirklichkeit als durchaus eigenständiges Phänomen immer stärker hervor, ohne daß die andern Aspekte deswegen verlorengehen (vgl. 1.1). Die Transzendenz der unmittelbaren empirischen Wirklichkeit kann sich in sehr verschiedener Weise äußern. Eine davon ist der Traum. Bernhard zeigt die Ambivalenz des Traummotivs bei Böll auf: „Das Traum-Motiv findet sich schon in *Wo warst du, Adam?*. Hier nimmt es die Hoffnung auf eine friedliche Zukunft auf, ist Abwehr gegen die Gewöhnung an den Krieg. [...] In den Romanen mit einem Stoff aus den Nachkriegsjahren aber erhält auch das Traum-Motiv eine neue Funktion. Es signalisiert, wie gefährlich es ist, der Wirklichkeit auszuweichen" (L 22, 168). Walter Jens lobt „die zur Transzendenz bereite Realität" (L 173, 21). Für ihn ist Böll nicht „ein Realist aus Köln", sondern „ein Träumer, Ausmaler, Sinnierer, Herr und konsequenter Exeget der Tatsachen, nicht ihnen unterworfen" (S. 22). Jens macht damit auf ein Moment aufmerksam, das bei Böll oft übersehen wird: das Spielerische und Verspielte. Es wäre falsch, dies gegen Bölls sozial-kritische Seite auszuspielen, denn es ist selbst auf seine Art ein Protest. Joachim Kaiser lenkt die Aufmerksamkeit in ähnliche Richtung, wenn er auf „die surreale Einsprengsel" aufmerksam macht (L 173, 49).[7]

Daß Böll nicht einfach ‚Wirklichkeit' erzählt, sondern sie in kritischer Perspektive erscheinen läßt, wurde schon angedeutet. Paul Konrad Kurz wurde zitiert, der in Elegie, Idylle und Satire, und zwar im Schillerschen Sinne als Konfrontation von Wirklichkeit und Ideal, die Grundlage Böllschen Erzählens sieht. Auf Schiller greift auch Theodore Ziolkowski zurück in seinem Vergleich zwischen Böll und Camus (L 228, 282–291). Der Abstand zwischen Ideal und Realität sei die Basis für beide. Ein Sprung im Argument ist es aber, wenn Ziolkowski diese Diskrepanz schlechthin für „absurd" erklärt (S. 283). Für Schiller war sie es nicht, bei Böll ist es wenig wahrscheinlich.

Es ist kaum verwunderlich, daß Böll als Gesellschaftskritiker am meisten umstritten ist, treten hier doch am leichtesten ideologische Irritationen störend ins Bewußtsein. Für Reich-Ranicki ist Böll „ein radikaler und aggressiver Zeitkritiker, allein sein Kampf gilt nicht der bestehenden Gesellschaftsordnung" (L 171, 123). Wogegen sich dann die Kritik richtet, bleibt ungesagt. Wenn Kritik daraus entsteht, daß ein Bestehendes an einem Sein-Sollenden gemessen wird, so stellt sich die Frage nach diesem Ideal. Der Franzose Godfroid formuliert es als „l'humanisme chrétien de l'Occident" (L 75, 292). Weniger glänzend erscheint Bölls Gegenwelt in einem anderen Aufsatz von Reich-Ranicki. Sein Protest, heißt es da, ist „von einem etwas kleinbürgerlichen Beigeschmack nicht frei. Denn gegen den Stil der Neureichen, gegen die Moral großbürgerlicher Familien und gegen den Opportunismus und Zynismus der Intellektuellen spielt Böll die angeblich gesunde Welt der kleinen und armen Leute aus" (L 175, 58). Die bisher solideste Untersuchung zu diesem ganzen Komplex ist das Buch von Hans Joachim Bernhard (L 22). Hier wird von Werk zu Werk das jeweilige Verhältnis zwischen „Gesellschaftskritik und Gemeinschaftsutopie" analysiert. Bernhard weist dabei auch auf die konservativen Aspekte der Böllschen Utopie, die schon im Titel seines Buches mit dem Begriff „Gemeinschaftsutopie" angedeutet sind. Diese, heißt es, „begünstigt eine Tendenz zum Ausweichen ins Romantisch-Archaische, der Böll in einzelnen Phasen auch Tribut zollt" (S. 98). Geht man von der konkreten Analyse einzelner Werke ab, wird es schwierig, Bölls Engagement scharf zu fassen. So kommt Karl Migner zu dem Schluß, dieses Engagement ließe sich „nicht näher umschreiben, als daß es ihm um den Menschen geht" (L 155, 291). Demetz deutet an, Bölls Engagement neutralisiere sich selbst: „Er ist ein Gefangener seines ambivalenten Gedankens von der politisch aktiven Untätigkeit: er stellt seine Reinen in eine besondere Gemeinschaft, bekräftigt so die problematische deutsche Tradition von ‚Geist' gegen ‚Macht'" (L 47, 234). Zu einem ähnlichen Schluß kommt auch Manfred Durzak: ,,Mir scheint, daß hier bei Böll ein Analogieschluß vorliegen könnte, der selbst indirekt politische Konsequenzen nach sich zieht, indem er die Ohnmacht des einzelnen vor der politischen Sinnlosigkeit konstatiert, ja akzeptiert und die politische Entwicklung, sobald sie ein gewisses Stadium erreicht hat, mehr oder minder auf sich beruhen läßt. Sicherlich würde Böll, direkt nach seiner Einstellung zu einer solchen Möglichkeit befragt, sie ohne Frage verurteilen. Aber nichtsdestoweniger scheint es sich hier um eine Konsequenz zu handeln, auf die seine Haltung faktisch hindeutet" (L 52, 22 f.). Das Problem der Intentionalität stellt sich bei Böll besonders dringend; denn mehr als bei anderen Autoren scheint hier oft Intention und Implikation auseinanderzufallen. Das ist wohl einer der Hauptgründe für die gegensätzliche Einschätzung der gesellschaftskritischen Aspekte in Bölls Werk. Ist Bölls gesellschaftspolitische Position an sich schon wenig systematisch, in manchen Einzelheiten auch unklar oder gar widersprüchlich, so wird es noch schwieriger, ein einheitliches Konzept aus dem Werk abzuleiten. So werden bald ein Zug zum Anarchismus (L 173, 48), bald archaisch-konservative Tendenzen konstatiert, wie zum Beispiel von Amery, der bemerkt, Böll klage ,,bestehende Strukturen an, ordnungsstiftende Einfachheit zu gefährden, beziehungsweise zu zerstören" (L 173, 94).

Auch von daher ergibt sich ein zwiespältiges Bild. Die Sehnsucht nach den einfachen Ordnungen schließt nicht ein radikales Mißtrauen gegen Ordnung überhaupt aus. Nonkonformismus ist deshalb ein oft gebrauchtes Konzept in der Diskussion um Böll. Robert A. Burns hat diesem Thema eine ausführliche Studie gewidmet (L 36). Sein Buch hat einen vielversprechenden Ansatzpunkt von einer soziologischen Konzeption des Rollenspiels her, bleibt dann aber in der Analyse hinter diesem theoretischen Ansatz zurück. Statt einer genauen Analyse von Rollen-Interdependenz bleibt es bei mehr oder weniger allgemeinen Hinweisen auf nicht-konformes Verhalten von Figuren. Der Terminus ,Nonkonformismus' hat dennoch einen guten Grund in Bölls Werk. Denn das explizite oder implizite Zentrum, gegen das die Intention von Bölls Werk zielt, ist Ordnung und damit das durch Ordnung gestützte Leistungsprinzip. Damit kommt Böll unter den westdeutschen Nachkriegsautoren vielleicht Günter Eich am nächsten, der in seiner Rede anläßlich der Verleihung des Büchnerpreises es geradezu zur wesentlichen Funktion poetischer Sprache machte, etablierte Ordnung in Frage zu stellen. Der rebellische Akt gegen die Ordnung ist eine typische Konstellation in Bölls Erzählungen. Dieser Akt reicht vom rein symbolischen — wenn der Erzähler an der Brücke eine Person der Ordnung der Statistik durch Nicht-Zählen entzieht — bis zum handgreiflichen Gewaltakt. Meist ist es ein Gefühl, das gegen die ,Vernunft' der Ordnung und Statistik rebelliert, manchmal gegen den Willen eines Betroffenen, wie etwa in der Geschichte „Bekenntnis eines Hundefängers" (1953). Zur Rebellion gegen die Ordnung gehört auch die Auflehnung gegen den Reinlichkeitskult. Die psychologische Basis für die Ordnung wird im Toilettentraining und den damit etablierten Tabus gelegt. Gerade dagegen verstoßen aber Figuren wie der Angestellte im Hörspiel „Konzert für vier Stimmen" und vor allem Leni Pfeiffer im „Gruppenbild", sowie ihre alte Lehrerin. Von daher gewinnt Lenis zunächst absonderlich erscheinendes Interesse für Verdauungsprozesse und damit verbundene körperliche Funktionen seinen Sinn. Und wenn in der Geschichte „Es wird etwas geschehen" das Produkt des zur Karikatur getriebenen Leistungsprinzips Seife ist, wird wiederum der Zusammenhang sichtbar, und zwar als Zirkel: Sauberkeit – Ordnung – Leistung – Sauberkeit. In einem Aufsatz in der *Zeit* vom 17. Januar 1975 wird das Thema gleichzeitig zu einer Satire auf die Werbemethoden einer Waschmittelfirma, die unterstellt, daß saubere Wäsche noch nicht rein sei.[8]

Das heißt nicht, daß Bölls Gesellschaftskritik nur im Protest verharrt, aber sie findet in der anarchistisch getönten Ordnungsverweigerung ihren stärksten emotionalen Impuls.[9]

Selbstverständlich hat Bölls gesellschaftspolitisches Engagement vielfache Gegenkritik hervorgerufen. Die allgemeinen politischen Auseinandersetzungen mit und um Böll sind schon behandelt worden. Im folgenden werden nur noch einige Stimmen angeführt, die sich auf grundsätzliche theoretische Aspekte von Bölls politischer Position beziehen. Albrecht Beckel möchte am liebsten Autoren überhaupt aus der Politik heraushalten. Er äußert Unbehagen, „wenn Autoren, die ich schätze, ihr Talent dilettantisch mit Politik vermengen" (L 15, 19). (Impliziert wird damit, daß Politik etwas für Professionelle sei, von dem Amateure besser ihre Finger lassen, eine doch etwas seltsame Auffassung von Demokratie.) Dolf Sternberger kritisierte Bölls Wuppertaler Theaterrede, in der ein nicht-existenter ‚wahrer' Staat gegen die Gesellschaft ausgespielt wird (L 173, 103–108). Sternberger warnt vor der Romantisierung der Staatsidee, die sich in solchen Äußerungen Bölls andeute. Eine scharfsinnige Auseinandersetzung mit Bölls politischen Ansichten sind die „Elf Thesen über den politischen Publizisten" von Fritz J. Raddatz, die sich der Form nach an Marx' Feuerbachthesen anschließen (L 173, 109–114). Günter Gaus befürchtet, Böll werfe sich wieder der Ideologie in die Arme: „nach zwanzig Jahren will er wieder eine Fahne haben" (L 173, 115). Seit der Auseinandersetzung innerhalb der SPD mit den Jungsozialisten, seit dem allgemeinen Wettbewerb der Parteien um die wahre Mitte ist der totale Ideologieverdacht in der Bundesrepublik wieder Mode geworden, und zwar vor allem in der SPD. Im *Tagebuch einer Schnecke* von Grass erhielt der Ideologieverdacht sein literarisches Dokument. Grass und Gaus entwickelten eine Argumentation, die typisch ist für eine als Anti-Ideologie auftretende Ideologie: Ideologie ist alles, was die Möglichkeit sinnvoller Reformen innerhalb des bestehenden Systems in Frage stellt.

Liberal ist nur, wer nichts Grundsätzliches am System kritisiert. Mit den drei Aufsätzen von Sternberger, Raddatz und Gaus setzt sich Hanno Beth auseinander und entwickelt ausgehend davon das bisher konziseste und klarste Bild von Bölls politischem Bewußtsein (L 24).

Man kann jedoch Böll nicht einfach auf eine einzige politische Position festlegen. Er hat eine Entwicklung durchgemacht, die sich in seinen Aufsätzen und Reden zeigt, aber auch im belletristischen Werk Spuren hinterlassen hat. James Henderson Reid charakterisierte diese Entwicklung im Titel seines Böll-Buches als ,,Withdrawal and Re-Emergence" (L 180). Er sieht in Bölls frühen Werken bis etwa 1960 die Tendenz zum Rückzug in eine private Anti-Welt, während die späteren Werke ,,some first tentative steps toward a counter-attack" (S. 22) implizieren. Tatsächlich fällt der Zuwachs an sozialkritischer Konkretheit auf, wenn man die bisher letzten beiden Werke Bölls mit den frühen Erzählungen vergleicht. In welchem Grad man von ,,Re-Emergence" sprechen kann, wird noch zu differenzieren sein.

Zu untersuchen wäre schließlich noch genauer, wie Bölls politische und gesellschaftskritische Intentionen im Kontext seiner Werke sich realisieren. Es wurde schon gesagt, daß man nicht einfach theoretische Positionen auf das Werk übertragen kann. Dieses wird zwar von denselben Intentionen angeregt, die Eigengesetzlichkeit der jeweils erfundenen Fabel und des konkreten Geschehens trägt aber oft Implikationen mit sich, die von den theoretischen Positionen abweichen, wenn nicht gar ihnen widersprechen. Hier liegt der Forschung noch ein weites Feld offen. Denn außer bei Bernhard und Durzak wird nur selten danach gefragt, *wie* die Gesellschaftskritik bei Böll im Kontext fungiert, wie sie überhaupt zur Sprache kommt.

2.1.3 Erzähltechnik, Symbolik, Sprache, Stil

Ein großer Teil der Literatur zu Böll beschäftigt sich mit inhaltlichen Fragen. Nur selten werden die formalen Aspekte einer Analyse unterzogen, und besonders rar sind Untersuchungen, die die beiden Aspekte in ihrem Funktionszusammenhang begreifen. Das aber wäre der Ausgangspunkt jeder ernsthaften Kritik. Böll äußerte in einem Gespräch mit Heinz Ludwig Arnold, daß er es für unmöglich halte, ,,die politische und gesellschaftspolitische Komponente eines Romans isoliert zu betrachten" (L 7, 28). Und in seinen Frankfurter Vorlesungen plädierte er des öftern für eine Literaturbetrachtung, die das Medium aller Literatur, die Sprache, ernst nimmt auch als gesellschaftliche Praxis (vgl. dazu 1.1). Es hat dies nichts zu tun mit jener Art mancherorts immer noch modischen ,Textimmanenz'-Zelebration, die meist vergißt zu reflektieren, was solche Immanenz überhaupt erst konstituiert; worum es geht, ist eine integrale Methode, die jeden Aspekt als Funktion aller anderen analysiert.

Wohl gibt es da und dort Stimmen, die nach stärkerer Berücksichtigung auch der formalen Aspekte bei Böll verlangen. Vielversprechend beginnt so eine kleine Broschüre von Karlheinz Daniels: ,,Wir meinen aber, will man über pauschale Überblicke, unverbindliche Belobigungen und Bescheinigungen eines integren Charakters hinausgelangen, so ist allen Ernstes die Frage nach dem künstlerischen Rang der Werke Bölls zu stellen. Das heißt, daß über die bloß vordergründige Inhaltsbetrachtung hinaus die Fragen der dichterischen Gestaltung, die Analyse eben jener ,Kongruenz von Form und Inhalt' in den Vordergrund treten müssen'' (L 46, 2). Leider wird dieses Programm aber in keiner Weise von Daniels eingelöst. Über die zum Teil recht schiefen Interpretationen wird später noch zu sprechen sein.

Es liegt allerdings zum Teil an Bölls Werk selbst, wenn das Interesse an formalen Aspekten oft in den Hintergrund getreten ist; denn im Gegensatz etwa zur experimentellen Literatur bleibt das Formale bei Böll eher unauffällig, während das emotionale Engagement sich viel deutlicher aufdrängt. So ist man erstaunt, wenn Kurt Ihlenfeld kritisiert, Böll gehe ,,zu bewußt mit seinen Ausdrucksmitteln um'', das bringe ,,oft unnötigen Aufenthalt in die Erzählung'' (L 102, 39). Wir finden uns hier offensichtlich in den abgestandenen Hinterwassern der Kritik, wenn es weiter heißt, ,,das artistische Experiment ist dem freien schöpferischen Zugriff im Wege'' (S. 41). Das Ganze gipfelt in einer Sottise: ,,Engagement und Experiment — beides zusammen geht offenbar nicht'' (S. 116). Über zu starkes Hervortreten des Formalen beim späteren Böll beklagt sich sonst nur noch Schwarz, der meint, Böll sollte wieder zu ,,seinem starken, naiv-urwüchsigen und erzählerischen Talent'' der Frühzeit zurückkehren (L 194). Mit umgekehrten Vorzeichen wird Böll bei Jeziorkowski zum Artisten. So verdienstvoll seine Formanalysen zum Teil sind, ist es doch etwas befremdlich, wenn man im Zusammenhang mit Böll von der ,,Technik eines hochgezüchteten artistischen Kalküls'' spricht, ,,die das Gesamtgefüge eines Werkes als exakte poetische Konstruktion zu organisieren sucht''(L 105, 13). Und das wird noch gesteigert: ,,Poetisches Kalkül, Formmathematik des Sinnlichen, das wären die Kunst-,Formeln' für seine Dichtungen. Es liegt auf der Hand, daß gerade Kunstgebilde dieser Art ganz besonders geeignet sind, der Abstraktheit, Funktionalität und auch Absurdität des Gegenwärtigen Form zu geben und auch in vielem einer zeitgenössischen Bewußtseinslage zu entsprechen''(S. 14). Die Rede ist nicht von James Joyce oder Faulkner, sondern von Böll! Dieser selbst äußerte in dem Gespräch mit Heinz Ludwig Arnold: ,,Wenn ich also lese, daß man einen Autor wie Gerd Gaiser mit demselben Vokabular lobt wie Faulkner, dann bin ich mißtrauisch; da sehe ich keinen Maßstab'' (L 7, 29). Man könnte in diesem Satz Gaiser mit Böll ersetzen. Gewiß arbeitet Böll nicht planlos. Das geht auch aus dem Werkstattgespräch mit Bienek hervor, in dem Böll seine Arbeitsweise beschreibt: ,,dabei bediene ich mich eines einfachen Hilfsmittels, einer farbigen Tabelle, die drei Schichten hat. Die reale, das heißt die Gegenwart; die zweite ist die Reflektiv- oder Erinnerungsebene; die dritte ist die der Motive. Für die Motive habe ich Farbzeichen, auch für die Personen, die ja nur in der ersten und zweiten Schicht auftreten" (L 26, 143).[10] Das Verhältnis der konstruktiven Technik zu den andern Faktoren des Werkes ist bei Böll jedoch ein ganz anderes als etwa bei Joyce oder Faulkner. Jeziorkowski scheint der Faszination von Vokabeln wie ‚Kalkül' und ‚Artistik' so weit verfallen zu sein, daß er sie letzten Endes allen Gehaltes beraubt; als mechanische Leerformeln durchziehen sie ein Buch, das in seinem Ansatz sehr vielversprechend ist. Seine Methode wird anhand der Einzelanalysen noch genauer zu kritisieren sein.

Carl Zuckmayer dürfte der Wahrheit schon näherkommen, wenn er sagt, Böll sei „kein Experimentemacher", dafür ein guter Handwerker (L 173, 54). Auch Stefan Heym bemerkt, daß Böll ein zwar vielschichtiger, aber eher traditioneller Erzähler sei: „da gibt es Anfang, Mitte, Ende, Schürzung des Knotens, Spannung; und auch dort, wo er kunstvoll die Zeiten ineinanderschachtelt, das Thema mal durch die eine, mal durch die andere Person betrachtet, ist die Form immer nur Mittel zum Zweck, bleibt primär die Erzählung, die allerdings vielschichtig genug ist und mitunter in Tiefen vorstößt, vor denen manch anderer zurückscheut" (L 173, 151). Leider bleibt Heym eine Spezifizierung dieser Tiefen schuldig.

Man darf jedoch nicht außer aucht lassen, daß Böll als Erzähler eine Entwicklung durchgemacht hat. Schon Henri Plard bemerkte, daß Bölls Erzähltechnik sich mit den Jahren immer komplexer gestaltete (L 136, 62). Es ist dies aber nicht einseitig als eine Entwicklung zum Formalismus hin zu verstehen. Mit dem stärkeren und zugleich konkreteren politischen Engagement Bölls findet er auch im sozialistischen Realismus Alternativen zum bloßen Formalismus. Das kommt besonders stark im Vorwort zu Solschenizyns *Krebsstation* zum Ausdruck (NS, 28). Bölls Realismus und die formale Technik dieses Realismus bedarf noch genauerer Untersuchung, vor allem angesichts der neueren Entwicklung, die zum Teil Formen der dokumentarischen Literatur aufnimmt. Interessant ist in dieser Hinsicht auch Bölls Essay „Über die Gegenstände der Kunst" (NS, 54—58), in dem Böll über das Verhältnis von Kunst und Wirklichkeit reflektiert und eine poetische Position entwirft, die trotz ihrer Kürze weit über die Frankfurter Vorlesungen hinausgeht. Daß er sich darin gegen eine unvermittelte und direkte Abbildung der Wirklichkeit in der Kunst wendet, widerspricht nicht seinen Sympathien für den sozialistischen Realismus, der ja auch nur in seinen vulgären Ausprägungen den komplizierten Vermittlungsprozeß von Wirklichkeit und Kunst glaubt ausschalten zu dürfen. Interessanterweise kommt Böll in diesem Essay auch auf die Gefahr der Sentimentalisierung des Details zu sprechen: „Gegenstände, ihrer Nutzung entzogen, werden unweigerlich sentimental und verlogen, wenn sie nicht zu Material werden und als solches dann wieder exponiert und arrangiert, was bedeutet: verwandelt werden. Auch Sprachgegenstände werden nicht authentischer, wenn einer ihre Erlebnishaftigkeit schon für Gegenständlichkeit hält und diese Gegenständlichkeit dann auch schon für Material" (NS, 56). Dieser Satz enthält eine Poetik in nuce, die besonders für die beiden neuesten Werke Bölls, *Gruppenbild* und *Die verlorene Ehre*, relevant ist.

Zur Erzähltechnik bei Böll gehört auch das fast völlige Fehlen einer allwissenden Erzählerperspektive, das schon Beckel bemerkt hat (L 15, 32). Daß eine solche Beschränkung der Perspektive Ausdruck des modernen Bewußtseins sei, das nicht mehr die Totalität erfassen könne, ist längst fester Bestandteil der Kritik. Auch Schwarz stellt das Vorherrschen von Ich-Erzählung und innerem Monolog fest und folgert daraus: „Der Abstand zwischen den Gestalten des Romans und dem Leser ist dadurch wesentlich verringert, während das Element der Unsicherheit und Labilität sich durch den ständigen Perspektivenwechsel bedeutend vergrößert" (L 194, 112). Es zeigt sich hier eine Ambivalenz der Perspektive, die einerseits die Identifikation erleichtert, andererseits in der Verengung die Welt als entfremdete, weil nicht durchschaubare, erscheinen läßt. Walter Jens sieht in der Vorliebe Bölls zur Rollenprosa die Abwendung von aller Objektivität (L 173, 22). Nach Karl Migner gehört die Spannung zwischen Person und Umwelt zu den grundlegenden Strukturmerkmalen bei Böll (L 155, 300). Eine genaue Strukturanalyse solcher Interaktion zwischen Person und Umwelt zu leisten, wäre wertvoll. Auch die schon erwähnte Legendenstruktur, die Amery aufgezeigt hat, ist ein wichtiges Moment der Böllschen Erzähltechnik. Einer besonderen Untersuchung wäre der Hinweis Hermann Kestens auf Bölls Diktion wert, vor allem seine Beobachtung zu Bölls Sprechweise, die es oft zustande bringe, „manche heftige Emotionen so auszusprechen, daß sie wie Argumente klingen" (L 173, 241).

Auch Bölls Symboltechnik bedürfte einer eigenen umfassenden Analyse. Seine Tendenz zum Symbolisieren ist schon des öftern bemerkt worden. So liest man bei Walter Jens: „Böll [...] liebt den geheimen Verweis, der den Figuren Tiefenschärfe und den Elementen ihren Schatten verleiht" (L 173, 21). Joachim Kaiser glaubt, deswegen Böll gegen den Vorwurf des Eskapismus verteidigen zu müssen: „Niemand kann Bölls Polemik mißverstehen, Konkretes wird oft genug gesagt, es wird bezichtigt, karikiert. Aber wenn da plötzlich eine Symbol-Welt auftaucht in all dem organisierten Elend, eine Büffel-Lämmer-Sprache, dann reden junge Links-Intellektuelle doch gern von Flucht ins (sagen sie) Unverbindliche" (L 173, 48). Auf eine andere Gefahr der Symbol-Tendenz weist Schwab-Felisch hin, nämlich die Gefahr des Kitschigen, wenn die „Überhöhung" nicht recht gelingt (L 173, 168 f.). Vor allem in den frühen Erzählungen, etwa in *Der Zug war pünktlich*, ist solche Gefahr nicht immer vermieden.

Die besonders auffallende Lämmer-Büffel-Symbolik in *Billard um halbzehn* wird in Zusammenhang mit diesem Roman zu besprechen

sein. Hier seien nur einige weitere Motive erwähnt, die bei Böll besonders oft auftreten und stark zum Symbolischen hintendieren. Beckel
erwähnt den „Zug als Symbol des Eingeschlossenseins in ein nur kaum
der persönlichen Gestaltung unterstelltes Schicksal" (L 15, 40). Die
Vorliebe für Eisenbahn und Bahnhöfe ist wohl auch intendiert zur
Schaffung einer Atmosphäre des Unbehausten, der Heimatlosigkeit.
(Sogar die deutsche Bundesbahn hat diese Vorliebe Bölls schon entdeckt! – vgl. L 121).

Ein auffallend oft wiederkehrendes Motiv bei Böll ist das Brot,
nicht nur in der Erzählung *Das Brot der frühen Jahre*, wo es eine zentrale Stellung einnimmt. Seine Bedeutung wird sowohl von Beckel
(L 15, 63) als auch von Schwarz (L 194, 113) hervorgehoben. Brot
hat für den Katholiken Böll eine sakramentale Bedeutung, die auch
auf Essen und Trinken überhaupt ausgedehnt wird. Was heißt hier aber
sakramental? Läßt es sich auch als Kunstdimension begreifen, die jenseits der religiösen Perspektive noch eine Bedeutung hat? Eine säkula-
re Bedeutung kommt dem Brot schon durch die Kriegs- und Nachkriegs-
erfahrung zu, als das tägliche Brot keine Selbstverständlichkeit war.
Ansätze zu einem Verstehen des sakramentalen symbolischen Charakters jenseits der religiösen Sphäre geben zudem einige Bemerkungen
Bölls in dem 1973 erschienenen Essayband. Drei Stellen darin sind besonders aufschlußreich:

1. „Ein tschechischer Dichter trank seine Flasche Pilsener schluckwei-
se, weder pathetisch noch genüßlich, er trank realistisch, sakramental, feierlich" (‚Der Panzer zielte auf Kafka', NS, 41).
2. „Dieses unverhoffte Eier-Angebot war auch ein Ausdruck jenes sakramentalen Realismus, der keinen Unterschied zwischen Symbol
und Wirklichkeit mehr kennt"(‚Der Panzer zielte auf Kafka',NS,43).
3. „[...] und hier kann man lernen, was das Wort Anwendung bedeutet, das möglicherweise die annähernd rechte Übersetzung für Sakra-
ment wäre. (Die Ehe wäre dann die Anwendung der Liebe)" (‚Die
Moskauer Schuhputzer', NS, 188 f.)

Die beiden ersten Zitate haben mit Essen und Trinken zu tun; einmal
ist es der Akt des Trinkens, das andere Mal das Anbieten von Speise.
Beide geschehen unter außergewöhnlichen Umständen während der
sowjetischen Intervention in der Tschechoslowakei. Gerade vor diesem
Hintergrund aber erscheinen sie beinahe provozierend als *menschliche*
Akte. In beiden Fällen wird ‚sakramental' auch mit Realismus in Verbindung gebracht. Realismus, das heißt Erscheinen der Wirklichkeit,
versteht Böll hier offenbar, ganz ähnlich wie der sozialistische Realismus, als menschliche Wirklichkeit, das heißt eine Wirklichkeit, in der
das an sich gleichgültige Geschehen zu einem *für den Menschen* bedeutenden Geschehen wird. In diesem Bedeutend-Werden für den Menschen
werden Symbol und Geschehen identisch. Anders ausgedrückt, wenn
wir den Begriff ‚Anwendung' aus dem dritten Zitat heranziehen, ist

ein sakramentales Geschehen für Böll eines, in dem menschliche, humane Möglichkeiten in die Wirklichkeit treten, ihre ‚Anwendung' finden.[11] Die menschliche Sphäre verdichtet sich bei Böll in den drei Motiven: Brot, Haus und Wort. Darauf hat vor allem Wirth hingewiesen: „Brot ist bei Böll Symbol für die Befriedigung elementarster menschlicher Bedürfnisse, Haus dasjenige für die Gewährung der Grundlage aller Menschenwürde und Wort schließlich das für menschliche Kommunikation. Alle menschlichen Verhaltensweisen lassen sich im Werke des Dichters als Variationen der von diesen drei Schlüsselbegriffen oder Symbolen bestimmten Themen bezeichnen" (L 216, 118). In diesem Sinne wären Brot, Haus und Wort Gegensymbole zu Bahnhof und Eisenbahn. Zusammenfassend sieht Wirth die Funktion der Symbolik bei Böll darin, „den Zusammenhang zwischen den scheinbar primitiven und alltäglichen Erfahrungen und Erlebnissen der Menschen und den großen gesellschaftlichen und geistigen Prozessen herzustellen" (L 216, 120). Gerade hier aber wäre kritisch zu fragen, ob Bölls Symbolik eine solche Vermittlung tatsächlich leistet. Den Nachweis dafür bleibt Wirth schuldig.

Auf ein sonst kaum beachtetes Motiv bei Böll hat Walter Sokel hingewiesen: „The importance of view and vision in Böll's work becomes clear to us when we recall the thematic and structural significance of the witness-figure. A witness, we must remember, is one who sees and on the basis of his vision testifies to the truth. Böll's novels are told from the point of view of victims and witnesses. The view of victim and witness tends to become, in his later novels, the view of accuser and judge" (L 196, 22).

Am meisten bedürfen noch Bölls Sprache und Stil eingehender Untersuchungen, dies umso mehr, da die Frankfurter Vorlesungen als Ziel der Poetik eine „vertraute Sprache" als Überwindung der entfremdeten Sprache entwerfen (vgl. 1.1). Bölls neueste Erzählung _Die verlorene Ehre der Katharina Blum_ thematisiert ausdrücklich die Sprache in ihren dystopischen und utopischen Aspekten, dargestellt in der Konfrontation von journalistischer Sprachmanipulation und der Sprachsensitivität der Heldin. Es wäre nun Aufgabe der Sprachanalyse aufzuzeigen, inwiefern diese theoretisch entworfenen und thematisch ausgeführten Aspekte der Sprache von ihr selbst ausgewiesen werden. Grob gefragt: Leistet Bölls Sprache das, was er ihr aufgetragen hat? In dieser Weise ist die Frage in der bisherigen Böll-Literatur noch nicht gestellt worden. Entweder wird die theoretische Zielsetzung expliziert, in vorzüglicher Weise etwa von Heinz Ludwig Arnold (L 136, 80), oder man beschränkt sich in vereinzelten Fällen auf eine deskriptive Stiluntersuchung, wie Heinz Fischer in seinem Aufsatz über die „sprachlichen Tendenzen bei Böll und Grass" (L 64). Er weist auf die Nähe zur gesprochenen Sprache hin, die sich in Stilmerkmalen wie Wiederholung (Sprechen im Prozeß), dem Gebrauch des Indikativs anstatt Konjunktivs und in der Wortwahl äußern. Solche deskriptiven Analysen müßten die Basis für die kritische Untersuchung der Sprachfunktionen abgeben. Ein Ansatz zur Verbindung von Sprachtheorie und Praxis findet sich in Werner Webers Essay über Bölls „Suche nach einer bewohnbaren Sprache" (L 173, 56—73). Er betont vor allem die Nachkriegssituation, die zunächst den jungen Schriftstellern nur eine total korrumpierte Sprache bieten konnte, aus der jene betont nüchterne Sprache als Registratur hervorging. Beiläufig spricht Ulrich Sonnemann von der „inventurmachenden Dürftigkeit seines [Bölls] anakolouthischen Wortes" (L 173, 129). Eine stilkritische Untersuchung stammt von Karlheinz Deschner, der Böll in seine Verriß-Liste „überschätzter" Autoren aufgenommen hat (L 48). Dieses in seiner Polemik manchmal amüsante Buch hält leider in seiner Argumentation kritischen Ansprüchen selbst nicht stand. Die Kriterien seines Stil-Geschmacks bleiben bei Deschner im dunkeln, er trägt aber seine Urteile mit dogmatischer Selbstverständlichkeit vor. Reflexionen zur Soziologie und Psychologie des Geschmacks sind nicht einmal im Ansatz vorhanden. Immer noch scheint hier Geschmack ein bedingungsloses Axiom, die Richtigkeit des Stils ein intuitiv erfaßbares Absolutes. Die Fragwürdigkeit solcher Stilkritik zeigt sich, wenn sie an ein erzählerisches Werk mit denselben Maßstäben herangeht wie etwa an einen Schulaufsatz. Deschner fragt nicht nach der jeweiligen Funktion bestimmter Stilformen, etwa der Tendenz zur Umgangssprache, die von ihm als schlechter Stil kritisiert wird. Manche grammatischen Schnitzer, die er nachweist, lassen sich als umgangssprachlich gängige Formen erkennen, so die von Deschner häufig angeführte Verbindung von einem Plural- und einem Singular-Subjekt, wobei das Verb nur mit dem einen verbunden ist, z. B.: „Blumen *wurden* gebracht, *eine* Haushälterin engagiert ..." Deschner fällt so in denselben Fehler wie unkritische Bewunderer Bölls, die glauben etwas gesagt zu haben, wenn sie sagen, Bölls Stil sei gut.

Ernster zu nehmen sind die Ausführungen von Manfred Durzak über Sprache und Stil bei Böll. Im Gegensatz zu Deschner versucht Durzak, den Stil jeweils aus der Funktion im Kontext zu beurteilen. Man kann dabei zwar in einzelnen Fällen Fragezeichen setzen, aber auf jeden Fall arbeitet Durzak methodisch mit überprüfbaren Kriterien. Zugleich versucht er, die Entwicklung von Bölls Sprache und Stil zu skizzieren. Neben den sich ändernden Faktoren stellt er als Konstante „die satirische Demaskierung durch die Sprache" fest (L 52, 105). Auch Ziolkowski hat der Sprache Bölls besondere Aufmerksamkeit gewidmet und sieht als weitere stilistische Konstante die Tendenz zur dialogischen Sprache bei Böll: „Böll's reliance on spoken discourse, of which the inner monologue, the first person narrator and the telephone are symptoms, has another implication in his fiction. It enables him to express the extent to which the past is contained in the present" (L 229, 23).

Zusammenfassend läßt sich sagen, daß Böll durchaus ein formbewußter Schriftsteller ist, daß aber an der Basis seines Werkes vorbeiinterpretiert, wer ihn zu einem experimentellen Artisten erklärt. Der artistische Kalkül spielt zwar in manchen Werken eine wichtige Rolle, Hauptimpetus ist er nie. Nicht zu übersehen ist das stark emotional getönte Engagement als Werkimpuls, dazu eine Kunstauffassung, die zwar Technik und Handwerk sehr hoch einschätzt, aber an der Basis der Kunst letztlich doch ein a-rationales Moment voraussetzt, jenen siebten Koffer in der essayistischen Erzählung „Warum ich kurze Prosa wie Jacob Maria Hermes und Heinrich Knecht schreibe" (vgl. dazu 1.1).[12]

2.1.4 Figuren

Wenn es sinnvoll sein kann, die Figuren eines Romans unter einem bestimmten Gesichtspunkt zu isolieren, so ist ein solches Verfahren eher fragwürdig, wenn es zur Grundlage einer Gesamtstudie über einen Autor gemacht wird, wie in dem Buch von J. W. Schwarz: *Der Erzähler Heinrich Böll* (L 194). In dieser Studie werden einzelne Charaktertypen isoliert und beschrieben, ohne Rücksicht auf die Problematik des Zusammenhangs von Fiktionalität und Realität. Wenig findet sich über Motivierungstechnik oder den funktionalen Zusammenhang der Figuren mit ihrem Kontext. Als Charaktertypen erscheinen: der Offizier, der Heimkehrer, der Katholik und der Ästhet, der Künstler, der Lehrer, die Frauen, die Kinder, der reine Mensch in der Welt, der reine Mensch am Rande der Welt und der reine Mensch als Opfer der Welt.

An Bölls Offizieren lobt Schwarz, daß sie nicht schlechthin als Bösewichte erscheinen, sondern „mit derselben unvoreingenommenen Distanz wie alle anderen Charaktere gezeichnet [werden], mit ihren Vorzügen ebenso wie mit ihren menschlichen Schwächen" (S. 45). Schwarz weist zwar darauf hin, daß der Egoismus und Opportunismus eines Oberst Bressen psychologisch motiviert erscheinen, bleibt aber eine Analyse solcher Motivation schuldig. Hier begännen aber erst die interessanten Fragen, z. B.: in welche Zusammenhänge stellt Böll gewisse Verhaltensweisen? Ähnliches gilt für die Behandlung der anderen Personen. Am besten gelungen ist noch die Darstellung der Frauengestalten, weil Schwarz hier auch auf die Interrelation von Frau und Mann eingeht. Es zeigt sich dabei, daß Böll eher ein konservatives Bild der Frau in der Gesellschaft darstellt: sie ist hauptsächlich „Weib und Mutter" (S. 83), erscheint aber andererseits doch oft auf ihre Weise als bewegende Kraft. Das Leiden der Kinder spielt eine gewisse Rolle, und Schwarz weist mit Recht in diesem Zusammenhang auf Camus hin. Weniger einleuchtend ist es, wenn apodiktisch behauptet wird, die Leiden der Kinder seien Anklagen gegen die Mißstände der Gesellschaft, aber Veränderung erwarte Böll nur von einer inneren Wandlung des Menschen (S. 90). Belege sucht man vergebens. Solche hingeworfenen Behauptungen ohne analytische Basis finden sich leider allzuoft.

Paul Konrad Kurz skizziert eine Entwicklung in der Figuren-Gestal-
tung bei Böll (L 131, 17—26). Beim frühen Böll stehen im Vordergrund
„leidende, unkomplizierte, passive Gestalten." Später treten „Typen
der mittleren und höheren Stände" stärker hervor (S. 24). „Rollenexi-
stenz und Scheinidentität" demonstrieren die Figuren jetzt oft (S. 25).
Kurz kritisiert die Simplifizierung der Figuren bei Böll mit ihrem Mangel an problematischem Bewußtsein, und mehr noch vermißt er „das
komplizierte Spannungsfeld von Personen und Gruppen" (S. 26). Von
dieser Problematik her wäre eine Figuren-Analyse bei Böll erst wirklich sinnvoll.

Seit Forster die ‚runden' Figuren im Roman erfand, suchen die Kritiker immer wieder gern danach und meist auch mit wertender Absicht. In Deutschland wird dazu noch gerne Blut injiziert; man preist
die ‚blutvollen' und tadelt die ‚blutleeren' Figuren. In der Frage, ob
nun Böll blutvolle runde oder blutleere flache Charaktere zu bieten
habe, gehen die Meinungen allerdings auseinander. Reich-Ranicki findet Bölls Gestalten „meist blaß" (L 171, 132). Schwarz nimmt direkt
Bezug auf Forster und kommt zu dem — etwas unglücklich formulierten — Resultat: „Die ‚flachen Charaktere' sind ebensowenig profiliert
wie Bölls Protagonisten, die man kaum nach Forsters Terminologie als
‚runde Charaktere' bezeichnen kann. Den äußeren Umriß seiner Protagonisten zeichnet Böll fast noch sparsamer als den der Nebenfiguren.
[...] Nirgends in seinen Büchern hat Böll versucht, psychologisch begründete Charakteranalysen zu geben" (L 194, 116). Leider wird in
solchen Fällen selten nach den Gründen gefragt; und daß der Mangel
an psychologischer Begründung im Sinn des 19. Jahrhunderts objektive historische Gründe haben könnte, will vielen Kritikern nicht einleuchten. Siegfried Lenz vermißt nur den Mangel an überzeugenden
Gegenfiguren, wodurch es zu keiner richtigen Entwicklung kommen
könne (L 173, 27). Dagegen heißt es bei Stefan Heym: „Seine Menschen sind Menschen, nicht Schemen; sie haben Schicksale, sie entwik-
keln sich ..." (L 173, 151). Es wäre zu wünschen, daß Forsters Kategorien nur deskriptiv angewandt würden anstatt wertend. Es geht mit
den runden Figuren im Roman wie mit dem „echten Erlebnis" und ge-
fühlhafter Unmittelbarkeit in der Lyrik: historische Erscheinungsformen werden ahistorisch zu poetischen Wertkategorien umgeformt.
Vielleicht wäre der Wert eines Kunstwerkes aber eher an seinem Be-
wußtseinsstande zu messen. Ein Satz wie „seine Menschen sind Menschen" zeigt erstaunliche Naivität, als wäre, was ein Mensch ist, von je-
her festgesetzt, als gäbe es keine historische Verwandlung des Menschen.
Und gerade, wo nicht abstrakt „Allgemeinmenschliches" die Person
ausmachen soll, verlangt sie nach historischer Konkretisierung. Wie
aber, wenn diese eine Darstellung erforderte, die von den runden Menschen des 19. Jahrhunderts sehr verschieden ist? Oder will Heym — und
er ist hier nur ein Fall — jenen Massen das Menschsein absprechen, deren
Existenz aufgeht in einer spezialisierten Funktion? Bereits Schiller war

da realistischer und sah zumindest eine problematische Antonomie zwischen postulierter allseitiger Entwicklung der ganzen ‚runden' Person und den Forderungen eines Wirtschaftssystems, das Spezialisierung und Funktionalisierung brauchte. Was nun Böll betrifft, so scheinen mir jene der Wahrheit näher zu kommen, die seine Figuren in die Nähe der ‚flachen' Charaktere rücken. Aber hier müßte die· Analyse erst beginnen und zeigen, wodurch sie ihre funktionale Bestimmung erhalten. Bestimmt widersprechen muß man der Ansicht Heyms, nach der Bölls Figuren sich entwickeln. Die meisten wenigstens zeichnen sich durch Statik aus. Darüber wird im Zusammenhang mit einzelnen Werken noch zu sprechen sein.

Individualität ist es, die die Kritik noch immer in der runden Person sucht. Solche Individualität hat Reinhard Baumgart einer kritischen Analyse unterzogen und gezeigt, daß sie fast nur noch im idyllischen Winkel gedeiht, und eher in der Form des kauzigen Sonderlings als in derjenigen einer weltoffenen Persönlichkeit, wie sie das 18. Jahrhundert noch intendierte (L 13). Die Anziehungskraft, die auch noch diese verkommene Form einer Persönlichkeitsutopie ausstrahlt, begreift Baumgart mit Recht mit Benjamins Konzept der „Aura": „Einmaligkeit und Ferne, Aura also, zeichnet die besten Porträts aus, die uns aus der kleinbürgerlichen Welt noch immer entgegenblicken, denn nur in solcher Aura geschützt, gedeihen dem Erzähler noch Charaktere statt Verhaltensmodelle" (S. 655). Hans Joachim Bernhard sieht in den Individualitäts-Originalen Bölls den Protest gegen vorgeformte Denkklischees: „Unter dem Ansturm der Denkklischees, der vorgefertigten Verhaltensnormen der ‚großen Welt' – von den Massenmedien in der kapitalistischen Gesellschaft zwanghaft verbreitet – zieht sich die Humanität des Bürgers ins ‚Originelle' zurück, sucht hier Zuflucht. Und es fehlt in Bölls Erzählung wahrhaft nicht an Originalen" (L 136, 95). Exzentrische Figuren haben tatsächlich einen großen Anteil an Bölls Roman- und Erzählwelt. Die Exzentrizität ist dabei oft bedingt durch die Exzentrizität des Berufes. Da gibt es Messerwerfer, Lacher, Wegwerfer, Traurer, Hundefänger, Zähler an einer Brücke, Bahnhofsansager mit zwei Doktoraten und nicht zuletzt den Clown. Hier ist der Tummelplatz der Originale. Die Originalität hat sich in die entferntesten Winkel der Arbeitswelt zurückgezogen, die ‚normale' Arbeitswelt hat keinen Platz für Originalität. Und erst im Kontrast zu dieser ‚normalen' Arbeitswelt erhalten, wie James Reid mit Recht feststellt (L 180, 23), die exzentrischen Berufe ihre Bedeutung. Gleichzeitig sind sie Fluchtpunkte für einige wenige, die aus dem allgemeinen Leistungsprinzip ausbrechen wollen. Von besonderer Bedeutung ist dabei, daß häufig Künstler und Schriftsteller in den Bereich dieser Exzentrizität gehören, oder daß umgekehrt die Figuren mit exzentrischen Berufen etwas Künstlerisches, Artistisches an sich haben. Schon in der 1954 entstandenen Erzählung „Die Suche nach dem Leser" wird der Schriftsteller in die Exzentrizität gerückt: „Mein Freund hat einen merkwürdi-

gen Beruf: er scheut sich nicht, sich Schriftsteller zu nennen" (E, 152).
Der Schriftsteller erscheint in dieser Erzählung als der Überflüssige,
eine Erfahrung, die auch Martin Walser ausgesprochen hat, als er seine
Sympathie für den Handelsvertreter als Helden begründete: „Es gibt
also keinen Beruf, der einem Mensch das Gefühl seiner Überflüssigkeit
so aufdringlich klar machen könnte, wie der des Vertreters. Das hat
mir diesen Beruf sympathisch gemacht, er erinnert mich eigentlich fast
an den des Schriftstellers" (L 26, 195). Man hat deshalb nicht zu Unrecht auch im Zusammenhang mit *Ansichten eines Clowns* von einem
Künstlerroman gesprochen; doch darf dieser Aspekt nicht verabsolutiert werden.

Die Rettung der Individualität in die Exzentrizität bleibt jedoch
ohnmächtiger Protest. Auch Aura und Originalität lassen sich zu Kon-
sumgütern verarbeiten. Siegfried Lenz hält Bölls Zimpern mit Recht
ein Neu-Zimpern entgegen: „In Neu-Zimpern müßte es sich zeigen,
daß es heute keine praktizierbare Alternative zur Massengesellschaft
gibt, zumindest nicht diese Alternative: Ursprünglichkeit und Originalität" (L 173, 29). Im allgemeinen gilt von Bölls Figuren, daß sie Opfer
sind: „Seine Helden sind beklagenswerte Opfer der historischen Verhältnisse, hilflose Durchschnittsmenschen, herumirrende Individuen,
die nicht einmal die Möglichkeit erwägen, für etwas oder gegen etwas
zu kämpfen" (L 174, 328). Die subjektive Passivität gilt jedoch nicht
für alle Figuren; vor allem in den neueren Erzählungen und Romanen
Bölls mehren sich die Protestaktionen seiner Helden. Objektiv allerdings hat sich an ihrer Ohnmacht wenig geändert: das Happening in
Ende einer Dienstfahrt löst sich in Harmlosigkeit auf; schon der Schuß
am Ende von *Billard um halbzehn* blieb ohne öffentliche Konsequenzen; und weder die Aktionen der Gruppe um Leni noch der verzwei-
felte Schuß der Katharina Blum ändern irgend etwas an den Verhältnissen. Die Opfer bleiben letzten Endes Opfer.

Baumgart brachte Bölls Individuen und die Bedingung ihrer Möglich-
lichkeit mit dem Kleinbürgertum in Verbindung (übrigens auch bei
Grass und Johnson). Damit ist das Stichwort gefallen, das fast noch
mehr als Bölls Sympathie zur Topik der Böll-Kritik gehört, und nicht
zu Unrecht, denn ein großer Teil seiner Figuren gehört entweder im
engeren soziologischen Sinne oder dem Bewußtsein nach dieser Schicht
an. Man hat das als Mangel kritisiert, und Böll schrieb deswegen eine
„Verteidigung der Waschküchen" (H, 123–127). Andere Kritiker werten positiver. Henri Plard sieht in den Leuten „aus dem Volk" und den
kleinen Bürgern, die Bölls Erzählungen und Romane bevölkern, „er-
greifende Banalität" (L 136, 52). Etwas allgemeiner spricht Wolfdietrich Rasch von „einfachen, durchschnittlichen Menschen, ohne Macht,
Einfluß und gewichtige Stellung" (L 136, 12). Aber die bei Böll immerhin feststellbare Klassenzugehörigkeit wird dann ins Allgemeinmenschliche transponiert, aus dem Kleinbürger wird ein moderner Je-
dermann: „es wäre doch irrig, in ihm etwas wie einen Spezialisten für

die Darstellung des kleinen Mannes und seiner Lebensperspektiven zu
sehen. Die Wahrheit, auf die es ihm ankommt, ist nicht an einen Stand,
eine Lebenssituation, an eine reale Position gebunden, sondern sie hat
schlechthin Geltung für den Menschen unserer Tage" (S. 12). Zwar ist
Böll, vor allem im frühen Werk, nicht immer so spezifisch in der gesellschaftlichen Charakterisierung seiner Figuren, aber die Entfremdung
und das Leiden von Figuren wie etwa in *Und sagte kein einziges Wort*
sind nicht allgemeinmenschlicher Weltschmerz, sondern gesellschaftlich bedingte Leiden, die z. B. Frau Franke im selben Roman nicht teilen muß. Manche Kritiker möchten Böll verteidigen gegen die Behauptung, daß er Kleinbürger oder *nur* solche darstelle. Eine solche Verteidigung scheint auch Stresau im Sinne zu haben, wenn ich seine abstru-
se Logik richtig interpretiere: „aber mindestens die Hälfte seiner Figuren sind nicht Kleinbürger, so wie er in seinem Kriegsbuch nicht nur
Leute aus dem Mannschaftsstande bevorzugt: seine Figuren haben
durchweg etwas Kleinbürgerliches — sie gehören eigentlich keiner soziologisch definierbaren Kategorie an, ganz abgesehen davon, daß das
Personal der beiden Romane *Billard um halbzehn* und *Ansichten eines
Clowns* zum großen Teil und in der Hauptsache dem Großbürgertum
angehören" (L 198, 75). Genauer erscheint die Position der Böllschen
Figuren bei Albrecht Beckel: „Die Gestalten bei Böll sind in der Regel
bedürftig, abhängig in Hinsicht auf die materielle Basis ihres Daseins,
und sind in der Gesellschaft nichts weiter als Funktionsträger, deren
Funktion in hohem Maße auswechselbar ist" (L 15, 36). Das scheint
nun allerdings wieder den Originalen und ihrer Protesthaltung zu widersprechen. Tatsächlich finden sich beide Variationen: das protestie-
rende, sich verweigernde Original wie das passive, funktionierende Opfer, manchmal in gemischten Übergängen in einer Person. Opfer sind
im Grunde genommen beide. Nicht die Vorliebe fürs Kleinbürgertum,
jedoch die Art ihrer Darstellung kritisiert Manfred Durzak: „Wird also
bei Grass das Kleinbürgertum gerade in seiner politischen Fragwürdigkeit gezeigt und kritisch porträtiert, so wird es bei Böll, so scheint es,
zu eindeutig positiv gefaßt" (L 52, 23). Der Unterschied zu Grass zeigt
sich besonders in der Darstellung des Nationalsozialismus, der bei Grass
sich fast ganz im Bereich des Kleinbürgertums manifestiert, während
bei Böll die Nazis fast immer den oberen Schichten angehören: Kleriker, Generale, Offiziere, wendige Intellektuelle. Die Figuren aus dem
Kleinbürgertum dagegen erscheinen in den meisten Fällen als die un-
schuldigen Opfer. Als Vergleichsbasis für die Nachkriegszeit bietet sich
die Romanwelt Martin Walsers an, wo das Kleinbürgertum zwar nicht
ohne Sympathie dargestellt wird, aber gleichzeitig in bösen und genau-
en Nahaufnahmen dem Leser ausgesetzt ist.

Stereotype Verhaltensweisen können die Milieubezogenheit der Figuren kennzeichnen. Karl Migner erwähnt: „Kaffee trinken, Zigaretten kaufen, Zigaretten rauchen, ins Kino gehen", Verhaltensweisen,
die sich betont gegen „Kultur im engeren Sinne" richten (L 155, 304).

Holthusen meint sogar, daß das Milieu selbst viel stärker hervortritt als die Figuren (L 173, 37). Das widerspricht zumindest der Intention Bölls, der in einem Interview sagte, daß die Personen und „inneren Vorgänge" ihn vor allem interessierten (L 136, 100).

Einsamkeit, Außenseiterstellung, Entfremdung bis zur grotesken Karikatur sind Eigenschaften, die viele von Bölls Figuren kennzeichnen. „Vor einem Hintergrund aus Ruinen ein einsamer Mann auf der Suche nach dem Nächsten, der ihn aus seiner Einsamkeit befreit", so beschreibt Henri Plard eine typische Situation beim frühen Böll (L 136, 41). Mit Recht aber weist Joachim Bernhard darauf hin, daß die Entfremdung bei Böll nicht einfach als ein allgemeinmenschlicher Zustand erscheint, sondern soziologisch differenziert ist: „Für die ‚Tüchtigen und Energischen', die Händler und die Fabrikanten bei Böll, wird die menschliche Selbstentfremdung im Kapitalismus eben nicht im gleichen Maße wirksam wie für Bogner" (L 22,130). Sich abzusondern kann bei Böll Protest ausdrücken gegen eine inhumane Gesellschaft, es kann aber auch als Schuld erscheinen, als ein Sich-Verschanzen vor dem Anspruch des Nächsten. Auf diesen Aspekt hat Joachim Kaiser hingewiesen (L 173, 45). Cesare Cases differenziert den Outsider bei Böll, der gar nichts Heldenhaftes an sich hat, von der Verklärung der Outsiderfigur bei Camus oder gar Ernst Jünger (L 173, 177 f.). Goldstücker weist auf die Tradition hin, die Bölls Einzelgänger mit den zahlreichen Sonderlingen in der deutschen Literatur des 19. Jahrhunderts verbindet (L 173, 249). Schon damals mußte sich die Individualität ins Abseitige retten.

Ein oft konstatiertes und meist kritisiertes Merkmal Böllscher Figuren ist die einfache Polarität von Gut und Böse, in der sie erscheinen. Nur selten gibt es hier Ambivalenzen. Es ist, als hätte Musil nie einen *Mann ohne Eigenschaften* geschrieben. Yuill verweist auf ältere Traditionen: „figures superficially somewhat diverse fall into opposing categories that have the unambiguity of those in a morality play" (L 221, 151). Demetz nennt eine zeitlich näher liegende Parallele: Charles Dickens (L 47, 232). Amery sieht in der Reduktion auf den kleinen Mann und der Polarität von Gut und Böse ein poetisches Mittel, die schon erwähnte Legendenstruktur (L 173, 95). Dieser Hinweis scheint mir einleuchtend und für die Interpretation sehr wichtig und hilfreich. Die Annahme einer solchen Struktur würde unter anderem davor bewahren, danach zu fragen, ob Bölls Figuren blutvoll und rund genug seien; sie würde zunächst einmal ihre Existenz als Kunstfiguren verdeutlichen. Zu fragen wäre dann allerdings, wie eine solche Struktur funktioniert und was sie leistet; ob etwa die durch sie bedingte Stilisierung und Vereinfachung der Figuren und ihrer Gegensätze einem komplexen Bewußtsein gerecht werden können.

Nicht alle Kritiker finden Bölls Figuren simplifiziert. Hans Schwab-Felisch bezeichnet sogar die negativen Personen des frühen Böll als „existentiell gebrochen, meist dazu erotisch verklemmt" (L 173, 171).

In vielen Fällen dürfte allerdings die Gebrochenheit weniger eine existentielle sein als ein Bruch zwischen vorgetäuschter Rolle und dem supponierten Charakter, die Gebrochenheit des Opportunisten in anderen Worten. Es ist dies ein häufiger Zug an Bölls Bösewichten, wie James Reid festgestellt hat: „His villains are never the front-line criminals but the people in the background, the ‚Schreibtischmörder‘, the opportunists, the men who are as good democrats under one administration as they were Nazis in the other" (L 180, 18).

Die Widersprüche in der Interpretation ergeben sich meistens wohl daraus, daß einzelne Aspekte isoliert und verallgemeinert werden. Bei einer Übersicht über Bölls bisheriges Gesamtwerk muß man zu dem Schluß kommen, daß seine Figuren im allgemeinen auf wenige Züge reduziert sind, daß Gute und Böse sich oft eindeutig gegenüberstehen, was aber nicht hindert, daß einzelne Figuren eine gewisse — aber immer nur beschränkte — psychologische Differenzierung aufweisen; meist steht dabei nur ein Zug im Vordergrund, etwa die von Schwab-Felisch genannte erotische Verklemmung. Kaum ergibt sich je ein Zweifel, ob eine Figur Bölls negativ oder positiv intendiert sei.[13]

Paul Konrad Kurz operiert mit Schillerschen Kategorien. Er sieht als Grundformen von Bölls Erzählungen Elegie, Satire, Idylle als variierte Konfrontationen von Ideal und Wirklichkeit, und folgert daraus: „das nicht reflektierte Zusammentreffen von idealisch-naiver Naturvorstellung und kritischer Negation negativer gesellschaftlicher Verhältnisse scheint ursächlich beteiligt zu sein an Bölls simpler Scheidung von den guten Armen und Kleinen und den bösen Reichen und Halbgroßen" (L 131, 94). Es ist tatsächlich auffallend, wie stark die Kategorien des Elegischen, Idyllischen und Satirischen fast das ganze erzählerische Werk Bölls bestimmen. Vom Idyllischen ist es dann allerdings oft ein kurzer Weg zu so fragwürdigen Kategorien wie ‚moralische Gesundheit‘ und ‚Natürlichkeit‘. So heißt es in einem Vergleich zwischen Mark Twain und Böll, sie seien beide Repräsentanten der seltenen Tugend des Natürlichen (L 152).

Unter den einzelnen Figuren Bölls haben vor allem die Frauen Beachtung gefunden, zum Teil wohl deshalb, weil bei kaum einem zeitgenössischen Autor die Frauen eine so hervorragende Bedeutung gewinnen. Dabei hat schon Schwarz, wie oben erwähnt, darauf hingewiesen, daß die Frau eher in einem traditionellen Rahmen erscheint. David Bronsen hat dem Mann-Frau-Verhältnis bei Böll einen Artikel gewidmet (L 32, 291—300). Leider bleibt er aber im ganzen doch mehr bei einer Charakteristik der Frauenfigur zuungunsten einer Analyse der Beziehungen; eine solche müßte untersuchen, wie weit die Beziehung als solche hervortritt und wie sehr der Bewußtseinszustand einer Figur eine solche Beziehung erst schafft. (Dazu gehörte natürlich eine eingehende Perspektivenanalyse.) Immerhin findet Bronsen einige interessante Aspekte: die Frau hat zwar Einfluß auf den Mann, aber meist nur aus dem Hintergrund („a mover behind the scenes", S. 292), daneben gibt es die geldgierige, herzlose Frau, die auf Prestige aus ist. Man muß Bronsen wohl zustimmen, wenn er folgert: „Such descriptions suggest a woman not far from the timeless role of the keeper of the home and mark Böll as a traditionalist" (L 32, 299). Allerdings widerspricht es nicht dieser Rolle der Frauen, daß sie, wie Beckel erwähnt, „häufig die Betriebsamen, die Forschen, die Energischen sind" (L 15, 46). Aber auch er bemerkt, „daß die Frauen eindeutig vom Mann her und zu ihm hin gesehen werden" (L 15, 49). Wer der Frau eine emanzipierte Rolle in der Gesellschaft zugestehen möchte, dürfte also kaum mit Ziolkowskis Feststellung übereinstimmen, daß wenige Schriftsteller heutzutage so gut über Frauen und Kinder geschrieben hätten (L 229, 19). Die Kinder bleiben übrigens bei Böll meistens im Stande der Unschuld, selbst wo sie mit Pubertätsschwierigkeiten zu kämpfen haben, höchstens gibt es manchmal — vor allem in *Ansichten eines Clowns* — von der Zivilisation und schlechten Eltern verdorbene Kinder. Ein Vergleich mit Grass könnte auch in dieser Hinsicht aufschlußreich sein.

Zu untersuchen wäre noch, ob in den beiden letzten Werken Bölls die Darstellung der Frau sich geändert hat. In beiden Fällen spielen Frauen eine eminente, ja vorbildliche Rolle. Aber auch hier kommen schnell Zweifel. Leni und Katharina sind beide im Grunde eher passiv und reagieren mehr als sie agieren. Dazu kommt vor allem in *Gruppenbild* eine gewisse Irrealität, die Leni teilweise aus dem sozialen Kontext löst. Eine Untersuchung der Böllschen Frauenfiguren müßte ohnehin symbolische und strukturelle Aspekte mit berücksichtigen sowie die häufig mystisch getönte Sinnlichkeit als Komponente der weiblichen Figuren. Sie sind keineswegs neu und unvorbereitet in *Gruppenbild*, nur treten sie hier stärker in Erscheinung.

Eine wichtige Frage, deren Vernachlässigung oft zu schweren Fehlinterpretationen führen kann und auch schon geführt hat, ist die nach dem Verhältnis des Autors zu seinen Figuren. Allzuoft werden Aussagen von einzelnen Figuren in naivster Weise zu Ansichten Bölls erklärt. Vor allem die „Ansichten" des Clowns laden zu solchem Verfahren ein. Allerdings ist nicht von der Hand zu weisen, daß Bölls Perspektivengestaltung in einigen Fällen eine solche Identifizierung nahelegt. Reich-Ranicki äußert die Vermutung, daß „ein nennenswerter Unterschied zwischen der Perspektive des Verfassers und derjenigen seiner Helden" nicht vorhanden sei (L 171, 129). Yuill geht etwas genauer auf die Technik der Perspektive ein. Er weist darauf hin, daß der Leser negative Gestalten immer nur von außen sieht, meist durch die Perspektive der „guten" Gegenfiguren, in deren Bewußtsein der Leser eintritt, sich so mit ihnen identifiziert und die Welt aus ihren Augen betrachtet. In den späteren Werken Bölls ist allerdings die Perspektivengestaltung wesentlich komplexer. Dennoch kritisiert Demetz nicht zu Unrecht, daß Böll sich allzu rasch mit seinen Charakteren identifiziere (L 47, 222). Aus der Perspektive des Lesers, aber ebenfalls kritisch, vermerkt Paul Konrad Kurz: „Die Gefahr einer kaum distanzierten

Identifikation des Lesers mit diesen Gestalten des ‚einfachen Lebens'
ist nicht gemieden" (L 131, 24).

Einer besonderen Eigenschaft Böllscher Helden hat Otto Best einen
Aufsatz gewidmet: ihrer häufigen Bereitschaft, Tränen zu vergießen
(L 173, 69—73). Tatsächlich wird bei kaum einem anderen Autor der
Nachkriegszeit so viel geweint. Man könnte das als ein Zeichen der
Sentimentalität werten. Best sieht darin eher ein Zeichen Böllscher
Menschlichkeit und eine Form der Katharsis. Ich vermute, daß Böll
damit auch einen Protest gegen ein repressives Männlichkeitsideal intendiert. In einer Gesellschaft des brutalen Wettbewerbs, des zähne-
entblößenden Lächelns, ist Weinen schon gefährlicher Anarchismus.
Was im 18. Jahrhundert gängige Erscheinung war, der weinende Mann,
ist im zwanzigsten eine befremdende Erscheinung. Solche Befremdung
vermag vielleicht auf repressive Strukturen aufmerksam zu machen.
Aber es ist ein delikates Mittel für den Schriftsteller, denn kaum ein
anderes kippt so leicht um in Sentimentalität, Banalität und Lächer-
lichkeit. Und nicht immer entkommt Böll dieser Gefahr.

Wolfgang Kayser versuchte, den Roman typologisch zu kategorisie-
ren und schlug als Grundtypen Geschehnisroman, Figurenroman und
Raumroman vor. So umstritten diese Typologie ist und so unzuläng-
lich sie sein mag, kann es doch aufschlußreich sein, danach zu fragen,
welche Aspekte im Roman strukturdominierend sind. Es wäre also im
Falle Bölls zu untersuchen, welche strukturelle Stellung die Figuren
einnehmen, ob sie dominierend die Romanwelt bestimmen oder eher
von ihr bestimmt werden. Einen Ansatz dazu hat Ziolkowski geleistet:
„In Bölls subsequent novels [nach *Der Zug war pünktlich*] it is really
no longer proper to speak of a hero, for not any specific individual is
the focal point of the narrative, but rather a central idea around which
the various main figures revolve" (L 225, 218). Das war 1960 geschrieben. Seither dürfte sich das Bild etwas geändert haben. Schon Titel
wie *Ansichten eines Clowns, Gruppenbild mit Dame* und *Die verlorene
Ehre der Katharina Blum* deuten auf eine zentrale Stellung der Figuren hin.

2.1.5 Das ‚Positive'

Sehen die einen in Böll einen unerbittlichen Gesellschaftskritiker, so
meinen andere, hier wäre der Mann, der einen Emil Staiger beruhigen
könnte: endlich wieder das ‚Positive' in der modernen Literatur (vgl.
Hans Egon Holthusen, L 173, 39). Als positiv wird alles empfunden,
was den gesellschaftskritischen oder auch pessimistischen Zug in Bölls
Werk mildert, wenn nicht gar — nach Ansicht einiger Kritiker — zu-
rücknimmt. Auch hier finden wir die für Böll typische Ambivalenz in
seiner Rezeption selbst durch bekannte Kritiker: nach Walter Sokel
liegt Bölls Werk ein tiefer Pessimismus und fast manichäischer Dualis-
mus zugrunde, der in der diesseitigen Welt keine Auflösung findet

(L 196, 20); dagegen liest man bei Günter Blöcker: „So kraß und ‚zeit-nah‘ Bölls Stoffe oft zu sein scheinen, ihr Untergrund ist Begütigung, ihr Klima der Ausgleich, ihr Endeffekt die Gewißheit, daß der Mensch trotz aller Fehlerhaftigkeit der Institution sinnvoll sei“ (L 28, 286). Ähnliche Gegensätze finden sich in der Interpretation einzelner Gestalten oder Situationen. So sieht Ulrich Sonnemann in der Clownsfigur „ein Geschichtsgesetz von Aufklärung“ am Werk, dessen „Kraft es ist, die Verhältnisse selbst zu Wort kommen zu lassen, Kuckuckseier in die Institutionswelt zu legen“ (L 173, 135). Das liebenswürdige Lächeln als Kuckucksei? Schön wärs, bestünde nicht die Befürchtung, daß eine affirmative Kritik, um das Bild weiterzuführen, auch aus Kuckuckseiern brave Kanarienvögel und Papageien brütet. So zweifelt Heinz Ludwig Arnold an der weltverändernden Kraft von Clowns; das solle man auch gar nicht von ihnen erwarten, sondern eher, daß sie „mit verständnisvoller Melancholie begabt sind, die sie mitzuteilen vermögen und die vieles erträglicher macht“ (L 8, 42).

Auf der einen Seite ‚Kuckucksei‘, auf der andern Begütigung und sanfte Melancholie. Beide Seiten können Belege aus Bölls Werk für sich zitieren, das heißt aber, daß beide für sich genommen falsch sind, nur ihre Interferenz macht Bölls Werk aus. Im Herausheben der einen oder andern Seite geht es nicht selten um ideologische Selbstbestätigung. So wird vor allem gerne das Positive vorgezeigt, wo die Kritik unangenehm ist. An solchen Momenten, wie gesagt, fehlt es nicht bei Böll. Henri Plard macht aufmerksam auf „das unsichtbare Paradies von Liebe und Freundschaft, die Blumen auf den Trümmern“ (L 136, 41). Er möchte allerdings darin nicht „billigen Optimismus“ sehen; Bölls „Romane und Erzählungen münden bestenfalls in eine Hoffnung, nie jedoch in eine Gewißheit“ (S. 41). Das Bild des positiven Autors wird in Paul Fechters *Geschichte der deutschen Literatur* noch 1960 verallgemeinert und zum sanften harmlosen Böll-Bild stilisiert: „Böll ist kein Ankläger. Er setzt auch keine neuen Ordnungen. Für ihn sind Ordnungen da, uralte, gültige, bewährte; Ordnungen, auf die man bauen kann, wenn man richtig baut, wenn man den Sinn der Ordnung begreift. Böll ist kein Bilderstürmer“ (L 61, 370). Nach Schwarz bot Böll nach dem Krieg „Überwindung von Nihilismus und Verzweiflung durch Glauben und Liebe, durch ein einfaches Leben, in der Begegnung von Mensch zu Mensch“ (L 194, 12). Schwarz bietet aber auch ein besonders deutliches Beispiel, wie das Wunschdenken affirmativer Kritik das Positive auch da setzt, wo der Text kaum Anlaß gibt. Zu der kleinen Erzählung „Über die Brücke“ heißt es bei Schwarz, diese Geschichte „will dem Leser das tröstliche Gefühl geben, daß trotz apokalyptischer Umwälzung die Welt sich doch wieder in die alten Fugen einrenken wird; mögen die deutschen Städte in Schutt und Asche versunken sein, in den heilgebliebenen Häusern werden doch wie eh und je an jedem Donnerstag die Fenster geputzt“ (S. 15). Damit vergleiche man den vorletzten Satz der Erzählung: „Dann wandte die Frau nur

Augenblick das Gesicht, und ich erkannte sofort das kleine Mädchen von damals: dieses spinnenartige, mürrische Gesicht, und im
Ausdruck ihres Gesichtes etwas Säuerliches, etwas häßlich Säuerliches
wie von abgestandenem Salat" (W, 11). Wahr ist: es ist wieder alles
beim alten. Aber wer in diesem alten eine heile Welt sehen will, muß
sozusagen einen gesunden Magen haben, den „abgestandenen Salat"
zu verdauen. Worum es hier doch wohl geht, wie übrigens immer wieder bei Böll, ist die Tatsache, daß der alte säuerliche Mief weitergeht,
daß Deutschland wieder eine Chance verpaßt hat, neu anzufangen, den
Mief hinauszuräumen und eine neue Gesellschaft aufzubauen. Hilde-
gart Hamm-Brücher meint, daß Böll jetzt genug negative Kritik geübt
habe und daß er „nach einem Ausweg sucht, denn wenn er vorhat,
künftig über ‚Liebe und über Religion' zu schreiben, dann heißt das
noch lange nicht, daß er sich damit vom Engagement dispensieren will;
dann ist das noch keine Fahnenflucht vor der Wirklichkeit, vielmehr
könnte es auch durch Einsicht und Erfahrung zugewachsene schriftstellerische Vitalität sein" (L 173, 149). Nach Hermann Kesten hat
Böll „zuviel Gemüt, zuviel Heimatliebe", um ein Revolutionär zu sein
(L 173, 242). Das Konzept der Heimat schließt aber Revolution nicht
unbedingt aus. Martin Walser hat zum Beispiel in seinem Essay „Hei-
matbedingungen"[14] einen durchaus revolutionären Heimatbegriff vermittelt, und auch für Ernst Bloch liegt darin ein utopisches Konzept
für eine Gesellschaft ohne Herrschaftsverhältnisse, für einen Staat, der
deshalb Heimat ist, weil alle an ihm teilhaben. Bölls Heimatbegriff wäre, wie die Frankfurter Vorlesungen nahelegen, eher an einem solchen
Konzept zu messen, wenn auch der Bildbestand seiner Idyllik manchmal in gefährliche Nähe eines durch den Nationalsozialismus und
durch Kitsch prostituierten Heimatbegriffs rückt.

Man darf aber das Idyllische bei Böll nicht aus seinem jeweiligen
Kontext lösen. Faschistische Konnotationen können Böll bestimmt
nicht unterstellt werden. Gefährlicher ist die Verharmlosung der Gesellschaftskritik durch die Idylle; aber auch das muß nicht unbedingt der
Fall sein. Mit Recht warnt Joachim Kaiser vor einer Gleichsetzung des
Idyllischen mit Harmlosigkeit: „Die Sache, um die es geht, wird weder
durch die Gelassenheit entschärft noch durch die Wunder des Idyllisie-
rens verharmlost" (L 173, 49). Aber erst Hans Joachim Bernhard hat
in seinem Buch das Idyllische im konkreten Kontext analysiert. Er
kommt dabei zu differenzierten Ergebnissen, wie in einigen Fällen das
utopische Moment als evokative Perspektive die Gesellschaftskritik
ergänzt, wie es in anderen Fällen aber auch mißlingen kann. Böll selbst
weist auf die utopische Perspektive seines Werkes hin: „Aber es gibt
dann noch eine Komponente, die man — ich nenne das als Hilfswort —
als visionär bezeichnen könnte, eine utopische" (L 182, 32). Er
meint damit eine durchaus konkrete Utopie, d. h. eine Utopie, die auf
reale Möglichkeiten ausgeht, die von den Vertretern des status quo
gerne als Utopie im negativen Sinne diskreditiert wird: „Alles ist ein-

mal utopisch gewesen, doch von den Spießern wird das
immer verlacht. Selbst technische Utopien wie das Auto hat
derselben Kragenweite, die sich heute millionenfach dieses F̶
gungsmittels bedienen, verlacht, als es erfunden wurde. Ich ̶̶̶ ̶̶̶ die
Welt voller verwirklichter Utopien technischer und geistesgeschichtli-
cher Art und sehe noch nirgendwo die Utopie Sozialismus verwirklicht. Ich hänge aber an ihr, und ich habe keinen Grund, mich davon
zu distanzieren" (L 182, 40).

Eine ideologiekritische Untersuchung zur affirmativen Kultur bietet
Jochen Vogt am Beispiel Heinrich Bölls, ,,der unter die Literaturpädagogen gefallen ist" (L 206, 33–41). Er demonstriert, wie ,,noch aus
widerspenstigsten Textzitaten" ,,pädagogischer Eintopf" entsteht.
Böll rangiert nach Vogt auf dem fünften Platz in der Schule, ,,über-
troffen nur von der eigenartigen Poetenquadriga Brecht, Rilke, Eich
und Trakl" (S. 34). Vogt kritisiert den ,,Kurzgeschichtenfetischismus",
dem meist die Romane und vor allem die politischen und kulturkritischen Essays zum Opfer fallen. Diese Vorliebe für die Kurzgeschichte
läßt sich nach Vogt nicht nur aus unterrichtstechnischen Gründen erklären, sondern mit ideologischen. Ihre Beschränkung und Kürze erlaubt es, ,,Konflikte als *schicksalhaft* zu verstehen und von den Verhältnissen zu schweigen" (S. 35). Ihre Tendenz zur Symbolhaftigkeit
mache es außerdem den Interpreten leicht, ,,von den konkreten Inhalten auf die ewigen Wahrheiten zu verweisen" (S. 35). Ein Blick auf die
für den Schulunterricht angebotenen Interpretationshilfen kann die
von Vogt aufgezeigten Tendenzen vielfach bestätigen.[15]

Es muß also, wo vom Positiven die Rede ist, zunächst danach gefragt werden, ob es nicht erst von den Interpreten dazu gemacht wurde. Andererseits kann natürlich auch der reine Pessimismus der Affir-
mation dienen. Denn wo die Welt als schlechthin heillos erscheint, haben die konkreten Verhältnisse auch nichts mehr zu fürchten.

2.1.6 *Humor und Satire*

Humor ist ein zweischneidiges Schwert. Sein Fehlen gilt nicht zu Unrecht als Zeichen mangelnder Menschlichkeit; Humorlosigkeit deutet
auf fehlende Distanz zum eigenen Selbst, ist deshalb oft verbunden
mit Verständnislosigkeit, Dogmatismus und Fanatismus. Andererseits
weist der Humor selbst autoritäre Strukturen auf. Das Ich sieht sich
selbst aus ,höherer Warte,' von jener Instanz her, die Freud das Über-
Ich nannte. Diese Instanz ist geprägt von den Normen der Gesellschaft. Von daher erhält der Humor sein zwiespältiges Gesicht, wird in
der Literatur zum zweischneidigen Schwert. Zugespitzt wird es das Paradox des Humoristen, in der humoristischen Bloßstellung von anderem sich selber bloßzustellen. Die kritische Distanz kann in der humoristischen Distanz umschlagen in die Unterwerfung. So wird leicht der

gut gemeinte Rat zur humoristischen Distanz zur Aufforderung zur
Kapitulation: soll doch der kritische oder zornige Autor die Sache, für
die er einsteht, von höherer Warte sehen, von der Warte gesellschaftlicher Normen, von der Warte der Herrschenden. Aus dieser Perspektive könnte er die Sache so ernst nicht nehmen. Er hätte humoristische
Distanz.

Von hier aus erhält der im vorangehenden Kapitel behandelte Streit
um das Positive bei Böll einen weiteren Grund. Es erhebt sich die Frage nach der Funktion des Humors bei Böll und dessen Beziehung zur
Satire. Ist die Menschlichkeit des Humors die rechtfertigende Basis für
die Aggression der Satire oder stumpft sie einfach deren Spitze ab? Zu
klären wäre aber zuerst noch, was denn genauer die ‚Menschlichkeit‘
des Humors ausmacht. Iring Fetscher unternahm einen Versuch, offenbar von Freud ausgehend, den Zusammenhang zu klären: „Humor
heißt Sinn für Proportionen haben – vor allem für die eignen –, Wissen um die eigne Kleinheit, Kümmerlichkeit, Bedürftigkeit" (L 173,
211). Bei Freud heißt es: „Wir erhalten also eine dynamische Aufklärung der humoristischen Einstellung, wenn wir annehmen, sie bestehe
darin, daß die Person des Humoristen den psychischen Akzent von
ihrem Ich abgezogen und auf ihr Über-Ich verlegt habe. Diesem so ge-
schwellten Über-Ich kann nun das Ich winzig klein erscheinen, alle
seine Interessen geringfügig, und es mag dem Über-Ich bei dieser neuen
Energieverteilung leicht werden, die Reaktionsmöglichkeiten des Ichs
zu unterdrücken."[16] Fetscher sieht nur die positive Seite dieses Ver-
hältnisses, den für alle sozialen Verhältnisse notwendigen Sinn für Proportionen (weshalb der Humor ja auch eine eminent wichtige Rolle für
das Funktionieren einer Gesellschaft spielt), aber nicht seinen sozusagen ‚reaktionären‘ Charakter, wo es gerade nicht darum geht, die bestehenden Verhältnisse zu stabilisieren, sondern sie in Frage zu stellen.
So kommt Fetscher denn auch zu dem von ihm positiv gesehenen Resultat: „Bölls Zorn ist freilich gemildert durch Ironie und Humor. Er
kann die Mächtigen und Reichen, Angesehenen und Einflußreichen
nicht gar so ernst nehmen, wie sie selbst und ein von ihnen geführtes
Publikum" (S. 213). Dieses ‚nicht ernst nehmen‘ ist aber letzten Endes
nur Regression vor der Realität, ein Aspekt, den Freud ebenfalls am
Humor beschrieben hat: „Durch diese beiden letzten Züge, die Abwei-
sung des Anspruchs der Realität und die Durchsetzung des Lustprin-
zips nähert sich der Humor den regressiven oder reaktionären Prozessen, die uns in der Psychopathologie so ausgiebig beschäftigten."[17]

Daß der Humorist dem Satiriker Böll also in die Quere kommt, ist
denn auch des öftern bemerkt worden. Durchaus positiv meint es
Werner Ross: „Was erstrebt wird, ist: Klatsch und Klüngel, die rheinische Kleinwelt, klassisch zu machen. Weg vom Metaphysischen, hin
zum Menschlichen; weg von den Problemen und ihren utopischen Lö-
sungen, hin zum Humor" (L 173, 14). Aber einig sind sich die Kritiker
darin auch nicht. So meint Karl Migner gerade umgekehrt, Bölls Satire

verhindere den Humor (dabei ist allerdings die Gegensätzlichkeit der beiden auch bei ihm stillschweigend vorausgesetzt): „Die Schärfe solcher ironischen Schlaglichter verhindert es zumeist, daß der von Heinrich Böll angestrebte Humor wirksam werden kann; der Autor ist von den kritisch betrachteten Sachverhalten zu stark betroffen, als daß er die für den Humor erforderliche Distanz und Verständnisbereitschaft gewinnen könnte" (L 155, 301).

Einen besonderen Zug des Böllschen Humors hebt Hans Joachim Bernhard hervor; er nennt ihn, einer Formulierung Bölls folgend, Humor der „Erhabenheit". „Sie besteht in der Fähigkeit, Menschlichkeit gegen die deformierenden Auswirkungen kapitalistischer Entwicklung zu behaupten" (L 22, 332). Man müßte hier aber wieder die Dialektik des Humors in Anschlag bringen, daß nämlich die Behauptung der Menschlichkeit im Humor nur gelingt als Regression vor der Realität. Nicht umsonst spielt der Humor im Biedermeier eine so große Rolle, und nicht zufällig ist er immer wieder mit resignierten Sonderlingsfiguren verbunden, die auch in Bölls Werk noch eine hervorragende Rolle spielen.

Böll selbst hat sein Konzept von Humor am ausführlichsten in den Frankfurter Vorlesungen behandelt, vor allem im letzten Teil, wo er Wilhelm Busch mit Jean Paul konfrontiert, worauf bereits in 2.1 Bezug genommen wurde. Der humane Humor Jean Pauls wird vom anti-humanen ‚Spießer'-Humor Wilhelm Buschs abgegrenzt. Anti-human ist nach Böll Buschs Humor, weil er „auf das widerwärtige Lachen des Spießers, dem nichts heilig ist, nichts, und der nicht einmal intelligent genug ist, zu bemerken, daß er in seinem fürchterlichen Lachen sich selbst zu einem Nichts zerlacht", spekuliere (FV, 115). Es ist mit anderen Worten ein Humor, der den Menschen als Person zunichte macht, während Jean Paul den Humor aus dem Kontrast von Endlichem mit der Idee ableitet, wobei der einzelne nicht vernichtet wird, da er als Person an beiden Anteil hat. Auch Hegel hat den Humor in ähnlicher Weise eingeschränkt: „... doch muß das Komische in dieser Verwandtschaft wesentlich von dem Ironischen unterschieden werden. Denn das Komische muß darauf beschränkt sein, daß alles, was sich vernichtet, ein an sich selbst Nichtiges, eine falsche und widersprechende Erscheinung, eine Grille z. B. [...] sei. Ganz etwas anderes aber ist es, wenn nun in der Tat Sittliches und Wahrhaftes, ein in sich substantieller Inhalt überhaupt, in einem Individuum und durch dasselbe sich als Nichtiges dartut."[18] Für Hegel wurde diese Unterscheidung allerdings zum Ausgangspunkt einer grundsätzlichen Kritik an der romantischen Ironie. Böll identifiziert dagegen die romantische Ironie mit Jean Pauls Humor als humane Alternativen zu Wilhelm Busch. Es geht hier aber weniger um diese Differenz als um das grundsätzliche Konzept, daß die Humanität des Humors dadurch gewährleistet ist, daß sie nicht die Substanz der Person angreift, nicht „die Vernichtung des Einzelnen, des Menschen" (FV, 116) in Kauf nimmt. Das ließe sich möglicherweise auf den gesellschaftskritischen Humor übertragen, dessen Humanität *und* kritische Position gewährleistet wären, wo er ohne Zugeständnisse an die Herrschaftsverhältnisse die Achtung vor der menschlichen Person bewahrt. Die Trennung wird in der Praxis allerdings schwierig. Denn eben die zu vernichtenden Verhältnisse haben aus dem Individuum, dem ‚Unteilbaren‘, wie Brecht einmal anmerkte[19], ein Zuteilbares gemacht. Konkret: die Person läßt sich immer schwerer aus ihrer Funktion in den Verhältnissen lösen und wird umso leichter als ‚Zugeteilte‘ mit den Verhältnissen getroffen.

Noch ein weiterer Aspekt kommt aber bei Böll dazu; er leitet ihn etymologisch ab: „[...] da das Wort ‚humores‘ Flüssigkeit, auch Säfte bedeutet und alle Körpersäfte, also Galle, Träne, Speichel, auch Urin meint, bindet es ans Stoffliche und gibt diesem gleichzeitig eine humane Qualität. Weinen und Lachen sind Merkmale des ‚homo sapiens‘. Mir scheint, es gibt nur eine humane Möglichkeit des Humors: das von der Gesellschaft für Abfall Erklärte, für abfällig Gehaltene in seiner Erhabenheit zu bestimmen" (FV, 118). Daß gerade dieser Aspekt für Böll besonderes Gewicht erhalten hat, zeigt *Gruppenbild mit Dame*, wo eben diese ‚humoristische‘ Rehabilitierung des Abfalls vollzogen wird, angefangen von den skatologischen Interessen der alten Nonne und Lenis bis hin zu den Müllmännern, die nicht nur mit Abfall arbeiten, sondern selbst gesellschaftlich als Abfall eingestuft werden.

Damit wird der Humor zu einer Ergänzung der Satire im engeren Sinne: er rehabilitiert das von der Gesellschaft Unterdrückte, während die Satire auf die zu negierenden Verhältnisse zielt. Darüber, ob Bölls Satiren ihr Ziel treffen, gehen die kritischen Meinungen allerdings wieder auseinander. Manche Kritiker möchten sie verharmlosen. Waidson nennt sie „‚leichtherzige‘ Erzählungen" und die Satiren-Sammlung *Doktor Murkes gesammeltes Schweigen* „unterhaltsamen Flöz" (L 136, 38 f.). Abschätzig bemerkt Blöcker: „Dieser Autor hat die löbliche Teilnahme am Allzumenschlichen der Zeit so weit getrieben, daß selbst die von ihm geübte Kritik noch zu einer Bekräftigung mit umgekehrten Vorzeichen wurde. Die Schläge, die er austeilte, waren nicht allzu weit entfernt von Absolutionen, und manch einer, der ihn als Satiriker bejubelte, drückte damit seine Erleichterung aus, so billig davongekommen zu sein" (L 136, 72). Andernorts spricht er Böll sogar jedes Talent zum Satiriker ab: „.Was immer er auch sein mag, für einen Satiriker möchte man ihn kaum halten. Dazu fehlt es ihm nicht nur an Galle, sondern vor allem an der blitzenden Schärfe, der gezielten Kraft der Formulierung" (L 27, 2). Hingegen preist Cesare Cases gerade den Satiriker Böll: „Er ist weder Kleist noch Hebel, aber er hat ‚Doktor Murkes gesammeltes Schweigen‘ geschrieben, und das hat ihm noch kein lebender Schriftsteller nachgemacht" (L 173, 172). Ähnlich meint Karl Korn: „Heinrich Böll steht als Satiriker heute ziemlich allein da" (L 136, 65). Sogar Deschner, der sonst kaum ein gutes Blatt an Böll läßt, scheint seine Satiren zu einem gewissen Grade anzuerkennen; er nennt sie „seine besten Leistungen" (L 48, 18).

Alle diese Urteile bedürften aber zunächst einer analytischen Grundlage. Was ist es denn genau, das Böll zum Satiriker, gar zu einem so hervorragenden macht, bzw. was fehlt ihm dazu? Bisher gibt es nur einige wenige Versuche, die die Eigenart und Technik von Bölls Satiren analysieren. Nach Hans Magnus Enzensberger besteht die Eigenart der modernen Satire — und vor allem der Satire Bölls — darin, daß die Distanz zwischen vorgefundener Welt und der monströsen Phantasie-Welt etwa eines Swift aufgehoben ist. Das Resultat solcher Annäherung demonstriert Enzensberger an einem einfachen Beispiel: „Was in der Satire *Nicht nur zur Weihnachtszeit* auf solche Weise bedrohlich erfahren wird, ist nicht die Ferne, nicht die äußerste Diskrepanz von Wirklichkeit und Zerrbild, sondern im Gegenteil: ihre Nähe. Dem entspricht die schriftstellerische Technik, die Böll anwendet: er bedient sich nicht mehr der vergrößernden Zerrspiegel, noch projiziert er, wie die Utopie, die Robinsonade, sein Bild auf den Schirm räumlicher Ferne" (L 59, 217). (Man könnte allerdings fragen, ob Swifts Satiren seiner Welt nicht ebenso nahe auf den Leib rückten, und ob ihre räumliche Distanzierung nicht vielleicht konkretere Gründe in den damaligen Zensurbehörden und der Abhängigkeit von hohen Gönnern hatte.) Fast wörtlich übernimmt Schwarz Enzensbergers Theorie, fügt nur noch wenige formale Beobachtungen hinzu, so den Gebrauch von „*overstatement*" und „*understatement*" (L 194, 24 f.).

Am ausführlichsten sind bisher die Untersuchungen von Jeziorkowski zu Bölls Satiren. Er geht aus von Adornos „Linienverlängerung" als Form der Satire, die darin besteht, „daß ‚Beobachtungen am gegenwärtigen Zustand der Zivilisation [...] aus ihrer eigenen Teleologie [...] bis zur unmittelbaren Evidenz ihres Unwesens' vorgetrieben sind. Das besagt, daß die linienverlängernde Verfremdung die vorfindbaren Merkmale der Entfremdung der Phänomene verschärft und krasser sichtbar zu machen versucht [...]" (L 105, 47). Er untersucht diese Technik am Beispiel der Erzählung *Der Wegwerfer* und zeigt daran, wie hier „Konstruktionskalkül" zur Reflexion einer Welt wird, „die eine phantastische Konstruktion von Funktionen darstellt und vom Gedanken des ökonomischen Einsatzes und der rationellen Verwertung von Kräften und Energien beherrscht wird" (S. 53). Problematisch wird die Argumentation, wenn das Satirische mit der Kategorie des Absurden verbunden wird. Zwar ergeben sich auf der Oberfläche Ähnlichkeiten, da beide Kategorien aus Negativ-Erfahrungen hervorgehen, aus der Erfahrung entfremdeter menschlicher Verhältnisse. Werden nun diese Aspekte durch den „Konstruktionskalkül" zu einer in sich geschlossenen Welt der Sinnlosigkeit, ergibt sich daraus der Schein der Absurdität. Verharrte der Text in dieser Geschlossenheit, wäre die Kategorie der Absurdität angebracht. Doch eben daran ist zu zweifeln. Böll tut auf seine Weise, was Jeziorkowski an Marx kritisiert. Marx, heißt es, habe zwar die Einzelphänomene in ihrer sinnlichen In-

dividualität gewürdigt, sie dann aber doch wieder in einem System geordnet, ein utopisches Gegenkonzept entwickelt. Wäre Marx bei den
Einzelphänomenen stehengeblieben, hätte er „den fruchtbaren Gedanken der Absurdität" gefunden. Marx hingegen sah die Einzelphänomene der Entfremdung nicht in ihrer abstrakten Isolierung, sondern
als vermittelte Phänomene im gesamtgesellschaftlichen Prozeß. Bei
Böll läßt sich zwar nicht ein geschlossenes System wie bei Marx finden, doch sind auch bei ihm die verfremdeten Einzelphänomene vermittelt mit einem— wenn auch manchmal noch so vagen — humanistischen Gegenkonzept. Erst dadurch wird die Satire zur Kritik. Die
reine Absurdität enthält keine Kritik mehr, nur noch Diagnose. Die
vermittelnde Gegenposition ist nicht in allen satirischen Werken Bölls
in gleichem Maße vorhanden. *Der Wegwerfer* ist eine geschlossenere
verfremdete Welt als etwa *Doktor Murkes gesammeltes Schweigen* und
steht deshalb der Kategorie des Absurden näher. Aber auch da wäre
die hermeneutische Frage zu stellen, ob nicht die reine Textimmanenz zu kurz greift. Satire und Ironie supponieren ihrer Natur nach
einen Kontext, in dem sie erst als solche erscheinen können. Dieser
Kontext aber, den Böll geschaffen hat durch sein Werk, läßt dem Absurden kaum Raum. Zu diesem Kontext gehört unter anderem jener
oben explizierte ‚humane' Humor. Dagegen ließe sich Jeziorkowskis
Typologisierung der Satire fruchtbar auf die verschiedenen Erscheinungsformen bei Böll anwenden. Er unterscheidet drei Gruppen:
1. „eine präzis-phantastische Konstruktion des Absurden", die er „utopische Satiren" nennt; 2. „Erzählungen satirischen Charakters" und
3. reine „nicht-utopische Satiren" (L 105, 84). Nur wären vielleicht
die Termini ‚utopisch' und ‚absurd' zu modifizieren.

Von einer anderen Seite her versucht Erhard Friedrichsmeyer die
Eigenart von Bölls Satire zu erfassen (L 71). Er geht aus von einer, wie
er meint, mißlungenen Satire: „Keine Träne um Schmeck." Mißlungen
sei sie, weil hier physische Aggression geplant werde, die aber von der
wahren Satire sublimiert werden soll. Das führt dann zum Konzept der
reinen Satiren bei Böll: „They exhibit 1. an aggressive impulse which
2. is transformed into a humanistic perspective. This perspective, with
which we can largely identify the satirist-author, does not surface as
didactic because 3. it is sufficiently counterbalanced by esthetic sup-
pression. Symbol, metaphor and style understate and neutralize both
the open aggression and the dogmatic aspect of the moral element in
the text" (L 71, 9). Es ist möglich, daß die Argumentation durch die
gedrängte Kürze — es handelte sich zunächst um einen 20minütigen
Vortrag — leidet. In der jetzigen Form läßt sie viele Fragen offen und
provoziert kritische Einwände. Sie beginnen mit der Interpretation der
Kurzgeschichte über Schmeck und der daran geknüpften Prämisse: es
ist höchst fragwürdig, daß Böll direkter Aggression so abgeneigt ist,
wie Friedrichsmeyer annimmt, und daß Böll in dieser besonderen Geschichte zeigen wolle, „that beating up people is objectionable" (S. 7).

Die Geschichte legt die umgekehrte Moral nahe: daß hier wieder einmal Unrecht von oben aus Furcht und Feigheit akzeptiert wird. Diese Interpretation liegt umso näher, als direkte Aggression bei Böll sogar auffallend häufig vorkommt, und zwar auch von positiv konzipierten Figuren. Der Schuß am Ende von *Billard um halbzehn* sowie derjenige der Katharina Blum sind nur die extremsten Beispiele. Nicht daß Böll geradezu zur Aggression auffordert, als Notwehrhandlung spielt sie aber eine wesentliche Rolle, und wo es sich etwa nur um eine Ohrfeige handelt, scheint Böll sogar einer gewissen Schadenfreude nicht abgeneigt zu sein. Eine genauere Untersuchung der zahlreichen aggressiven Akte in Bölls Werk wäre übrigens lohnend. Es ergeben sich interessante Parallelen zu Dickens, der seine Komik und Satire nicht selten auf Kosten verprügelter oder die Treppe hinunterfallender Bösewichte erzielt. Damit wird Friedrichsmeyers Basis schwächer. Zudem bleiben die drei Hauptpunkte als konkrete Strukturdarstellung von Bölls Satire zu allgemein. Vielleicht wird die von ihm geplante größere Arbeit zur zeitgenössischen Satire manches klären.

Zu wünschen wären immer noch Detailanalysen der satirischen Technik Bölls, ohne aber die gesellschaftskritische Intention aus dem Auge zu verlieren. Einige technische Details werden von Zimmermann in *Doktor Murkes gesammeltes Schweigen* aufgezeigt (L 224). Als Hauptelemente erscheinen: „Verschränkung heterogener Ebenen, wie sie sich in der Bezeichnung jener Fahrt als einer ‚existentiellen Turnübung‘ und in der minuziösen Beschreibung der technischen Einrichtung des Aufzugs [...] verdeutlicht", „Ironisierung des Fachjargons", vor allem „wo die Techniker ihn auf Ehrfurcht oder Achtung gebietende Wesen oder Personen anwenden, als handle es sich um eine Sache" und schließlich die immer schon beliebte Technik des Kontrasts (L 224, 240 f.). Als Inhalte werden Leistungszwang, Salbaderei von Kulturmanagern, Austauschbarkeit von Positionen (Pluralismus als Ritual) und Anpassung als Opportunismus hervorgehoben. Opportunismus sieht auch Dieter E. Zimmer als Hauptziel dieser Satire (L 173, 205—209).

Zu untersuchen wäre noch das Phänomen der Ironie in diesem Zusammenhang. Darüber ist in der Böll-Literatur noch wenig gesagt worden. Heinz Ludwig Arnold setzt Bölls „liebevoll humanisiert[e]" Ironie gegen Thomas Manns „entblößende und ätzende Ironie" (L 8, 42). Das bleibt aber als Charakteristik zu allgemein und trifft m. E. kaum den Typus von Thomas Manns Ironie. Aufschlußreich ist vielleicht eine Aussage Bölls zur Ironie in seinem Werk: „Ich weiß eben nicht, ob das noch Ironie ist. Ironie heißt ja Verstellung; und ich weiß nicht [...], ob Ironie dafür das richtige Wort ist, ob die Distanz, die zur Ironie gehört, noch so stark ist. Es mag sein, daß sie noch zu stark ist, daß man also selber als Autor nicht so verletzlich ist wie der Zustand, den man ironisch darstellt" (L 7, 15). Böll gibt hier keine Theorie der Ironie, auch unterscheidet er nicht zwischen ihr und Humor; was sich

aber andeutet, ist ein Zweifel an der Möglichkeit von beiden angesichts eines zunehmenden Engagements des Autors Böll.

2.1.7 Religion, Christentum, Katholizismus

Das katholische Milieu ist, wie schon früher erwähnt (1.1), prägender
Bestandteil in Bölls Werk. Auch wenn er zeitweilig die Kirchensteuern
verweigert, ist er doch gläubiger, praktizierender Katholik. Doch wehrt
er sich gegen die Etikettierung ‚Katholischer Schriftsteller‘: „Ich glaube einfach nicht, daß es katholische Romanciers gibt. Es tut mir leid.
Ich bin, glaube ich, ein Romancier, der katholisch ist. Die Formulierung stammt nicht von mir, aber ich habe bisher noch keine bessere
dafür gefunden" (L 26, 150). Diese Einstellung hat sich auch in neuerer
Zeit bei Böll wenig geändert, ist höchstens noch kritischer, noch zurückhaltender geworden. Im Gespräch mit Ekkehart Rudolph bezeichnet er die Bedeutung des Katholizismus für sich als Schriftsteller hauptsächlich als Material, „Material in dem Sinne, wie ein Maler Farbe
braucht" (L 182, 37). Das sind verständliche Reaktionen gegen vor-
schnelle Kategorisierungen, teilweise auch Distanzierungsversuche von
der katholischen Kirche als Institution. Andererseits weiß auch Böll,
wie wir schon gesehen haben, daß eine katholische Erziehung, selbst
da, wo die Konfession später aufgegeben wird, unter die Haut geht. Zu
untersuchen ist also, welche Rolle genau der Katholizismus in seinen
verschiedenen Aspekten im Werk Bölls spielt.

Eine der umfangreichsten publizierten Studien zum Thema stammt
aus der DDR von Günter Wirth (L 216), dessen Überbetonung der religiösen Aspekte auf Kosten anderer schon kritisiert wurde. Wichtig ist
aber sein Hinweis auf Bölls Verbindung mit links-katholischen Bewegungen in der Nachkriegszeit. Hier wäre ein wichtiger Ansatz zum Verständnis von Bölls Katholizismus, auch wenn man ihn nicht einfach
mit diesen selbst wieder differenzierten Bewegungen identifizieren
darf. ‚Linkskatholizismus‘ kann leicht zum nichtssagenden Schlagwort
werden, und insofern warnt Karl-Heinz Berger mit Recht (L 17, 254)
vor einer solchen Kategorisierung. Doch hat sie ihre Berechtigung,
wenn man die historisch konkreten Bewegungen des Linkskatholizismus in seinen differenzierten Formen einbezieht. Gerade hier aber gelingt es Wirth nicht, ein klares und konkretes Bild zu schaffen. Theolo-
genzitate werden recht willkürlich in den Text geworfen, und was hier
als Links-Katholizismus vorgeführt wird, klingt oft eher nach dunkel-
ster Reaktion, auch wo das Proletariat im Munde geführt wird. So
wird Pirker zitiert, der die proletarische Idee darin sieht, daß man die
„Welt real und in hierarchischer Ordnung" konzipiert und die Gleichheit anerkennt, „die auf dem Opfer beruht" (L 216, 17). So werden
Vokabeln der Aufklärung und des Sozialismus mißbraucht, um reak-
tionäre Ideen einzuschmuggeln. Realismus wird wie selbstverständlich

mit hierarchischer Ordnung kombiniert, Gleichheit unversehens zur Gleichheit des Opfers verdreht. Ganz unkritisch wird auch Brockmüller, der einen verschwommenen Gemeinschaftsbegriff gegen den bürgerlichen Individualismus beschwört, als Repräsentant eines für Böll verbindlichen Linkskatholizismus zitiert (L 229, 25). Mit keinem Wort geht Wirth auf die zwielichtige Geschichte des Gemeinschaftsbegriffs ein, der – teils in Opposition zum Gesellschaftsbegriff – eher zur Vorgeschichte des Faschismus als des Sozialismus gehört. Was so als Linkskatholizismus vorgestellt wird, erinnert in fataler Weise an Naphtas unbekömmliche Mischung von Reaktion und Revolution. Beachtenswert bleibt aber die grundsätzliche Folgerung Wirths: „Die bisherigen Ausführungen haben deutlich gemacht, daß Bölls Auffassung über Inhalte und Formen des Religiösen nicht isoliert von einer bestimmten Bewegung innerhalb des westdeutschen Katholizismus zu betrachten sind, die eine theologische Erneuerung anstrebt, sowie die Stellung der katholischen Kirche in der Welt und zur Welt neu begründen will [...]" (L 216, 38). Wirth warnt auch vor allzu enger konfessioneller Einschränkung. Es könne nicht schlechthin von „einem katholischen Schriftsteller gesprochen werden", sondern „von einem christlich-humanistischen" (L 216, 216). Ebenso betont er, daß Bölls Religiosität stark „urchristlich" bestimmt sei, das heißt nicht so sehr dogmatisch als von der Idee der Nächstenliebe her geformt. Im Mittelpunkt stehe für Böll die Bergpredigt.

Eine Reihe der Beiträge in dem Band *In Sachen Böll* befassen sich mit verschiedenen Aspekten des Katholizismus bei Böll. Eröffnet werden sie vom Ex-Katholiken Augstein, der über Bölls ambivalente Haltung zur Kirche reflektiert: die Tatsache etwa, daß Böll einerseits die Kirche als moralische Instanz anerkennt, andererseits sie doch immer wieder in Zweifel gezogen hat; oder seine Haltung zu den Sakramenten, die er den Kirchgängern erhalten wissen will. „Nur, warum dann diese Geringschätzung der Kleriker", fragt Augstein, „jener Leute also, die man zur Ausbildung von Sakramenten und Litaneien doch unentbehrlich braucht [...]?" (L 173, 78). Aber das scheint mir kein so großer Widerspruch; zunächst gibt es bei Böll ja doch eine ganze Reihe positiver Kleriker – sie sind meistens arm, mit proletarischem Anhauch –, und zweitens unterscheidet ja die katholische Kirche selbst streng zwischen Person und Amt. Wenn man davon ausgeht, daß ein Romancier seine Gesellschaft in möglichst gerechter Proportionalität darstellen soll, muß man Augstein natürlich recht geben, wenn er sagt: „Nur scheint mir, Protestanten und Dissidenten sind bisher nach dem Proporz bei Böll zu kurz gekommen [...]. Gemessen am Bundesdurchschnitt, gibt es in Bölls Topographie zu viele Kirchen, Dome, Kathedralen [...] (S. 78).

Von einer anderen Seite geht Klaus Harpprecht an das Problem heran (L 173, 82–92). Er reflektiert über Bölls Kritik am Verhältnis von Staat und Kirche: „Böll hält es womöglich für das entscheidende Versäumnis des deutschen Katholizismus, daß er jene Krisen versäumte und beharrlich am Bürgertum, doch vor allem am Staate klebte, trotz Bismarcks ‚Kulturkampf' etc." (S. 83). Harpprecht meint, diese Kritik Bölls sei nicht ganz gerecht. Man müsse die katholische Anpassung als Reaktion gegen Diskriminierung vor allem im protestantisch-preußischen Staate verstehen. Wichtig scheint mir Harpprechts Hinweis auf das völlige Fehlen Gottes im Werk Bölls: „Von Gott ist in der Tat merkwürdig wenig die Rede. Ist Böll am Ende ein gottloser Katholik? Auch das wäre denkbar, denn wir wissen manchen, für den die Mauern, die Türme, die Beichtstühle, die Liturgie, ja das Gewissen blieben, und Gott war ihnen längst entflohn" (S. 91). Bei Böll, scheint mir, ist es aber die bewußte Betonung des moralischen Anspruchs des Christentums, die Betonung der individuellen menschlichen Verantwortung in der Gesellschaft, weshalb er die metaphysischen und theologischen Aspekte eher in den Hintergrund treten läßt. Sein linkskatholischer Kollege Carl Amery scheint allerdings etwas anderer Ansicht zu sein. Zwar betont auch er Bölls Kritik an der „angepaßten, der bürokratisierten, der smarten, auf ‚die Höhe der Zeit' gebrachten Kirche" (L 173, 96). Aber er weist auch auf eine versteckte Neigung Bölls zum Metaphysischen hin, ja meint sogar, daß gerade diese Neigung Böll auch zum Marxismus hinzieht (S. 97). Das hat vielleicht auch seine Wahrheit, aber man sollte doch nicht unterschlagen, daß auch für Böll der Marxismus eine Anziehungskraft hat als Lösung für ganz konkrete soziale Probleme. Die Bedeutung des Sakramentalen als Einheit von Zeichen und Realität bei Böll, auf die Amery hinweist, könnte ein fruchtbarer Ausgangspunkt für eine Symbolanalyse werden.

Zur allgemein akzeptierten Voraussetzung jeder Diskussion um die Rolle des Katholizismus bei Böll gehört die Trennung der Kirche als Institution von ihren religiösen, spirituellen Aspekten. Diesen Zug hebt Wilhelm Grothmann besonders hervor (L 78), bleibt aber sonst stark in einer Aufzählung der religiösen Charaktere in Bölls Werken stekken, leider ohne Kontext-Analysen der zitierten Stellen. Die Perspektive wird teilweise verzerrt, oder doch mißverständlich dargestellt, wenn es heißt, „Der Tod bezeichnet im Werke Bölls nur selten ein Ende, nach dem nichts mehr folgt". Das legt in diesem Kontext ein Nachleben im religiösen Sinne nahe, was bei Böll jedoch kaum eine Rolle spielt. Ganz ausgeklammert bleiben die verschiedenen literarischen Funktionsmöglichkeiten des religiösen Materials. Informativer ist der Aufsatz von Heinz Hengst „Die Frage nach der Diagonale zwischen Gesetz und Barmherzigkeit" (L 91). Schon der interpretatorische Ansatz ist viel fruchtbarer: „In diesem Zusammenhang ist eher eine Vergegenwärtigung des Interaktionsfeldes von katholischer Religion und Gesellschaftsstruktur beabsichtigt, als die Untersuchung der Frage, wie sich beispielsweise Romanfiguren zu den einzelnen Doktrinen und Riten der Kirche verhalten" (S. 23). Der Aufsatz entfaltet dann ein differenziertes Bild dieses Interaktionsfeldes, das aber strukturell bestimmt ist von der Gegenüberstellung zweier Menschentypen: den „Orthodoxen", deren Religiosität im Vollzug der Riten besteht, und den „Gläubigen", die mehr vom moralischen Anspruch bestimmt sind. Diese Grundstruktur wird dann in ihrer differenzierten Entfaltung durch die einzelnen Werke Bölls verfolgt bis zu den *Ansichten eines Clowns*, in denen nach Hengst Böll „das Thema des Katholizismus ausgeschrieben" habe (S. 31).

Das Thema ‚Katholizismus' bleibt kaum je unerwähnt in der Sekundärliteratur zu Böll, auch wo es nicht im Mittelpunkt der Untersuchung steht. Es seien im folgenden nur noch einige Ansichten referiert. Ulrich Sonnemann, in dessen Aufsatz schlechthin alles, was Böll geschrieben hat, ins Progressive umschlägt, weiß auch im Katholizismus die progressiven Aspekte zu finden, nämlich „das progressive Potential des Katholischseins" als Kraft und Bresche gegen „lutherische Innerlichkeit" (L 173, 136). Wie Harpprecht, findet auch Demetz wenig Transzendenz in Bölls Religion: „Man hat längst erkannt, daß Böll kein katholischer Schriftsteller im orthodoxen Sinn ist; seine Charaktere bewegen sich zwar in einer katholischen Welt, aber das Metaphysische und Transzendente ist ihre Sache nicht. Böll bildet eine epische Welt der Kathedralen und Kirchen, Früh- und Spätmessen, Litaneien und Rosenkränze, Nonnen und Äbte, nicht aber ein Universum mystisch quälender Geheimnisse" (L 47, 231). Hans Joachim Bernhard sieht gerade darin etwas Positives. Für ihn ist das Religiöse sehr ambivalent: „Es ist die Gefahr des religiösen Elends für den Romanschriftsteller christlicher Weltanschauung, die Geschichte nicht als vom Menschen gemachte Geschichte zu begreifen. Es ist seine große Möglichkeit, das Leben nicht aus dem Blickwinkel mühsam verbrämter Selbstbespiegelung darzustellen, die Wirklichkeit, die kapitalistische Umwelt zum Gegenstand kritischer Wiedergabe zu machen und von hier aus zu neuen Einsichten vorzustoßen" (L 22, 91). Bernhard betont deshalb Bölls Insistenz auf die Verantwortlichkeit des Menschen in der Geschichte und weist in diesem Zusammenhang auch auf den Jesuiten Karl Rahner hin, der „dem innerweltlichen Handeln des Menschen ungewöhnlich große Bedeutung" zumißt (S. 92). Daß Böll dem menschlichen Handeln in der Welt größere Bedeutung verleiht als dogmatischen Fragen, bemerkt auch Henri Plard: „Der Schnitt liegt für Böll nicht zwischen Gläubigen und Ungläubigen, sondern zwischen Egoisten und Altruisten ..." (L 136, 62). Auch Schwarz meint, daß das Katholischsein bei Böll noch nicht das Entscheidende ist: „Fast alle Gestalten Bölls sind katholischen Glaubens, und die meisten von ihnen finden sich irgendeinmal vor die Wahl gestellt zwischen Konvention und Liebe im wahrsten Sinne" (L 194, 59). Reich-Ranicki hält Bölls Auseinandersetzung mit dem Katholizismus für oberflächlich: „Eine prinzipielle Auseinandersetzung mit dem Katholizismus enthält seine Epik nicht. Gewiß werden die Kirche, ihre Organisationen, ihre Repräsentanten und manche andere Phänomene der katholischen Welt mit vielen kritischen

Bemerkungen bedacht, aber es handelt sich im Grunde immer nur um eine aus Seitenhieben bestehende Kritik" (L 171, 124). Paul Konrad Kurz weist darauf hin, daß im Frühwerk Bölls noch stärker das Positive der Religion hervortritt und erst nach und nach die Kritik an der Kirche: „Bevor Böll die Katholiken kritisierte, zeigte er ihre Beter" (L 131, 28).

Es besteht also ein allgemeiner und gerechtfertigter Konsensus, daß es bei Böll nicht so sehr um die Theologie des Katholizismus geht als um seine soziale Funktion. In diesem Sinne hebt James Reid ihn ab von Schriftstellern wie Claudel und Mauriac (L 180, 18 f.). Am stärksten ausgeprägt ist eine allgemeine christliche Ethik, die von der Verantwortung zum Nächsten ausgeht, deren Kernwort „Güte" darstellt, ein Wort, das nicht zufällig in der neuesten Erzählung Bölls Katharina Blum insistierend gegen alle angebotenen Schein-Synonyme verteidigt. Dieser Aspekt entwickelt sich manchmal bei Böll bis in die Nähe der reinen Allegorie, die sich schon im Namen ausdrückt, wie die „Kresten" in *Ein Schluck Erde* oder Bonifazius Christ in *Aussatz*. Allerdings darf man die mystischen Aspekte der Religion bei Böll nicht verschweigen, gerade in *Gruppenbild mit Dame* treten sie wieder stärker hervor und geben zum Teil Anlaß, in manchen Besprechungen das Religiöse wieder allzu einseitig zu betonen. Manfred Durzak meldet nicht zu Unrecht wirkungsästhetische Bedenken an: „Es scheint mir symptomatisch zu sein, daß gerade die Szenen, in denen es Böll um die Gestaltung religiöser Durchbrüche geht, häufig auf das Wohlwollen der Leser angewiesen sind. Die psychologische Identifikation, die Böll noch Anfang der fünfziger Jahre bei seinen Lesern voraussetzen konnte, ist inzwischen historisch geworden" (L 52, 37). Allerdings gibt es Anzeichen, daß Religion und Mystik jeglicher Herkunft wieder an Popularität gewinnen;[20] Leni Pfeiffer könnte möglicherweise eines Tages die Rolle spielen, die Hesses Steppenwolf, Demian und Siddharta für einige Zeit übernommen haben.

2.1.8 Der ‚Rheinländer'

Joyce hatte sein Dublin, Grass hat sein Danzig und Böll sein Köln. Zwar weitet bei Böll die Landschaft sich manchmal aus, aber, abgesehen von den Kriegserzählungen, selten über die Grenzen des Rheinlandes hinaus. Ist solche Bezogenheit auf eine bestimmte Region prägend über das bloß Lokale hinaus? Manche Kritiker meinen, ja. So heißt es bei Yuill: „The local associations of Böll's work go beyond mere setting and local colour, for, as a writer, he displays many of the attributes of his fellow citizens: traditional Catholic faith, unquestioned but not unquestioning, level-headedness und practicality, humour and a drastic wit" (L 221, 141). Das sind die Haupteigenschaften, die man den Rheinländern zuschreibt. Solche regionalen Mentalitäts-Muster haben aber immer etwas Fragwürdiges an sich; sie enthalten meist mehr Vorstellungen als Wirklichkeit, seien es nun die witzigen und praktischen Rheinländer oder die tief- und hintersinnigen Schwaben. Am überzeugendsten, weil am konkretesten, hat noch Robert Minder solche Zusammenhänge untersucht. Auf ihn beruft sich auch Werner Ross in seinem Aufsatz über Böll als Rheinländer (L 173, 9–15). Vielleicht lag es an der Verpflichtung, einen Geburtstagsaufsatz schreiben zu müssen, daß Ross dann doch nicht über sehr allgemeine Feststellungen hinauskommt. Zum Rheinländer Böll gehören nach ihm: ,,Bölls Katholizismus, Bölls Narrentum und Bölls vernünftige Humanität" (L 173, 11). Weiter zählt er dazu die Verachtung von Macht und Autorität, auf die Böll selbst gerne hinweist. Auch Karl-Heinz Berger übernimmt diese Kategorie von Böll, wenn er auf die plebejisch-antiautoritären Aspekte Kölns hinweist (L 17, 255). Für Bölls Konzept des Rheinlandes muß man allerdings auch die essayistische Erzählung ,,Undines gewaltiger Vater" (1956) mit einbeziehen, in der dem Klischee vom fröhlichen Rheinländer der schwermütige Rhein entgegengesetzt wird.

Skeptischer gegen solche Verbindung mit lokalen Mentalitätsklischees zeigt sich Hans Joachim Bernhard: ,,Wir denken weniger an den oft berufenen skeptizistischen, weltoffenen Geist seiner Heimatstadt Köln, dessen Einwirken schwer greifbar ist. Böll selbst war sich früh darüber im klaren, wie wenig der ,bürgerliche Unernst' dieser Stadt gegen das faschistische Unheil ausrichten konnte. Wichtiger erscheint uns die Kritik an Militarismus und Nazismus, die zur geistigen Atmosphäre seines Elternhauses gehörte" (L 22,10). Walter Jens geht sogar ins andere Extrem, wenn er meint, Bölls Köln habe mit dem realen sehr wenig zu tun: ,,In Wahrheit aber hat Bölls Köln, sein Dublin-Jefferson-Danzig, mit dem Breitengrad Köln so viel und so wenig zu tun wie Fontanes, Döblins oder Schnurres Berlin mit der Bismarckschen, Stresemannschen oder Reuterschen Hauptstadt" (L 173, 20). Aber zu fragen wäre hier noch, was denn dieses ,,so viel und so wenig" ausmacht. Holthusens Ansicht wurde früher schon zitiert: er sieht in Köln vor allem einen konkreten Schauplatz, mit dem Böll vertraut ist und den er deshalb in kompetenter Weise zur Darstellung bringen kann. Ähnlich heißt es bei Hans Mayer: ,,Köln ist nicht der Kosmos Heinrich Bölls. Es ist bloßer Schauplatz vieler Geschichten dieses Schriftstellers, aber die Situierung erfolgt aus Gründen des literarischen Handwerks, weil sich Böll in seiner Vaterstadt gut auskennt, nicht jedoch aus Gründen einer tiefen Affinität des Kölners Böll zu seinen Landsleuten und Mitbürgern" (L 173, 16). Er geht sogar noch einen Schritt weiter: ,,Köln ist nicht der Kosmos Heinrich Bölls. Wohl eher die Gegenwelt dieses Schriftstellers" (S. 19).

Damit wird aber ein problematischer Aspekt von Bölls Werk zu sehr heruntergespielt. Das rheinländisch-kölsche Milieu ist nicht nur Material für Böll, auch nicht bloß Gegenwelt, es nimmt emotionale und symbolische Funktionen ein. Eine davon wird von Ziolkowski zutreffend als „geography of the soul" bezeichnet. Eine Geographie der Innerlichkeit ist es tatsächlich, die die rheinländische Provinz von der ‚großen' Welt, ‚draußen', abhebt. Und hier beginnt eben die früher schon diskutierte Problematik des Provinziellen bei Böll.

Die Frage, ob es so etwas wie regionale Mentalität überhaupt gibt und, falls ja, welche Relevanz sie für einen Autor hätte, bedarf noch eingehender wissenschaftlicher Untersuchung. Zu fragen wäre: welche Faktoren haben Anteil an einer solchen Mentalität? Pflanzt sie sich über Generationen hinweg fort, und hält sie sich auch noch, wenn die gesellschaftlichen Bedingungen einer Region sich längst geändert haben? Literaturgeschichtliche Unternehmen wie das von Joseph Nadler haben die wissenschaftliche Analyse solcher Probleme eher verhindert als gefördert. So greift man mit kritischer Neugier nach einer neueren Publikation zu diesem Thema: der Monographie von Manfred Windfuhr über rheinische Sozialkritik von Spee bis Böll (L 214). Aber selbst Windfuhrs ausgewiesene wissenschaftliche Qualität vermag nicht die Schatten Nadlers zu überkommen. Die Kürze des Buches erlaubt weder eine angemessene Reflexion der Prämissen noch die Darstellung von genügendem Material. Allzu kursorisch und zum Teil zufällig erscheinen einzelne Beobachtungen zu einigen rheinländischen Schriftstellern, wobei in einzelnen Fällen zudem noch Fragezeichen zu setzen wären. So heißt es über Böll: er „setzt nicht auf die kirchlichen Institutionen und leitenden Gremien, sondern auf den einzelnen Katholiken, aus dem Arbeiter- und Kleinbürgerbereich" (L 214, 34). Aber setzt Böll wirklich auf diese Leute? Stellt er sie nicht vielmehr als hilflose Opfer dar, bestenfalls noch im ohnmächtigen Protest der Verweigerung? Am ehesten läßt sich das Thema von zwei Aspekten her aufklären: das Rheinländische als historisch-soziale Basis des Werks und als symbolische Funktion im Werk.

2.2 Die einzelnen Werke

2.2.1 Die Kurzgeschichten

Seit 1947 publizierte Böll Kurzgeschichten und Erzählungen. Bereits 1950 erschien eine Sammlung von 25 Erzählungen unter dem Titel *Wanderer, kommst du nach Spa*... Auch wenn sie Böll nicht unmittelbar Ruhm einbrachten, machten sie doch in kleinen Kreisen einen beachtlichen Eindruck. Diese erste Wirkung faßte Hans Bender 1961 zusammen: „Als wir ‚Wanderer, kommst du nach Spa...' zum ersten Male lasen, hatten wir den Eindruck: diese Sprache stimmt. Den Kontrast zwischen Profanem und Sakralem, zwischen Religion und Reklame, den Böll aufzeigte, war der Kontrast, der auch uns durchschnitt."[21]

Die Kurzgeschichte war damals in Mode. Man griff nach ihr als einer Form, die auf jeden Anspruch der Totalität verzichtet, die stattdessen Schlaglichter und Lebensfragmente setzt. Dazu kam, daß durch die Öffnung nach außen auch in Deutschland Autoren wie Hemingway wieder gelesen werden konnten, und auch begierig gelesen wurden. Böll selbst möchte allerdings den Einfluß des Auslandes eher einschränken: „ Natürlich war die amerikanische Short story damals ein sehr starkes Erlebnis für uns alle. Wir haben ja alle viele Kurzgeschichten geschrieben nach 1945. Aber ich habe merkwürdigerweise schon, als ich anfing zu schreiben, mit 18 oder 17 oder 19, sehr gern kurze Prosa geschrieben. Ich glaube, daß da eine deutsche Affinität zur kurzen Prosa mitspielt" (L 195, 29). Zwar stimmt es, daß in Deutschland schon im 19. Jahrhundert eher die Novelle als der Roman florierte. Aber die auffallende Vorliebe für die Kurzgeschichte in den fünfziger Jahren entstammt anderen historischen Bedingungen, über die noch zu sprechen ist. Wie sehr die Kurzgeschichte mit der frühen Nachkriegszeit verknüpft ist, zeigt nicht nur die gesamte Literaturentwicklung in der Bundesrepublik, sondern gerade auch Bölls eigene Entwicklung. Die 1972 erschienene Sammlung *Erzählungen 1950-1970* enthält 43 Erzählungen, wovon 33 aus den fünfziger Jahren stammen, nur 9 aus den sechziger Jahren und eine von 1970. Von den 33 Erzählungen aus den fünfziger Jahren sind wiederum 23 vor 1955 entstanden. Es sind denn auch hauptsächlich diese ersten Publikationen, auf die der von Ziolkowski charakterisierte Kurzgeschichtenstil zutrifft: „idiomatic dialogue, a style that is economical to the point of understatement, first person narrative, war experience – and the characteristic ironic twist showing the underdog in mild rebellion against ‚the system‘ " (L 225, 215). Wenn also von manchen Kritikern Bölls Zuwendung zum Roman auf Kosten der Kurzgeschichte bedauert wurde und wird, so wäre zu fragen, ob diese Entwicklung nicht doch objektive historische Gründe hatte.

Die Kurzgeschichte und ihre historische Angemessenheit für die Nachkriegszeit ist Objekt zahlreicher Untersuchungen geworden. Hans Bender versuchte 1962 eine „Ortsbestimmung der Kurzgeschichte".[22] Die Eigenschaften, die er der Kurzgeschichte zuschreibt, treffen zum großen Teil auf Böll zu: „Die Lösung ist unwichtig. Die Frage allein wird zum erregenden Moment" (S. 205). „[...] sie soll dem Leben gleichen, richtiger, einem Lebensabschnitt und möglichst dem eines nicht erhöhten, sondern eines mittelmäßigen Lebens" (S. 206). Und als wichtigstes Merkmal, das vor allem dem Einfluß Hemingways zuzuschreiben ist, darf wohl der „untertreibende Stil" (S. 218) gelten. Diese Stiltendenz, die natürlich leicht wieder zur Manier werden kann, schien damals die geeignete Reaktion auf eine durch Nazipropaganda und -literatur verseuchte und korrumpierte Sprache. Der pompösen Rhetorik folgt das *understatement*. Allerdings fehlt es beim frühen Böll, wie gezeigt wurde, nicht an Momenten, wo die kühle nüchterne

Sprache in Lyrizismen übergeht. Bender sieht denn auch Kontrastwirkung als Hauptmoment von Bölls Kurzgeschichten (S. 219).

In ihrer Darstellung der Entwicklung der Kurzgeschichte läßt Ruth J. Kilchenmann Böll in ambivalentem Licht erscheinen (L 117). Einerseits lobt sie die „Dichte" in der Erzählung *Wanderer, kommst du nach Spa...*, die dadurch erreicht werde, daß die zwei Welten (gemeint ist die gymnasiale Bildung und die brutale Kriegswirklichkeit) „lediglich durch Dinge dargestellt" seien (S. 76). Aber später heißt es dann kritischer: „Die Thematik ließ auch bei Böll im Anfang Form- und Stilbrüche vergessen, deren man sich erst später bewußt wurde und die einmal mehr zeigen, wie theoretisches Erkennen und künstlerisches Gestalten auseinanderfallen" (S. 164). Zu untersuchen wäre hier, ob im einzelnen Fall tatsächlich ein Stilbruch vorliegt, oder ob hier vielleicht gerade das von Bender erwähnte Kontrastprinzip als bewußtes Formmittel vorliegt. Kilchenmann scheint von einem sehr dogmatischen Genre-Begriff auszugehen, nach dem reflektive Elemente der Kurzgeschichte nicht erlaubt werden: „Immer wieder unterbrechen Erklärungen und Erläuterungen die Darstellung; die Dichte von Borcherts *Das Brot* oder *Die Küchenuhr* liegt Böll nicht und ist ihm nie gelungen" (S. 164 — Diese Feststellung widerspricht der oben zitierten).

Meist wird, wo von Bölls Kurzgeschichten die Rede ist, die nüchterne Sprache erwähnt. „Die karge und schmucklose Sprache", heißt es bei W. J. Schwarz (L 194, 15). Er gibt im übrigen hauptsächlich kurze Inhaltsangaben zu einigen Erzählungen. Wo Interpretation hinzukommt, geht sie manchmal schief, wie das schon zitierte Beispiel seiner Deutung der Erzählung *Über die Brücke* gezeigt hat (vgl. 2.1.5). Hauptsächlich als Interpretationshilfen für den Schulunterricht sind zwei von Hirschenauer herausgegebene Bändchen gedacht, eine Anthologie von Interpretationen zu einzelnen Erzählungen (L 93). Sie reichen von der ausgeweiteten Inhaltsangabe bis zur reinen Stilanalyse. Ziemlich einheitlich ist der etwas feierliche und verhaltene Ton. Selten findet sich *kritische* Analyse. Zweifellos spielte der Schulunterricht für die Rezeption der Böllschen Kurzgeschichten eine wichtige Rolle. Das wird auch von Schulpädagogen selbst mit Stolz vermerkt: „Die Schule kann es sich zum Verdienst anrechnen, das Werk des frühen Böll, wenn nicht mitentdeckt, so doch in hohem Maße mitverbreitet zu haben. Die Kurzgeschichten Bölls aus dem Jahre 1947 bis 1951 zählten in den fünfziger Jahren in der Schule zu den beliebtesten Unterrichtsgegenständen im Bereich der Gegenwartsliteratur" (L 224, 53). Jochen Vogts schon zitierte kritische Anmerkungen zu dieser Beliebtheit (vgl. 2.1.5 und L 206) sind aber im Sinne zu behalten. Die Vermutung, daß ideologische Gründe mitspielen, wird von Werner Zimmermann indirekt bestätigt. Zwar nennt er als Gründe hauptsächlich lernökonomische und ästhetische (L 224, 54). Zu den ästhetischen Gründen gehört nach Zimmermann unter anderem das Authentische: „Aber auch unter dem Gesichtspunkt des literarischen Ranges scheinen die kurzen Texte der Frühzeit bedeutsam, insofern ihre Authentizität oft größer ist als die manches späteren voluminöseren Werkes" (S. 52). Was das konkret für die Interpretation bedeutet, zeigt die Anwendung auf die gesellschaftskritischen Elemente: „Bedrohung des Humanen durch die Welt der Apparate, der Automatismen, der perfektionierten Bürokratie. [...] sein kleiner privater Widerstand richtet sich gegen eben jene inhumane Welt der Zwänge und Mechanismen, deren sich die rebellierende Jugend unserer Tage, jedenfalls die, wo ihr Engagement aus einer existentiellen Erfahrung erwächst" erwehrt (L 224, 59). Das Authentische erscheint hier als existentielle Erfahrung, und da diese als ästhetischer und implizit auch ethischer Wert gilt, wird der Protest, der der gesellschaftlichen Analyse entspringt, abgewertet. Ausgedrückt ist das auch in der Abstraktheit der Objekte: die Welt der Apparate und Automatismen, nicht aber die Besitzer dieser Apparate, von denen die existentielle Erfahrung ja auch nicht direkt betroffen wird.

Ähnliche Tendenzen lassen sich in den Interpretationen zum Deutschunterricht immer wieder erkennen. *Der Deutschunterricht* hatte 1957 und 1958 je ein Heft dem Thema der Kurzgeschichte gewidmet. Neben sachlichen Interpretationen und langwierigen Übungen in Textimmanenz finden sich auch Deutungen des „Wesens" der Kurzgeschichte, deren Vokabular in ironischem Kontrast zu einer häufigen Tendenz der damaligen Kurzgeschichte steht: dem Protest gegen die faschistische Sprachinflation. Obwohl das Sprachinventar des Hitlerreichs durch das aufklärerische ‚Wörterbuch des Unmenschen' als Taschenbuch eine breite öffentliche Wirkung erreichte, wird hier immer noch mit demselben Vokabular operiert. So wird von Helmut Motekat das Wesen der damaligen Kurzgeschichte noch „aus den Tiefen des deutschen Wesens" abgeleitet (L 157, 35) und von der amerikanischen short story unterschieden, der ein „durch die geistige Tradition lebendiges deutsches Wesenselement" fehlt: die „unabweichliche Frage nach dem tieferen, dem eigentlichen Sinn eines erzählten Geschehens" (S. 21). Solche deutschen Tiefen werden dagegen Böll aufgeladen. In einem solchen Kontext wird es auch nicht mehr verwundern, wenn die ‚Frau ohne Unterleib' in „So ein Rummel" als „Verkörperung des Fraulich-Mütterlichen" interpretiert wird. Sachlicher und sinnvoller ist die Interpretation derselben Erzählung von Anneliese Phlippen, die gerade die „Demaskierung der Mutter" und der ganzen „friedlichen Bürgerlichkeit" aufzeigt (L 165, 72). Wichtig ist ihr Hinweis auf das offene Ende: während fröhlich Geschäfte abgeschlossen werden, gehen die tödlichen Spiele der Kinder weiter. In der Mehrzahl aber sind die Interpretationen verharmlosend und harmonisierend. Selbst *Wanderer, kommst du nach Spa...* wird reduziert auf bloße Fatalität, „die Nichtigkeit des Menschen gegenüber der ungeheuren Macht des Schicksals"; der verstümmelte Soldat „liegt nun da, vom Schicksal ergriffen, wie das unerbittliche Gesetz es befahl" (L 133, 84 f.).

Einzelne Erzählungen sind auch an anderer Stelle im einzelnen analysiert worden. Curt Hohoff untersucht die Symbolik von rot-weiß in der Erzählung *Im Tal der donnernden Hufe* (L 173, 192—198). Die Verbindung von Sexualität und Aggression, die sich in dieser Erzählung deutlich hervorhebt (manchmal vielleicht zu plump, z. B. in der Beschreibung der Pistole als Penis) wird von Hohoff mystifiziert: „Die Pistolenszene ist das Negativ Jerusalems, die Hölle des Krieges, wo dämonische Lust im Spiel ist" (S. 196). Schließlich erklingt auch wieder einmal der (hier nur leicht versteckte) Ruf nach Bindungen: „Niemand kann der Jugend einen Weg zeigen. Konventionen und Tabus, welche früher ein solidarisches Verhalten der Gesellschaft erzwangen, werden nicht mehr gehalten. Ödheit regiert die Herzen dieser Welt" (S. 198).

Karlheinz Daniels untersucht die zwei Kurzgeschichten *Steh auf, steh doch auf* und *Der Wegwerfer*. Beide sind nach ihm Allegorien des Künstlers, die erstere eine Art Darstellung des künstlerischen Schöpfungsprozesses in Jungschen Archetypen, die zweite eine Darstellung des Künstlers in der Gesellschaft (L 46). Obwohl Daniels in der Einleitung beklagt, daß es zuviel vordergründige Inhaltsanalyse gebe und zu wenig Beachtung der künstlerischen Form, scheint mir sein eigenes Verfahren eher unmethodische Spekulation, als was er anfangs verspricht. Im Falle der ersten Erzählung finden wir eine ziemlich naive Identifizierung der von Böll beschworenen Bilder mit Jungschen Erklärungen. Man mag sagen, daß diese Bilder dadurch sich stringent erklären ließen. Aber ebenso stringent ließe sich die ganze Bildentfaltung als Prozeß einer Konfrontation mit der Vergangenheit deuten. Die bloße Stringenz hat aber noch keine hermeneutische Evidenz. In der zweiten Geschichte hat Daniels völlig den satirischen Charakter übersehen (obwohl er einmal von satirischer Form spricht, ohne sie näher zu bestimmen). Charakteristisch für die Gesamtinterpretation ist die poetologische Prämisse der Realitätstranszendenz: „Es ist ein Kennzeichen echter Dichtung, nicht zuletzt auch der modernen Kurzgeschichte, den Rahmen einer wie immer gearteten Realität zu übersteigen und Bezüge aufzuweisen, die auf ein Dahinterstehendes, Erkennbares oder Erahnbares weisen" (S. 31). Dieses Dahinterstehen wird dann tiefsinnig und hintergründig hervorgeholt, während die köstliche Satire zum Opfer fällt. Statt einer Satire auf gesellschaftliche Produktionsprozesse und entfremdete Arbeit erscheint nun eine Allegorie des romantischen einsamen Künstlers. Als Beleg dafür gilt unter anderem, daß Böll (meiner Ansicht nach bewußt und in satirischer Absicht) gewisse biographische Klischees benutzt, so daß der Held schon als Kind Anzeichen seiner späteren Tätigkeit zeigt. (Der Wegwerfer untersucht schon als Kind den Papierkorb seines Vaters!) Unfreiwillig komisch wird die Deutung der Reiseprospekte, die das Kind so gerne sammelt: „das ganze Panoptikum der Welt und dessen Spiegelung eines jungen Menschen scheint uns hier vortrefflich eingefangen. Das ganze Leben wird auf diese Weise im Sinne einer vorweg-nehmenden ‚Präexistenz' [...] theoretisch vorausgefühlt" (S. 12).

Der Wegwerfer wurde fast gleichzeitig noch einmal Gegenstand einer ausführlichen und allerdings ernsthafteren Untersuchung. Jezior-kowski zeigt, wie in dieser Geschichte Ökonomie und Kalkül zu einer Orwellschen Utopie verarbeitet sind (L 105). Er weist darauf hin, wie Böll Absurdität und Scheinbedürfnisse verknüpft: „Die Konsequenz des Absurden wird in dem Vorschlag, daß gleich in den Druckereien weggeworfen werden sollte, gewahrt und auf die Spitze getrieben durch die Inkonsequenz vor dem allerletzten Schritt, der die Kon-struktion zu Fall brächte. Auch dieser Gedanke kann als satirische Spitze gegen jede Art künstlich geschaffener Notwendigkeiten und In-stanzen gelten, die auf Scheinbedürfnissen aufbauen und den Anschein berechtigter Existenz nur dadurch wahren, daß sie die Konsequenz des letzten Schrittes vermeiden" (S. 38). Eine minuziöse Wortschatzunter-suchung gibt der Interpretation ein solides Fundament.

Zu den Glanzstücken der Einzelinterpretation gehört Cesare Cases' „‚Die Waage der Baleks', dreimal gelesen" (L 173, 172—178). Hier ver-bindet sich literarisches Fingerspitzengefühl mit analytischer Schärfe. Die dreimalige Lesung ist ein dialektischer Interpretationsprozeß. Die erste Lesung erbringt den Eindruck einer einfachen und für den durch-schnittlichen Leser überzeugenden Geschichte: „Der Leser, und zwar der einfache Leser, der mit der heutigen Literatur sonst nicht viel an-fangen kann, kommt auf seine Rechnung und wird dazu gegen die Obrigkeit eingenommen, was nie schaden kann" (S. 174). Eine zweite Lesung scheint den ersten Eindruck zu widerlegen: psychologische und soziologische Widersprüche werden sichtbar. Psychologisch: Selbst deutsche, bzw. k. und k., Untertanen können nicht so dumm sein. So-ziologisch: die unbefriedigende Überlagerung von feudaler und kapita-listischer Ausbeutung — das Hauptrequisit, die Waage, paßt da nicht hinein; eine feudale Ordnung braucht sie nicht, eine kapitalistische wäre genau: „Was kann bei totaler Unterdrückung dieser armselige Ex-tragewinn für sie bedeuten? Vielleicht eine rein ästhetische Freude am Betrug? Aber das ist ein ganz und gar unkapitalistisches Gefühl. Die kapitalistische Ausbeutung setzt genaue Waagen voraus, mit falschen würde sie in sich zusammenbrechen" (S. 175). Zudem kommt noch die Gefahr, daß das Detail der falschen Waage die wahre Ausbeutung verdeckt: „In der Tat, was die Dorfbewohner tötet, ist die mörderi-sche Arbeit in den Flachsbrechen, nicht die fünfeinhalb Deka, um wel-che sie beim Verkauf ihrer Pilze geprellt werden; nicht die falsche Waage, sondern die angeblich richtige" (S. 175). Eine dritte Lesung läßt eine Vermittlung sichtbar werden: das falsche Detail der Waage wird zum novellistischen Wendepunkt, in dem die wahre gesellschaft-liche Situation aufscheint, durch das Unwesentliche wird das Wesent-liche zum Bewußtsein gebracht. Damit erscheint diese Kurzgeschichte als klassische Novelle mit Wendepunkt und ‚Falken', und in der Novellenstruktur zeichnet sich ein dialektischer Bewußtseinsprozeß ab. Cases könnte einen überzeugen, daß zumindest in dieser Erzählung Böll die Verbindung von Einfachheit und Komplexität künstlerisch gelungen ist. Ist es Zufall, so fragt man sich, daß diese Interpretation vom Schulunterricht ferngehalten wird?[23]

Es liegt wohl an der früher skizzierten Entwicklung Bölls wie auch an der gesamten literaturhistorischen Situation, daß die späteren Kurzgeschichten Bölls wenig Aufmerksamkeit gefunden haben. Ein Blick auf die bisher zuletzt erschienene Kurzgeschichte „Epilog zu Stifters ‚Nachsommer'" (E, 435–442) ist aber aufschlußreich. Fast scheint es, als übe Böll hier Selbstkritik in parodistischer Fortführung von Stifters *Nachsommer*. Zumindest zeichnet sich eine ironische Distanz zu manchen früheren Tendenzen in Bölls Werk ab. Böll hatte nicht nur oft in positiver Weise auf Stifter hingewiesen, vor allem in den Frankfurter Vorlesungen, sondern die idyllischen Regressionen in die Natur und die Provinz (die allerdings bei Stifter auch ihre Kehrseiten haben) spielen bei Böll nicht selten eine wichtige Rolle. In dieser Kurzgeschichte wird nun gerade das in solcher Idyllik Verdrängte an die Oberfläche gebracht. Allerdings läßt sich auch diese Erzählung mit einer kontinuierlichen Tendenz Bölls verbinden, mit seiner Kritik am schönen Schein der Ordnung der Gesellschaft. Günter Wirth möchte in einer ausführlichen Interpretation dieser Erzählung darin nicht so sehr eine Kritik an Stifter sehen als eine Kritik an „Stifter im Futteral", an jenem Stifter, „den sich die deutsche Reaktion in ihr ideologisches Porzellan gefaßt hat und das zu zerschlagen sicher nützlich ist" (L 218, 1036).

Eine auffallende allgemeine Tendenz der späteren Kurzgeschichten Bölls ist eine gewisse Abwendung vom reinen Erzählen und eine überwiegende Tendenz zum Essayistischen und Reflektiven, zum Teil auch zum Allegorischen, wie etwa in der Geschichte „Er kam als Bierfahrer" (E, 420–426).

2.2.2 ‚Der Zug war pünktlich'

Bereits 1949 erschien die ausgedehnte Erzählung oder der kurze Roman, wie man will, *Der Zug war pünktlich*. Nach Gert Kalow ist diese Erzählung ein Genie-Entwurf, den Böll nie wieder erreicht habe (L 112). Die Geschichte mit ihrer erfüllten Todesahnung eignet sich besonders gut für raunende Mystifizierung, wie sie von Kalow zelebriert wird. Man muß deshalb wohl ein Fragezeichen setzen, wenn es bei Yuill heißt: „There is certainly nothing romantic or heroic about the soldiers in *Der Zug war pünktlich*" (L 221, 142). Werner Liersch zeigt dagegen eine gefährliche Fatalisierung des Krieges auf (L 142). Allerdings ist Yuills Bemerkung nicht aus der Luft gegriffen. Denn in dieser Erzählung zeigt sich eine besondere Eigenart Bölls: die Kontrast-Technik, durch die unverklärte Alltagswirklichkeit konfrontiert wird mit mystisch-transzendenten Aspekten. Das mag zum Teil die widersprüchlichen Urteile begründen. So sieht einerseits Ziolkowski hier bereits einen Höhepunkt: „Never again has Böll written a story of such closed perfection and inevitability. [...] It is an artistic tour de force, but one that cannot and should not be repeated" (L 225, 217). James Reid dagegen bewertet zwar den Anfang positiv, findet aber den zweiten Teil melodramatisch und sentimental (L 180, 32 f.).

Eine differenzierte Analyse hat Hans Joachim Bernhard unternommen (L 22). Er untersucht zunächst die novellistische Struktur und ihre Bedeutung für den Kurzroman. Auf die Novellenstruktur hatte Ziolkowski schon 1960 hingewiesen (L 225, 216). Der Aufweis einer novellistischen Tendenz bei Böll ist überraschend, wenn man Bölls abwertenden Vergleich mit der Kurzgeschichte dagegen hält, von der er sagt, sie sei ein „Abschied von der Novelle, die eine sehr aristokratische Form der kurzen Prosa ist" (L 182, 29). (Daß das Adjektiv ‚aristokratisch' im Zusammenhang mit Böll abwertend aufgefaßt wird, bedarf wohl keiner ausführlichen Begründung.)

Bernhard hebt außerdem die Bedeutung des Bild-Motivs hervor: „So erweist sich das Bild-Motiv als strukturbildend, da es ein prädisponiertes Geschehen umschließt, durchdringt, folgerichtig in seinen entscheidenden Phasen lenkt" (S. 18). Die Todesgewißheit wird zur „unerhört sich ereigneten Begebenheit" (S. 18 f.). Diese Begebenheit führt in eine „Grenzsituation, eine existentielle Krisensituation" (S. 19). Damit macht Bernhard zugleich auf ein wichtiges Moment beim frühen Böll aufmerksam, die Neigung zum Existentialismus, der in den ersten Nachkriegsjahren auch sonst in Deutschland Sympathie fand. Bernhard analysiert weiter die Temporalstruktur und zeigt auch, wie durch eingeblendete Parallel-Schicksale (z. B. des Blonden, dessen Eltern am Krieg verdienen) die Perspektive schon etwas zum gesellschaftlichen Horizont geöffnet wird. Aber im großen und ganzen „verharren die gesellschaftlichen Kräfte, die den Krieg heraufbeschworen, in deren Interesse er geführt wird, im Dunkel. Sie erscheinen als ‚Stimmen'. Böll hält sie mit motivischen Mitteln ständig gegenwärtig. Es sind die immer wieder erwähnten ‚sonoren Stimmen', die den Zug weiterlenken und die Menschen in den Tod treiben" (S. 26 f.). Zu fragen wäre aber, ob Bernhard nicht den späteren Böll auf den früheren zurückprojiziert, wenn er die starke Dominanz des Angstgefühls „nicht als existentialistisches Lebensgefühl schlechthin" interpretieren will (S. 37 f.). Allerdings kann er für sich argumentieren, daß die Angst durch die konkrete Kriegssituation und den drohenden Tod hinreichend motiviert ist.

2.2.3 ‚Wo warst du, Adam?'

Mit diesem Roman, der 1951 erschien, nimmt Böll wieder das Kriegsthema auf. In einem Motto von Saint-Exupéry erscheint der Krieg als

Krankheit. Diese Krankheits-Analogie hat schon Paul Konrad Kurz kritisiert, weil „die Krankheit dem Bereich der Natur, der Krieg aber jenem der Geschichte und damit der Verantwortung zugehört" (L 131, 22). Fast erscheinen hier die Rollen vertauscht, wenn der Jesuit Kurz die Krankheitsmetapher kritisiert, der Marxist Bernhard sie aber verteidigt: „Dieses Bild trifft das Widerwärtige, Verabscheuungswürdige und Gefährliche am Krieg. Aber es erschöpft sich damit nicht. Es erfaßt auch die Spezifik der zentralen Lage des Werks. Eine Krankheit hat Ursachen" (L 22, 60 f.). Ursachen schon, aber, wie Kurz zu Recht bemerkt, solche, die dem Bereich der Natur angehören und nur in beschränktem Maße der Verantwortung des Menschen. Zumindest lädt eine solche Metapher zu Mißverständnissen ein, indem sie die Ursachen als vom menschlichen Handeln ausgehende eher verbirgt und fatale Schicksalhaftigkeit nahelegt.

Aber auch ein anderer DDR-Kritiker, Karl-Heinz Berger, verteidigt den Roman: „Eine solche Erzählhaltung mag latente Bereitschaft zum Fatalismus wecken und fördern, mag zum Mythos von einer ‚verlorenen' und ‚geschlagenen Generation' beitragen, sie zielt aber im Kern auf das Bewußtmachen von Schuld und Verbrechen, sie geht an gegen das Vergessen und ist also bleibende Mahnung" (L 17, 282). Ziolkowski unterscheidet zwischen „destiny" in *Der Zug war pünktlich* und „chance" in *Wo warst du, Adam?* (L 225, 217).

In mancher Hinsicht ist *Wo warst du, Adam?* ein Übergangswerk. Hans Schwab-Felisch weist auf die immer noch nicht überwundene Tendenz zu überladener Symbolik hin (L 173, 169). Dagegen betont Bernhard die Unterschiede zum früheren Kurzroman: die Handlung ist nicht mehr so stark auf ein Individuum hin angelegt, sondern zielt durch Parallel-Episoden auf eine größere Breite (L 22, 42 ff.). Bernhard kann bereits hier die Technik der Personengruppierung aufweisen, die dann in *Gruppenbild mit Dame* schon durch den Titel als Strukturprinzip angedeutet ist. Weitere Struktur-Elemente werden von James Reid hervorgehoben. Der Roman habe „the narrative structure characteristic of Böll's novels, one that is based not on plot, time and character, but on montage and leitmotiv" (L 180, 34). Er weist außerdem auf die Bedeutung der Leitmotive hin.

A. Eljaschewitsch bemerkt in einem Artikel, wie sich in *Wo warst du, Adam?* spätere Erzähltechniken vorbereiten: dies „ist ein Buch, in dem sich der schöpferische Stil des reifen Böll erst herauszubilden begann, aber schon hier sind viele seiner Komponenten zu erkennen: sorgfältige Schilderung der Lebensweise, Hang zu einzelnen, der Logik der Fabel nach unerwarteten ‚Großaufnahmen' und überhaupt breite Einbeziehung von filmtechnischen Verfahren in die Erzählung. Ein breiter ‚Schwenk' und folgerichtige Konzentration des ‚Objektivs' auf eine den Schriftsteller im gegebenen Moment interessierende Figur — ganz so sind die ersten Seiten des Romans geschrieben" (L 56, 1159).

Ambivalent ist Durzaks Kritik dieses Romans. Er bewundert einer-

seits die psychologische Leistung Bölls: die moralische Doppelbödig-
keit des Generals und „die Psychologie des nationalsozialistischen
Führers" in der Figur des Filskeit, in der Durzak eine Vorwegnahme
von Aspekten im Auschwitz-Drama *Die Ermittlung* von Peter Weiss
sieht (L 52, 34). Kritisch fragt er aber, ob „die Beziehungen zwischen
Kriegsgeschehen und dem einzelnen, der zwar geopfert wird, aber moralisch – wie Ilone und Feinhals beweisen sollen – nicht untergeht,
inzwischen nicht zu einer Konstellation wurde, die von der Geschichte,
die ihre Kriege nicht aufgegeben, sondern perfektioniert hat, ausgelöscht wurde" (L 52, 38).

2.2.4 ‚Haus ohne Hüter‘

Stand bisher der Krieg im Mittelpunkt, geht Böll in seinem 1954 erschienenen Roman *Haus ohne Hüter* über zur Nachkriegszeit und den
Folgen des Kriegs. Bezeichnend für Böll ist, daß diese Folgen zuerst in
der Bedrohung der Familien ohne Väter erscheinen. Natürlich kann
man nicht wie Herbert Ahl diesen Roman reduzieren auf eine ab-
schreckende Erzählung gegen ‚Onkelehen‘: „Die Erfahrung hat ihn
[Böll] gelehrt, daß Traktätchen und fromme Sprüche solche Frauen
nicht kurieren, sondern höchstens das Grauen vor dem Elend, der
Schreck vor dem Schrecken. Deshalb hat er die abgründige und unter-
gründige Welt dieser Onkelehen einmal durchleuchtet" (L 1, 67). Zu
einer Onkelehe gehören aber nicht nur „solche Frauen", sondern auch
die ‚Onkels‘, und – für Böll sehr wichtig – die gesellschaftliche und
existentielle Situation.

Günter Wirth kommt dem Problem näher, wenn er auf die Bedeutung der Familie bei Böll hinweist. Allerdings scheint er mir dem religiösen Aspekt zuviel Gewicht beizumessen. Denn man muß keineswegs „die katholische Auffassung von der Familie parat haben, um
verstehen zu können, daß Böll den ‚Familienroman‘ als Gesellschafts-
roman schreibt, weil im Sinne der traditionellen katholischen Sozial-
lehre und im Bewußtsein der Katholiken die Familie eine ‚gesellschaftliche Ordnungsmacht‘ ist" (L 216, 89). Die Familie als ‚Pfeiler der Gesellschaft‘ und ‚Kernzelle des Staates‘ gehörte lange genug zum Kli-
scheebestand der Schullesebücher und oft genug zum einzigen Inhalt
der Sozialkunde. Und je repressiver der Staat, desto mehr wird er die
Familie schätzen als jene Stätte, wo das Über-Ich am nachhaltigsten
geformt werden kann. Ebensowenig muß man für die Haussymbolik
unbedingt katholische Theologie zu Hilfe nehmen, wie Wirth (S. 97)
andeutet. Unverständlich ist mir seine Interpretation der Großmutter:
„verrückt ist diese Gestalt deshalb, weil sie nicht mit der Zeit mitge-
gangen ist, weil sie sich nicht ‚angepaßt‘ hat an die neuen gesellschaftlichen und menschlichen Beziehungen, weil sie die sie umgebende
Wirklichkeit an den Erfahrungen aus der Zeit der faschistischen Barba-

rei mißt und weil sie damit zu einer schockierenden Größe für jene wird, die konformistisch mit der Zeit mitgehen" (S. 100). Wirth hat hier wohl unbewußt die Großmutter aus *Billard um halbzehn* im Sinne, auf die diese Beschreibung eher zutrifft.

Bernhard versucht wiederum, das Neue an diesem Roman herauszuarbeiten und sieht es in dem Ansatz, „die bisherige Antithetik von moralischer und geschichtlich relevanter Verantwortung aufzuheben. Im Urteil und im Handeln Nellas und Alberts, so begrenzt es letztlich bleibt, werden nationale Erfahrungen wirksam" (L 22, 149). Einleuchtender und bedeutender scheint mir aber Bernhards Entwicklung der utopischen Dimension dieses Romans. Sie erscheint zunächst in dem mehrfach wiederkehrenden Motiv des ‚neuen Lebens' und des ‚Anderswerdens'. Bernhard unterscheidet zwischen beiden: „Das ‚neue Leben' wäre ein Leben mit einem neuen Partner, aber es wäre das alte Leben unter gesellschaftlichen Bedingungen, die unangetastet blieben. Nellas spontaner Protest gegen das ‚neue Leben' ist der Protest gegen ein Dasein, das nicht auf neuen Voraussetzungen aufbaut" (S. 152). Dies erst wäre das ‚Anderswerden'. Die utopische Dimension endet in der Idylle von Bietenhahn am Endes des Romans: sie ist die Gegenwelt zur „bürgerlichen *Geld*-Welt der Holsteges und der Sphäre ‚christlicher' Kultur eines Gäseler [...]. Die real existierenden sozialen Unterschiede, die Klassengegensätze, sind in ihr aufgehoben" (S. 173). Diese Idylle soll wohl rein evokativ-symbolischen Wert haben, sonst wäre sie dem Kitsch näher als der Utopie. Auch lassen sich in dieser ländlich bäuerlichen Welt die archaisch-primitivistischen Tendenzen nicht übersehen.[24] Bernhard sieht im Nebeneinander von Idylle und Satire ästhetische Unausgewogenheit, die „Distanzierungsabsicht und Identifizierungswillen" nicht zu vermitteln vermag (S. 181). Ich würde darin eher einen ästhetischen Reiz sehen.

Die Erzähltechnik wird in diesem Roman schon sehr viel bewußter gehandhabt als in den früheren. Schwarz beklagt sich sogar über zuviel Technik: „In diesem Werk erkennt man überdeutlich Bölls Technik, mit der er einen längeren Roman konzipiert; in ein fertiges Gerüst baut er Personen, Handlungen, Monologe sowie bestimmte Phrasen und Gedankengänge ein, die er immer wieder einflicht, obwohl sie oft nicht recht in die jeweilige Entwicklung passen" (L 194, 28). Er kann auch zwei Fehler nachweisen, aber wegen dieser Versehen die Technik als ganze zu verwerfen, scheint mir unlogisch. Versehen sind ein Mangel an Technik, nicht ihre Folge. Zustimmend zitiert Schwarz auch den französischen Kritiker Maurice Boucher, der sich über eine Eigenart der Böllschen Technik beklagt: „commencer un chapître par ‚il' ou ‚elle' et ne dire que deux pages plus loin de quoi il s'agit" (L 194, 29). Gerade diese Technik hat aber ihren Reiz, indem sie die Figuren nicht einfach setzt, sondern sie nach und nach aus dem Unbestimmten heraustreten und zu ihrer Bestimmtheit gelangen läßt durch die Interaktion mit der erzählten Welt.

Genauer geht Reid auf die Struktur, und zwar vor allem die Leitmotivtechnik im Roman ein und weist unter anderem auf die Bedeutung des Film-Motivs hin. Er spricht in diesem Zusammenhang von einer musikalischen Struktur (L 180, 46), eine Metapher, die auch von sowjetischen Kritikern, wie Glade mitteilt, in bezug auf Böll gern angewendet wird. Ziolkowski hebt ebenfalls positiv die strukturelle Verknüpfung des Romans hervor: ,,Böll is also concerned with weaving a close texture that gives us an almost sensuous impression of the narrated time and in presenting his characters to us in the light of their own experience" (L 225, 219). Roy Pascal zeigt die Funktion der Erinnerung für die Struktur: ,,Am Anfang entfaltet sich die Erzählung vorwiegend in monologischen Abschnitten, die alle Hauptcharaktere in einer inneren Befangenheit verstricken; immer mehr aber gewinnt die direkte Er-Erzählung die Oberhand und befreit damit die Charaktere vom gespensterhaften Druck der Erinnerung" (L 173, 65).

2.2.5 ,Das Brot der frühen Jahre‘

Diese längere Erzählung aus dem Jahre 1955 darf man wohl eher zu den Nebenwerken zählen. Das Mittelpunktereignis, ein plötzliches Überwältigtwerden von der Liebe, die das bisherige Leben von Grund auf ändert, ist nicht leicht nachzuvollziehen. W. P. Hanson interpretiert die Geschichte existentialistisch: ,,[...] a human being decides in favour of authenticity, of acting true to his real self" (L 85, 149). ,Authentizität‘ und ,wahres Selbst‘ sind aber Kategorien, die durch Erfahrung sowie Psychologie und Soziologie zu sehr in Frage gestellt worden sind, um sie so unkritisch wie hier zu verwenden.

Wichtiger aber ist wohl das schon durch den Titel hervorgehobene Motiv des Brotes. Die Vorliebe fürs Brot hat für Böll so etwas wie sakramentalen Charakter, es ist das Symbol *par excellence*, das Zusammenfallen von der kreatürlichen Notwendigkeit des Essens und seiner Zeichenhaftigkeit. Auf einen weiteren Aspekt weist Rudolf Hartung hin: ,,Wo fast alle freudig vergessen, muß einer sich erinnern; darf Bölls Held während seines einen in der Erzählung beschriebenen Lebenstages besessen sein von dem Gedanken an das früher entbehrte Brot" (L 173, 189). Kritisch sieht Hartung die Konzentration aufs Detail in dieser Erzählung: ,,Vorzubringen aber ist vielleicht, daß der Erzähler Heinrich Böll im ,Brot der frühen Jahre‘ manchmal mit zu kleinen Schritten geht" (S. 190). Zugleich weist Hartung aber auf die moralische Bedeutung solcher Detailbesessenheit hin: ,,Bei Böll ist jedoch diese minuziöse Darstellung nicht nur erzählerische Methode, sondern ebenso sehr auch ein moralischer Akt. Wie das Vergangene erinnert wird, so muß die Gegenwart Schritt für Schritt durchwandert werden" (S. 191).[25]

Man möchte glauben, daß gerade diese Erzählung Bölls heute am schwersten nachvollziehbar ist, es sei denn sie würde an die jetzt wieder aktuelle Bereitschaft zur Nostalgie rühren. Umso erstaunlicher ist die höchst positive Wertung eines sonst so kritischen Interpreten wie Manfred Durzak. *Brot der frühen Jahre* ist das einzige Werk Bölls, das von Durzak fast uneingeschränkt positiv bewertet wird. Böll sei es hier gelungen, „die psychologische Kausalität der Nachkriegszeit im Zeichen des Brotes zusammenzufassen und durch die leitmotivische Verwendung dieses Motivs im Zusammenhang seiner Erzählung jeweils in erstaunlicher Verkürzung schlagartig die Situation zu beleuchten" (L 52, 51). Den nahegelegenen „Absprung in die Sentimentalität" habe Böll glücklich vermieden. Obwohl Durzak sich bemüht, seine Wertung jeweils kritisch zu fundieren und in Einzelheiten auch überzeugt, scheint mir im ganzen doch eine Überbewertung vorzuliegen. Dieser plötzliche Sprung in die unbedingte Liebe, die ein ganzes Leben radikal verändert, mag zwar gut gewisse existentialistische Strömungen der frühen Nachkriegszeit einfangen; da sie diese aber nicht transzendiert, verliert sie mit ihnen auch an Glaubwürdigkeit.

In der Reihe „Analysen und Reflexionen" hat Peter Leiser *Das Brot der frühen Jahre* zusammen mit *Ansichten eines Clowns* für den Schulunterricht interpretiert (L 135). Die Auswahl legt nahe, daß auch Leiser dieser Erzählung eine besondere Stellung in Bölls Werk einräumt; doch gibt er keine ausdrückliche Begründung seiner Wahl. Dem Charakter der Reihe entsprechend folgt einer summarischen Inhaltsangabe jeweils die Interpretation. Aus den interpretatorischen Hinweisen Leisers läßt sich schließen, daß er diese Erzählung vor allem gewählt hat, weil sie einige Schlüsselmotive Bölls enthält: das Brot, die Erinnerung in ihrer Ambivalenz, wenn etwa die Wickwebers das große Unrecht des Kriegs und der Nazizeit leicht verwinden und vergessen können, nicht aber das ihnen aus Not zugefügte kleine Unrecht Fendrichs, während dieser eben jene vom Wirtschaftswunder verdrängte Vergangenheit nicht vergessen kann. Mit Recht weist Leiser zudem auf die von der Kritik manchmal unterdrückte gesellschaftliche Differenzierung Bölls hin: „Bölls ‚Brot der frühen Jahre' ist ein literarischer Beitrag zur Widerlegung der Legende von ‚gemeinsam getragenen Entbehrungen' in den bitteren Jahren der größten Not" (L 135, 40). Fendrichs Abkehr von seinem bisherigen Leben und damit von „einer Gesellschaft, in der das Streben nach Macht und Reichtum immer weniger Raum läßt für die Bewahrung humaner Werte" (L 135, 42) kann zudem als Vorwegnahme der in den späteren Werken Bölls so wichtigen Leistungsverweigerung gesehen werden. Diese Konstellation der wichtigsten Motive von Bölls Werk gibt dieser Erzählung pädagogische Bedeutung als Einführung in Böll.

2.2.6 ,*Und sagte kein einziges Wort*'

Mit diesem 1953 bei Kiepenheuer und Witsch erschienenen Roman begann Bölls Ruhm sich auszubreiten. Das Hauptproblem, das sich hier der Kritik stellt, scheint das Verhältnis der religiösen und gesellschaftlichen Komponenten. Otto F. Best möchte die gesellschaftlichen Verhältnisse ausklammern: ,,Es heißt, Bogner empfinde sich als Opfer der Gesellschaft. Das stimmt nur in sekundärer Hinsicht. Bogner, der die ,Gesetze' verachtet, ist das Opfer seines Glaubens, wovon er nach wie vor durchtränkt ist, von dem er sich jedoch eingestehen muß, daß er sich einer Welt angepaßt hat, die nicht seine, Bogners Welt ist" (L 173, 71). Bei Hermann Pongs wird die konkrete Welt Bölls vollends ins Mythische stilisiert: ,,Getrennt leben sie im selben Kimmerien" (L 173, 354). Peter Härtling betont das Konkrete: ,,Er klagt nicht ins Allgemeine, wie es in der Literatur zwischen 1945 und 1950 Stil war. Er traut der Verbindlichkeit des Privaten, statuiert keinen Fall, sondern erzählt eine Geschichte"(L 173, 181). Zugleich weist er auf den Anteil des Gefühls hin, das dem Konkreten sozusagen die Böllsche Aura gibt und es zugleich manchmal sentimentalisiert.

W. A. Coupe sieht fast nur den religiösen Aspekt (L 42), ja er möchte sogar den Roman auf eine theologische Botschaft reduzieren: die Angst in der Welt und ihre Überwindung durch die Religion. Die Antithese zwischen Gott und Welt soll die Grundstruktur ausmachen. Im Gegensatz zu Best meint Coupe, Freds Leiden bestehe gerade im fehlenden Glauben, deshalb habe er nicht die Stütze, die seine Frau im Gebet finde. Das neue Kind, das das Elend der beiden vergrößern wird, scheint hier nur Segen: ,,Frau Franke will resent the new child bitterly and although the druggists would shake their wordly heads over the ,improvidence' of the Bogners, this ,improvidence' in fact constitutes an act of faith on their part, for the child is a ,plant which the Heavenly Father has planted' and for which He will provide" (S. 245). Es gibt jedoch keine Anhaltspunkte im Roman, daß sich Gott des neuen Kindes gnädiger annehmen wolle als der Familie Bogner, deren Leben bis zum Ende im Elend bleibt. Coupe kritisiert auch die Inkongruenz zwischen sozialem Status der Bogners und ihrer erstaunlichen Artikulationsfähigkeit. Interessant ist sein Hinweis auf die Ambivalenz der Armut, gegen die der Roman sich einerseits wendet, die er andererseits in christlichem Lichte tendenziell verklärt. Die Ambivalenz könnte aber auch als Darstellung eines unglücklichen Bewußtseins gelesen werden, das zwischen zwei Welten hin und her gerissen wird. Und angesichts dieses Bewußtseins könnte man auch Best zustimmen, daß die Bogners Opfer ihres Glaubens sind, wenn nicht der Böllschen Intention nach, dann doch der Sache nach.[26]

Günter Wirth kritisiert den Abschluß des Romans: ,,Böll macht bewußt oder unbewußt die Konsequenzen der Ansätze seiner Fabel rückgängig, indem er Fred durch einen jener Priester nach Hause schicken

läßt, von denen er zu Beginn der Erzählung sagt, daß sie durch ihre
,saubergebürstete Soutane' [...] den Armen ihre Armut noch deutlicher zum Bewußtsein bringen" (L 216, 84). Der Schluß hat tatsächlich eine fatale Tendenz, die vorausgegangenen Bedingungen zu verklä-
ren, auch wenn sachlich sich an den Verhältnissen der Bogners nichts
geändert hat. Die emotionale Wirkung der Wiedervereinigung des Paars
läßt die reale Situation des Elends leicht vergessen.

Im Gegensatz zu Best und Coupe stellt Bernhard die Gesellschaftskritik in den Vordergrund. Er kann Belege im Roman finden: ,,Den
Schlüssel haben wir mit Freds Worten in den Händen: ,Die Armut hat
mich krank gemacht'" (L 22, 125). Dementsprechend erhalten hier die
religiösen Motive einen andern Akzent: ,,In einem Augenblick äußerster Niedergeschlagenheit denkt Käte an die ,Verheißung eines anderen
Lebens', und Fred erhofft: ,es müßte schön sein, dich dort wiederzuse-
hen'. Aber die Kinder, die ,da sind, die lieben', verhindern, daß irdi-
sches Handeln als nichtig erscheint. Sie halten in Käte Härte, Ent-
schlossenheit und Haß wach, bestimmen sie dazu, den Kampf um die
Selbstbehauptung nicht aufzugeben" (S. 137). Wichtig ist Bernhards
Hinweis auf die auffallende Motivtechnik dieses Romans, die er als
Versuch deutet, die verengte Perspektive auszuweiten. Hermann Stresau
weist auf ein Motiv hin, das sonst kaum beachtet wird: das schwach-
sinnige Kind. Als Zentralmotiv, wie er meint, bleibt es aber doch zu
sehr im Hintergrund (L 194, 26). Schwarz führt ,lächeln' und ,er-
schrecken' als ,,Schlüsselworte des Romans" an (L 194, 26). Zu den
eigentlichen Zentralmotiven gehören dagegen die von Karl Ludwig
Schneider untersuchten Werbeslogans (L 173, 183—188). Er weist auf
Vorläufer wie Döblins *Berlin Alexanderplatz* hin, betont aber zugleich den Unterschied: ,,Bogner dagegen, Bölls Hauptgestalt, steht
jenen Mächten, die im Werbeslogan an ihn appellieren, in feindseliger
Spannung gegenüber. Darum verfolgt Böll bei der Verwendung von Re-
klametexten in seinem Roman auch nicht die dokumentierende Technik Döblins, die nichts ausläßt, sondern trifft eine gezielte Auswahl.
Aufgegriffen wird das, was in grotesker Dissonanz zu Bogners innerer
Verfassung steht" (S. 185). Das zeigt sich auch darin, daß die Personen
im Roman kaum auf diese Slogans reagieren. Sie bilden zum Elend der
Bogners ,,die Kontrastsphäre der wirtschaftswunderlichen Prosperität
und Vitalität" (S. 187). In dieser sehr fruchtbaren Detailuntersuchung
kommt vielleicht am deutlichsten zutage, daß die gesellschaftliche
Ebene des Romans nicht in den Sekundärbereich verwiesen werden
darf.

Je nach den Aspekten, die jeweils in den Vordergrund treten und je
nach der Einstellung des Kritikers dazu, fallen die Wertungen höchst
unterschiedlich aus. Während der Roman in *Books Abroad* 1954 (L 65)
mit höchstem Lob bedacht wurde, und auch Ziolkowski ihn sehr positiv einstufte (L 225, 219), hält ihn Reid für ,,considerably dated" und
,,the weakest of the three family novels" (L 180, 41). Auch Durzaks

Kritik fällt aus verschiedenen Gründen fast durchgehend negativ aus: er kritisiert klischeehafte Charakterisierungstechnik, Ressentiment anstatt wirklicher Gesellschaftskritik, die Verabsolutierung der katholischen Aura und schließlich ein melodramatisches Ende, das alle im Roman auftauchenden Ansätze zu einer Gesellschaftskritik vorschnell harmonisiere. Zudem sieht er Widersprüche in Bölls kritischer Perspektive: einerseits Kritik am konservativen Klerus, andererseits anscheinend eine negative Haltung gegen Geburtenkontrolle. Ähnlich wie in Bölls Armutskonzept durchdringen sich hier widersprüchliche Tendenzen. In bezug auf die Geburtenkontrolle hat sich Böll unterdessen eindeutig kritisch gegen die Enzyklika *Humanae Vitae* geäußert (NS, 32—35). Der Roman dokumentiert in seiner Widersprüchlichkeit eine Übergangsphase in Bölls Entwicklung, in der es Böll noch nicht gelingt, die sozialkritische Perspektive mit seinen existentialistischen und christlichen Tendenzen zu vermitteln.

2.2.7 ,Irisches Tagebuch'

Erleichtert atmete Curt Hohoff auf, als im Jahre 1957 Bölls *Irisches Tagebuch* erschien: endlich sei Böll zur „inneren Freiheit" gelangt, habe sich losgelöst von unangenehmen gesellschaftlichen Milieus, vom Engagement überhaupt; mit einem Wort, Böll war gesellschaftsfähig geworden (L 96). Aber bereits Reich-Ranicki stellte fest, daß Hohoff einem Mißverständnis erlegen war: „Als ,reinste Katharsis' Bölls wertete Hohoff diese Gelegenheitsarbeit und beschwor ihn, auch weiterhin den politischen und aktuellen Fragen fernzubleiben. Indes war der Enthusiasmus einem unzweifelhaften Mißverständnis entsprungen, da auch das kleine Irlandbuch aus der Feder des engagierten Schriftstellers stammt" (L 171, 135). Worin aber besteht dieses Engagement? Zunächst scheint Böll hier nur einen essayistischen Bericht über seine Irlandreise geschrieben zu haben. Aber der Leser merkt bald, daß es nicht einfach um Beschreibung von Gesehenem und Erlebtem geht, sondern um eine Böllsche Utopie mit ausgeprägt idyllischen Zügen.

Diese Idylle charakterisiert Paul Konrad Kurz: „Bölls Auffassung vom unverstellten Menschsein war prädestiniert für Irland und die irische Quasi-Idylle. Irland, ein Ort des Wohnens trotz Armut, ein Hort der Beziehung von Mensch zu Mensch. Nicht ohne Absicht, dem bundesdeutschen Wohlstandsbürger den unverdorbenen Iren wie weiland Tacitus seinen Römern die Germanen entgegenzuhalten" (L 131, 93). Diese Tendenz zur Idylle sieht auch Baumgart und zeigt zugleich eine andere geschichtliche Parallele: „Bölls Irlandfahrt ist wie die Griechenlandsehnsucht der Klassiker strikt sentimentalisch, ja zuweilen auch schlichtweg sentimental" (L 13, 656). Die Idyllisierung abstrahiert weitgehend von den konkreten historischen und gesellschaftlichen Bedingungen, zugleich zeigt sich darin wieder Bölls soeben beschriebene ambivalente Haltung zur Armut. Auf diese Aspekte weist Günter Wirth hin: „Denn wenn Böll bereits auf der ersten Seite dieses Tagebuchs schreibt, daß schon auf dem Deck des Dampfers, der ihn nach Irland führt, ‚Europas soziale Ordnung andere Formen' annahm und Armut ‚nicht nur keine Schande' mehr war, sondern ‚weder Ehre noch Schande: sie war – als Moment gesellschaftlichen Selbstbewußtseins – so belanglos wie Reichtum', so wird doch durch eine solche Stellungnahme der Zustand der gesellschaftlichen Ordnung in Irland aus dem geschichtlichen Fluß, aus der gesellschaftlichen Entwicklung herausgenommen, isoliert und letzten Endes glorifiziert" (L 216, 220 f.). Stresau sieht in all dem nur „die Poesie eines Lebens, in welchem die Angst vor der Hungersnot zwar Tausende zur Auswanderung zwingt, aber den Menschen nicht die Orientierung nimmt, ohne die der Mensch nicht leben kann" (L 198, 53).

Daß Bölls „Tagebuch" nicht so sehr realistischer Reisebericht ist als Fiktion, haben die Kritiker des öftern bemerkt. Einige Detailuntersuchungen haben dafür Belegmaterial geliefert. Elizabeth Trahan und Eva Schiffer konnten nachweisen, wie sehr das Tagebuch nach Bildmotiven strukturiert ist (L 202). Eine Analyse des Stils durch Wolfdietrich Rasch kommt zu ähnlichen Ergebnissen (L 173, 198–205) und ermittelt durchgängig literarische Formprinzipien, vor allem Wiederholung und Variation. Die Funktion dieser Technik ist nach Rasch, „daß kein Zug des irischen Wesens isoliert gesehen wird, es sagt mittelbar, daß in solcher Isolierung keine der irischen Eigenschaften verständlich wäre" (S. 201). Zu diesem Stilprinzip gehören weiter Vermischung und Reihung, durch die verschiedene Aspekte zueinander in Beziehung treten. Fraglich dagegen scheint es, ob man mit Rasch von einer Entmythisierung Irlands sprechen könne: „Die Negation des Mythos erschließt den wirklichen Reiz, zugleich mit der wirklichen Not Irlands. Die Wortwahl Bölls ist antimythisch, sie ist genau, vermeidet aber jedes ‚gewählte' prätentiöse Wort, nimmt die einfachen Worte des täglichen Umgangs" (S. 204). Not wird schon gezeigt, aber gerade in den Stilmitteln, die Rasch zeigt, wird sie auch wieder poetisiert, sie erscheint als ästhetischer und oft erbaulicher Reizeffekt.

Einzelne Teile des *Irischen Tagebuchs* lassen sich als in sich geschlossene Erzählungen lesen. Als solche behandelt Theo Dotzenrath „Die schönsten Füße der Welt"(Kapitel 10 des Buches – L 50). Die Interpretation ist ein weiteres Beispiel der bereits aufgezeigten Tendenz zur Harmonisierung Bölls für den Schulunterricht. Dichtung wird als „Lebenshilfe" verstanden, die es den Schülern erlaubt, „den rechten Weg im Leben zu finden" (L 50, 303). Der rechte Weg ist hier die ‚natürliche' Schönheit als Gegensatz zur ‚künstlichen' Schönheit der Arztfrau. Unkritisch wird die Böllsche Tendenz zur Idyllik übernommen und ideologisch verabsolutiert. Die abstrakte Idyllik, der naive Kontrast von ländlich herber Schönheit und zivilisierter falscher Schönheit erlaubt den Verzicht auf konkrete Kritik und ermöglicht „menschlich versöhnlichere Töne, künstlerisch reinere Klänge" (L 50, 302). Die Parallele suggeriert den Verzicht auf Kritik als ästhetischen Wert. Es zeigt sich an dieser Interpretation zugleich, daß trotz der relativen Eigenständigkeit einzelner Teile diese doch nicht völlig aus dem Kontext gelöst werden dürfen. Die Tendenzen, die Dotzenrath hier als Lebenshilfe aus einer Erzählung des *Tagebuchs* herauslöst, sind zwar vorhanden, aber nicht in solcher Einseitigkeit, wenn sie im Gesamtzusammenhang gelesen werden. Dennoch manifestiert sich an dieser Interpretation ein Rezeptionsproblem Bölls, das auch in seinen letzten Werken unvermindert da ist: daß nämlich seine Bilder und Parabeln Interpretationen evozieren, die seiner Intention entgegen gerichtet sind. Scheinbar bewußtlos fällt Böll immer wieder auf Bildkonstruktionen zurück, die von der Geschichte längst Lügen gestraft sind.

2.2.8 ,Billard um halbzehn'

Mit *Billard um halbzehn* (1959) hatte Böll seinen bis dahin komplexesten und anspruchsvollsten Roman publiziert. Anspruchsvoll war er vom Thema her: der Versuch eines Epochenromans seit dem Beginn des Jahrhunderts bis zur Gegenwart im Spiegel einer Familie; anspruchsvoll war er aber auch von der Technik her, die die doppelten Ebenen verbinden sollte: die Familiengeschichte mit der Epochengeschichte, die Ereignisse eines Tages mit der Geschichte eines halben Jahrhunderts. Nicht alle Kritiker halten das Experiment für gelungen. Frank Trommler meint: ,,Die Projizierung wilhelminischer, faschistischer und bundesdeutscher Verhältnisse auf die Familie Fähmel blieb jedoch künstlich [...]" (L 204, 224).

Umstritten ist der Schluß des Romans. So erhebt Roy Pascal Bedenken: ,,Aber diese Versöhnung ist keine Versöhnung mit der Außenwelt, die Gemeinde des Lamms bleibt ein kleiner Haufen Ausgestoßener, sich Ausschließender. Darum habe ich Bedenken gegen den heiteren Ton dieses Schlusses" (L 173, 66). Positive und negative Interpretation stehen sich auch hier gegenüber. Während Reid im Schluß des Romans eine Aufhebung der von Robert Fähmel planmäßig geschaffenen Mystifizierung sieht (L 180, 52), hält Durzak das Ende für mißlungen, weil angesichts der nicht überwundenen Widersprüche die ,,Familienverbrüderung nur gewaltsam herbeigeführt" werde (L 52, 69).

Die Erzähltechnik, komplexer als früher bei Böll, erstaunte manche Kritiker; aber nicht immer war die Reaktion begeistert. Werner Hoffmeister spricht von einem ,,painfully obvious mechanism" (L 95, 224). Um so mehr lobt Karl August Horst Bölls Technik (L 136, 67−71). Er geht sogar so weit, Böll mit den Autoren des französischen *nouveau roman* zu vergleichen: ,,[...] eine prinzipielle Reduktion. Figur und Formel, Chiffre und Datum sind die konstruktiven Momente der Fabel. Ihr Zusammenhang besteht in Überschneidung. Die Methode

stammt von den jüngeren französischen Romanciers: Robbe-Grillet,
Michel Butor, Claude Simon, Claude Mauriac und anderen" (S. 67).
Grundprinzip dieser Technik sei Abstraktion: ,,Daten, Entfernungszif-
fern, Serien, mathematische Kurven sind reduzierte Erlebnisgrößen.
Deshalb steht Robbe-Grillets Methode dem psychologischen Roman
am fernsten. Kombinieren lassen sich die Elemente erst wenn man sie
ihrer natürlichen Bedingtheit weitgehend entfremdet hat" (L 136, 68).
Das Billardspiel wird zum ,,magische[n] Schlüssel, nach dem unab-
geschlossene Zwiespälte in immer neue Figuren zerlegt werden"(S. 69).
Gegen eine solche Überbetonung der formalistischen Elemente hat
aber Reid einen sehr berechtigten Einwand vorgebracht: ,,What has
usually been overlooked is that *Billard um halbzehn* is both a ,nouveau
roman' and its opposite. For implicit in the novel's ending is an attack
on the abstract, purely artistic existence which Robert has been lead-
ing" (L 180, 57). Karl-Heinz Berger sieht das Gelingen der formalen
Artistik gerade darin, daß sie das Thema nicht in puren Ästhetizismus
auflöst (L 17, 306).

Ein besonders auffälliges Moment in diesem Roman ist die Lamm-
Büffel-Symbolik, die von den Kritikern sehr verschieden beurteilt wird.
Schwarz findet sie ,,wenig überzeugend" (L 194, 37 f.). Kurz kritisiert
die damit gegebene Schwarz-Weiß-Malerei und fragt nicht zu Unrecht,
ob solche Dichotomie der Komplexität der dargestellten Epoche gerecht werden kann; und ob nicht für diese Lämmer Enzensbergers
,,Verteidigung der Wölfe gegen die Lämmer"? (L 131, 26) gelten müsse. ,,Charakter und Funktion" dieser zentralen Symbolik des Romans
untersucht Horst Haase in einem Aufsatz (L 81). Für ihn ist sie in erster Linie eine Technik, die Verbindung herzustellen zwischen der
Fähmel-Handlung und ,,den führenden Kräften des Militarismus und
[...] den leidenden Opfern der untersten Schichten" (S. 220). Doch gehören die ,Lämmer' keineswegs alle zu der ,,proletarischen und plebeji-
schen Sphäre", wie Haase (S. 221) meint. Haase versucht die Quelle
der Büffel-Symbolik zu finden (man würde ja in Analogie zu Lämmern
eher Wölfe erwarten). Er bringt sie in Verbindung mit dem büffelähnli-
chen Tier bei *Daniel* 7 und *Offenbarung* 17. Die Schwächen dieser
Symbol-Technik werden auch von Haase hervorgehoben: ,,Das Büffel-
Symbol vermag nicht die komplizierten ökonomischen Wurzeln jener
von ihm symbolisierten Kräfte zu erfassen. Diese bekommen durch
den naturhaften Charakter des Büffel-Bildes etwas Übermächtiges und
Gewaltiges" (S. 225). Auch Deschner kritisiert *Billard um halbzehn*
auf dieser Grundlage. Er nennt die Symbolik ,,allegorisch kahle Signatu-
ren" (L 48, 19), die die komplexen historischen Auseinandersetzungen schematisieren.

Über Vereinfachung und Verzerrung der Realität durch die dicho-
tomische Symbolik klagt auch Reich-Ranicki (L 171, 37) und kritisiert den ,,Eindruck einer aufdringlichen Symbolik und eines allzu offensichtlich konstruierten Schemas" (S. 137). Ironisch spricht Blöcker

von „blumiger Gleichnisrede" und fährt fort: „Der realistische Klein-
künstler Böll zwingt sich, von falschem Applaus verlockt, zu weit-
bögigen allegorischen Konstruktionen" (L 28, 288). Mit der Re-
duzierung der Figuren auf die symbolischen Typen ist gleichzeitig die
Gefahr der Sentimentalisierung gegeben, der vor allem die ‚Lämmer'
leicht erliegen können. Dagegen möchte Reid Böll in Schutz nehmen:
„The central symbols of ‚lambs' and ‚buffalos' have come in for parti-
cular criticism. This is partly based on a misunderstanding. Böll's
lambs are not as meek as the word suggests – some of them are would-
be assassins" (L 180, 53). Allerdings ist Sentimentalität nur ein sekundärer Gesichtspunkt. Wesentlicher ist die vereinfachende Teilung in
Gut und Böse sowie die letztlich ahistorische und apsychologische My-
thisierung, die die konkrete Geschichte in den Raum eines augustini-
schen Gottesstaates transformiert. Es ist natürlich eine Frage des Glaubens, ob man eine solche Deutung der Geschichte noch für sinnvoll
halten kann. Der Einwand, es handle sich hier einfach um eine künstlerische Form, um das komplexe Geschehen zu organisieren, ist nicht
befriedigend, da Strukturprinzipien nicht beliebig leere Hülsen sind,
sondern als manifest gewordene Gestik des Bewußtseins dessen
ideologischen Gehalt mittransportieren. Darin hat schließlich das
Klischee von der Einheit von Form und Inhalt seinen wahren Grund,
nicht als prädestinierte Harmonie, sondern als von der Form, genauer:
dem strukturierenden Prinzip, erzwungene Einheit, gegen die die
subjektiven Inhalte des Meinens wenig ausrichten.

Doch so ganz eindeutig ist das symbolisierende Strukturprinzip bei
Böll nicht. Wenigstens scheint es, daß sie nicht alle Figuren ganz erfaßt.
Sokel hat schon darauf hingewiesen, daß trotz der Dichotomie der
Symbolik einzelne Gestalten, vor allem der Fähmel-Familie, komplexer gemacht sind. Er zeigt, daß auch die ‚guten' Mitglieder der Familie
ihre Fehler haben, unter anderen ein beträchtliches Maß an Snobismus
und Stolz. Die letzte Szene des Romans ist nach Sokel eine Abrech-
nung mit diesem Stolz: „His last act in the novel is to repeat symbol-
ically the execution of his pride which his son has performed actually;
he cuts into the birthday cake which had been presented to him in the
shape of his famous abbey and joyfully proceeds to demolish it"
(L 196, 28). Zudem weisen die Fähmels durchaus auch aggressive Züge auf. Ein weiterer zwiespältiger Aspekt, auf den Hinton Thomas und
Wilfried van der Will hingewiesen haben (L 200, 50), ist das Rollenspiel Heinrich Fähmels, in das er sich hineinlocken läßt, zunächst als
überlegener Meister seiner Rolle, bis er allmählich von ihr bemeistert
wird. Dieses Rollenspiel führt auch Robert Burns dazu, die Familie
Fähmel zwischen die Lämmer und Büffel zu plazieren (L 36, 35 f.).

Für Klaus Jeziorkowski, der vor allem den ‚Artisten' Böll hervorhebt, mußte dieser Roman von besonderem Interesse sein. Ihm geht es
vor allem darum, das Zeitbewußtsein im Roman zu analysieren. Die
Resultate der interessanten Analyse werden allerdings beeinträchtigt

durch die unglückliche und oberflächliche Parallelisierung mit der Einsteinschen Relativitätstheorie. Die Tatsache etwa, daß Johanna in der
Anstalt sich ganz der Erinnerung hingibt und die Gegenwart ausschal-
tet, hat weniger mit der „Erkenntnis der Relativitätstheorie Einsteins,
daß Zeit eine Funktion des Ortes sei" zu tun, als mit dem gesellschaftlich bedingten Zeitbewußtsein, gesellschaftlich bedingt schon in dem
ganz einfachen Sinn, daß in der Gesellschaft nicht funktionieren kann,
wer sich total der Erinnerung hingibt. Mit Einsteins physikalischem
Raum-Zeit-Kontinuum hat das wenig zu tun. Jeziorkowski deutet
selbst auch den sozialen Zusammenhang an, läßt ihn aber an Bedeutung stark zurücktreten. Die vom Titel des Buchs postulierten ‚rhyth-
mischen Figuren' als Strukturelemente sieht Jeziorkowski vor allem
durch die „regelmäßig wiederkehrenden Elemente" des Romans konstituiert. Hier wäre noch weiter zu fragen, worin die Regelmäßigkeit
besteht. Rhythmus beinhaltet ja eine gewisse Gesetzmäßigkeit der
Wiederholung, und eine solche müßte nachgewiesen werden, vor allem
weil Böll andererseits auch schon vorgeworfen wurde, daß er seine Materialien eher zufällig verteile.

Wie schon Karl August Horst sieht auch Jeziorkowski in der Reduktion „auf Figuren und Kurven" ein Hauptmerkmal des Romans.
Das treffe auch auf die Hauptgestalten zu, die „nicht als voll ausge-
führte Charaktere" erscheinen, sondern nur mit einigen „hervor-
stechende[n] Wesensmerkmale[n]" (L 105, 157). Das reduzierende
Verfahren wird teilweise vom Interpreten übernommen und etwa auf
die Symbolik angewandt: „Eine Diskussion der rein theologischen
oder ideologischen Aspekte einer solchen Leitmotivik, die hier schon
die Qualitäten einer Symbolik hat, erscheint hier kaum angebracht,
zumindest im Rahmen einer Formanalyse, da derartige Erörterungen
ihrer Natur nach in Bereichen stattfinden, die sich sowohl ästhetischer
als auch – gegenüber einem Kunstwerk – theologischer Bewertung
entziehen" (S. 161). Wie aber, wenn solche Aspekte offenbarer Teil
der Intentionalität eines Textes sind? Diese Methode unterscheidet
sich nicht mehr von der bloßen Inhaltskritik, da sie ebenso die funktionalen Zusammenhänge auseinanderreißt. Sie behauptet text-imma-
nent zu sein und klammert doch bewußt wesentliche und dem Text
durchaus immanente Elemente aus. Und warum sollen dem Bannfluch
der Formalisten zwar politische und theologische Inhalte unterliegen,
nicht aber physikalische (deren Anwesenheit zudem noch fragwürdig
ist)?

Die stark inhaltlich ausgerichtete Untersuchung von Günter Jäckel
über das Verhältnis von Mensch und Technik in *Billard um halbzehn*
(L 103 a) geht von der Frage aus, „wie in Bölls Roman *Billard um
halbzehn* die Formen der Naturbewältigung abgebildet und ins künstlerische Bild umgesetzt werden" (S. 1286). Schon Baumgart hatte kritisch festgestellt, daß Böll die Technik fast ganz ausschließe aus seiner
fiktiven Welt. Jäckel zeigt, daß auch in diesem Roman die Welt der

Arbeit und der Technik eher bescheiden vertreten ist. Heinrich Fähmels Beziehung zu den Arbeitern zeigt „patriarchalische" Züge. Auch
wo die Arbeitswelt zur Darstellung kommt, wird sie idyllisiert. Jäckel
zeigt das am Beispiel der Bauarbeit an einer zerstörten Brücke: „Diese
Stelle charakterisiert in aufschlußreicher Weise, wie Böll die Welt der
Arbeit als Motiv in seiner Epik nutzbar macht. Im abendlichen Licht
eines Spätsommertages gleicht die Baustelle eher einem idyllischen Er-
holungsplatz als einem Ort, wo ein neues Zeugnis moderner Technik
entsteht" (S. 1289).

Unter den ausführlicheren Studien zu *Billard um halbzehn* verbinden vor allem Hans Joachim Bernhard und Manfred Durzak Form-
und Inhaltsanalyse, wenn auch mit verschiedenen Akzenten. Bernhard
geht davon aus, daß Bölls kritische Haltung sich verschärft habe, und
dementsprechend hier die utopische Alternative „in die Symbol-Sphä-
re" zurückgenommen werde (L 22, 211). Er untersucht dann das Verhältnis von Gegenwarts- und Erinnerungshandlung und zeigt, „daß
Johannas Erinnerungen den größten Radius haben", während zugleich
ihr Gegenwartsbewußtsein das geringste ist (S. 217). Kritisch vermerkt
Bernhard das Fehlen von Charakter-Entwicklung; wo eine Änderung
im Charakter eintritt, ist es eine plötzliche Verwandlung wie etwa im
Falle Otto Fähmels: „Die Zugehörigkeit Otto Fähmels zum engeren
Sujetbereich hätte aber durchaus die Möglichkeit gegeben, am Beispiel
des ‚Abtrünnigen' geschichtliche Spezifika des Faschismus im Zusammenhang mit einer Charakterdarstellung aufzunehmen" (S. 221). Das
mehrmalige Auftauchen der Begriffsverbindung ‚höhere Gewalt' im
Roman deutet eine Machtlosigkeit der ‚Lämmer' an, die fast schon
fatalistisch ist: „Mit diesem der Sprache der Jurisprudenz entlehnten
Begriff, der anzeigt, daß eine gewöhnlich geltende Norm gewaltsam
durchbrochen wurde, ist allerdings auch eine andere von dieser Wort-
prägung erfaßte Bedeutung aktiviert: die der Machtlosigkeit gegenüber
einem Zustand, den zu verantworten man nicht gehalten ist" (S. 223).
Bernhard polemisiert gegen die Überbetonung der subjektiven Zeit;
dabei geht er von einer ähnlichen Beobachtung aus wie Jeziorkowski:
„Die partielle Subjektivierung des Zeitbegriffs erfolgt im Roman bei
Figuren, die einer solchen Isolierung ausgesetzt sind." Dagegen ist es
kein Zufall, „daß die Anerkennung der Zeit als ‚objektiv realer Form
des Seins' gerade für Heinrich Fähmel unerläßlich ist. Sein sozialer
Aufstieg beruht auf der Anerkennung der sozialen Gegebenheiten,
die er in seinem Interesse zu nutzen trachtet" (S. 233). Er kann gute
Belege für diese These im Roman finden, so die Stelle, wo Hugo über
die Zeitlosigkeit reflektiert: „‚Zeit war hier keine Größe [...], auf diesem rechteckigen grünen Löschpapier wurde sie ausgelöscht', überlegt
Hugo. Aber die Begründung wird mitgegeben: ‚[...] Wirklichkeit drang
nicht ein, drückte sich draußen platt'" (S. 234). Weniger befriedigend
sind Bernhards Ausführungen über die Büffel-Lamm-Symbolik. Wie
Haase kommt er zu der fragwürdigen Feststellung, daß die Lämmer

„ausnahmslos plebejisch-proletarischen Schichten" entstammen (S. 261). Zu differenzieren wäre wohl auch seine Einschätzung der Tendenz zur Formel als „Ausweichen vor sozialen Fragestellungen" (S. 276).

Auf Grund einer Gesamtanalyse, die das Zusammenspiel der verschiedenen Momente beachtet, kommt Manfred Durzak zu einer sehr kritischen Einschätzung der Symbolik des Romans. Auch die Gesamtwertung fällt eher negativ aus: „So bleibt der zwiespältige Eindruck des Romans auch unter diesem Aspekt erhalten. Von der Absicht des Autors her liegt sicherlich in ‚Billard um halbzehn' Bölls ambitioniertester epischer Versuch vor. Aber es bleibt auf dem Hintergrund der Werkgeschichte Bölls ein Experiment, dessen formale Kühnheiten die thematischen Widersprüche nicht überwinden, und das damit als Ganzes mit künstlerischen Einbußen verbunden ist" (L 52, 73). Wichtig für das Verständnis der Romanstruktur sind Durzaks Hinweise auf die verschiedenen Schichten der Motivverflechtung (S. 71).

2.2.9 ‚Ansichten eines Clowns'

Wie zwiespältig die Aufnahme dieses 1963 erschienenen Romans war, zeigen die acht Rezensionen, die allein in der Zeit vom 10. Mai bis 21. Juni 1963 den Roman diskutieren (vgl. dazu 1.2). Es läßt sich nicht eindeutig scheiden, inwiefern diese Widersprüche die Ungenauigkeit einer bloß impressionistischen oder ideologischen Kritik manifestieren oder inwiefern die Widersprüche im Roman selbst angelegt sind. Beide Momente dürften eine Rolle spielen. Reich-Ranicki sah schon immer einen Hauptgrund in der ungleichmäßigen Qualität von Bölls Werken. Seine erste Reaktion auf den Roman fiel ziemlich negativ aus. Er kritisiert vor allem die zu intensive „Teilnahme des Clowns Schnier am dargestellten katholischen Milieu", und kommt davon ausgehend zum Schluß: „Es ist nicht Bölls Sache, ein ihm vertrautes Milieu aus einer verfremdenden Perspektive zu zeigen" (L 171, 140). In einem zweitem Essay differenziert Ranicki abwägend zwischen den gelungenen und mißlungenen Partien des Romans. Dieser Aufsatz zeigt am besten Ranickis ambivalente Haltung zu Böll. In Ansichten sei die Qualitätsschwankung „ungewöhnlich groß" (L 172). Der Roman falle in zwei Teile auseinander, einen sozialkritischen und eine private Liebesgeschichte. Nur die letztere hält Ranicki für künstlerisch gelungen: „Böll erweist sich als ein Meister, dessen Originalität die vollkommene Schlichtheit ist. Da hört man keine falschen Töne, da hat man nie den Verdacht, die Natürlichkeit sei mühselig erreicht worden. Nicht künstlich produziert ist der Hauch eines gewissen Dilettantismus, der dieser saloppen, so lässigen, so selbstverständlich klingenden und dabei so präzisen Diktion einen besonderen Reiz gibt." Das Problem ist, daß Reich-Ranicki auch hier mit der fragwürdigen Kategorie des Natürlichen im

Gegensatz zum künstlich Gemachten operiert. Offenbar meint er konkrete stilistische Eigenschaften, wenn er von den vermiedenen ‚falschen Tönen' spricht. Diese wären vom Kritiker nachzuweisen. Stilistische Eigenschaften sind es unter anderem, die Blöckers früher erwähnte (2.2) Meinungsänderung über Böll mit verursacht haben. Bölls Stil habe ,,an Knappheit und trockener Brillanz" gewonnen (L 136, 75). Allerdings fehlen gerade zu diesem Roman die ohnehin seltenen Stiluntersuchungen fast ganz. Im Gegensatz zu *Billard um halbzehn* hat die vom Inhalt provozierte Irritation den Blick auf formale Fragen oft verstellt.

Viele waren vom Clown irritiert, weil sie seine Ansichten als Ansichten Bölls auslegten. Doch schon 1964 warnte Hans Joachim Bernhard vor einer voreiligen Identifizierung: ,,Bölls Clown ist ebensowenig nur Sprachrohr des Autors wie überhöhte Gestalt aus der literarischen Tradition der Schelmen" (L 21). Ein anderer DDR-Kritiker warf dem Roman im selben Jahr ein ,,problematisches Bekenntnis zum Nichts" vor (L 163). Weiter kritisiert er Mangel an ,,Geschlossenheit und Folgerichtigkeit" (S. 137); die Figuren ,,runden sich selten"; der Roman sei nur eine ,,Aphorismensammlung" (S. 138), und das Ganze gipfelt in der Anklage: ,,Bölls Bekenntnis zum Clown ist nur eine andere Form des Bekenntnisses zum ‚Nichts'" (S. 140).

Franz Manthey bietet eine rein theologische Auseinandersetzung mit gewissen Aussagen des Clowns (L 147). Die Naivität des kritischen Ansatzes zeigt sich auch hier in der unbedenklichen Identifizierung von Clown und Böll: ,,Was denkt Böll — bzw. was sagt sein Clown — über den Katholizismus in der Bundesrepublik im Allgemeinen?" (S. 339). Beckel weiß zwar zwischen Autor und Erzähler zu unterscheiden, doch verharmlost er die Problematik des Romans, wenn er sie auf die generelle Verflechtung der Kirche mit Politik und Gesellschaft reduziert. Böll macht — nicht nur durch die ‚Ansichten' des Clowns, sondern die ganze Konstellation — deutlich, daß es nicht so sehr darum geht, daß die Kirche sich überhaupt politisch engagiere, sondern daß sie sich mit einer politischen Partei, und zwar konkret der CDU/CSU, identifiziere.

Während bei einer Kritik von literarischen Laien oder von seiten der Theologie eine Identifikation von fiktiver Figur und Autor verzeihlich sein mag, erwartet man von der Literaturwissenschaft eine sorgfältigere Differenzierung. Eine solche Differenzierung vermißt man weitgehend bei Schwarz. Er kritisiert, daß der Roman ,,voll unmotivierter Ressentiments gegen den Katholizismus deutscher Mentalität" sei (L 194, 39). Dagegen sind Bedenken anzumelden: 1. falls man die vom Clown geäußerte Kritik als Ressentiment abwerten will, wäre es immerhin durch die vom Roman gesetzten Prämissen in der Figur selbst psychologisch motiviert; 2. Ressentiment ist sachlich unbegründete Kritik und müßte als solche nachgewiesen werden, was Schwarz unterläßt.

Differenzierter geht Sokel vor, der die Perspektiven unterscheidet. Freilich glaubt auch er, daß an einigen Stellen die Perspektive der Erzählfigur mit der des Autors zusammenfalle. Das müßte im Detail noch untersucht werden. Hinton Thomas und Wilfried van der Will wollen dagegen jede Identifizierung ausschalten: „Hardly any type of figure can be imagined better to enforce the principle of non-identification of author and protagonist, and the author never for a moment intrudes as narrator" (L 200, 57 f.). Das scheint mir in die entgegengesetzte Richtung zu weit zu gehen. Es gibt ja nicht nur den expliziten Autor im Roman, es gibt auch den impliziten, der seine Perspektive auf verschiedene Weisen kundtun kann, unter anderem — und das ist bei Böll häufig der Fall — durch emotionale Signale, die Antipathien und Sympathien verteilen, und vom Autor zwar nicht präzise kalkuliert, aber doch einigermaßen kontrolliert werden können.

Die Frage nach der Perspektive läßt sich nicht lösen von der Interpretation der Clownsfigur. Günter Wirth sieht im Clown vor allem einen „Grenzfall menschlicher Existenz" (L 216, 157). Er beschreibt ihn als einen ‚Narren' im Sinne des ersten Korinther Briefs (S. 162) und glaubt, daß der Clown ohne diesen religiösen Kontext nur ein „Symbol für die Kapitulation vor der Gesellschaft" (S. 162) wäre. Es ist aber nicht einleuchtend, daß eine religiöse Interpretationsmöglichkeit die Kapitulation vor der Gesellschaft negiert. Außerdem hat die Darstellung einer solchen Kapitulation vielleicht mehr gesellschaftliche Relevanz als falsche Utopien, weil sie mehr Einsicht in die realen Verhältnisse zu geben vermag. Allerdings hat der Clown eine Tendenz zur romantischen Regression, wie Sokel zu Recht festgestellt hat (L 196, 33). Sokel bringt das im Roman hervortretende Marionetten-Motiv damit in Verbindung: „There is indeed something of Kleist's ideal of the marionette-figure, an ultimately romantic and Rousseauistic ideal, in Böll's heroes" (S. 34). Für Kleist gibt es allerdings keine Regression, sondern nur ein Fortschreiten durch das Bewußtsein. Durzak meint denn auch, daß der Clown als Künstler dieses Ideal repräsentiere: „In der Tat ist hier die Marionette durchaus im Kleistschen Sinne auf die pantomimische Kunstleistung Schniers bezogen: Chiffre für ein künstlerisches Tun, das durch das Bewußtsein hindurchgegangen ist und nach jener höheren Art von Naivität strebt, die fälschlicherweise mit Bewußtlosigkeit gleichgesetzt wird, für Böll aber Menschlichkeit bedeutet" (L 52, 84). Die Frage bleibt allerdings, ob dieser Clown mit all seiner Sentimentalität und seinen Schwächen eine überzeugende Figur für ein derartiges Ideal darstellt. Etwas mehr erwartete man doch von einem ‚unendlichen' Bewußtsein. Damit ist aber die Bedeutung des Marionettenmotivs nicht geleugnet; es ist sogar wahrscheinlich, daß dieses Motiv auch auf spätere Romane Bölls eingewirkt hat und z. B. für die Gestaltung der Leni-Figur in *Gruppenbild* bewußt oder unbewußt einiges beigetragen hat. Wichtig ist in diesem Zusammenhang die Verbindung mit der Künstlerproblematik, die in der Untersuchung von Reid im Zentrum steht (L 180, 55 ff.). Doch sollte man diesen Aspekt nicht vereinseitigen. Schniers Probleme sind nur zum Teil spezifische Künstlerprobleme. Zum Verständnis des Gesamtcharakters trägt Reids Hinweis auf die Verwendung des Spiegel-Motivs bei: „As in the earlier novel mirrors play an important part, not only to give a visual impression of the narrator but in order to underline his isolation" (S. 60). Diese Isolierung Schniers hat zum Teil etwas Narzißtisches an sich, schwächt dementsprechend seine Gesellschaftskritik und trägt zudem zur Sentimentalisierung der Figur bei. Sie ist aber nicht, wie Burns andeutet, eine Distanzierung von allen sozialen Einflüssen. Burns' Feststellung, „there is no trace in his character of either his bourgeois upbringing or the Catholic Church" (L 36, 52), mag zwar den Intentionen Schniers entsprechen, aber nicht seinem tatsächlichen Verhalten, Fühlen und Denken, die von katholischer Aura geradezu getränkt sind (obwohl Schnier Protestant sein soll) und deren kleinbürgerliche Dimension unübersehbar ist.

Man sieht also: Schnier mit all seinen Fehlern ist eine komplexe Figur und läßt sich nicht, wie Zuckmayer z. B. meint, als infantile Figur mit zuviel Selbstmitleid abtun (L 173, 52). Er ist einerseits eine repräsentative symbolische Figur, andererseits ein konkretes (selbstverständlich fiktives) Individuum, das im Verhältnis zu seiner Welt gesehen werden will. Aus diesem Verhältnis motiviert Roy Pascal das Verhalten Schniers: „Daß Hans Schnier nicht vergessen kann, erscheint nicht als Symptom einer Neurose oder seiner Kindlichkeit, sondern als Folge einer klaren Beobachtung seiner Mitmenschen" (L 173, 67). Iring Fetscher sieht in ihm den „Ausbruch [eines Anarchisten] aus der Gesellschaft" (L 173, 215). Im Hintergrund steht die resignierte Melancholie. In der Liebesgeschichte sieht Fetscher „eine Flucht ins kleinbürgerliche Behagen, die gründlich mißlingt" (S. 216). Zugleich findet er in Schnier wahre Menschlichkeit verkörpert, und zwar vor allem in dessen Unfähigkeit zu verallgemeinern, die sich darin zeigt, daß er sich weigert, den Typus ‚General' vorzuführen und zu karikieren, weil er einen menschlichen General kennengelernt hat. Diese Furcht vor Verallgemeinerung geht aber von fragwürdigen Prämissen aus, nämlich von der Integrität des Individuums. Man findet gewiß liebenswürdige Individuen unter Generalen, aber für ihre gesellschaftliche *Rolle* ist die Individualität eine eher beiläufige Zufälligkeit, etwas Abstraktes. Der *Typus* General ist nicht ein Konglomerat von vielen individuellen Generalen, sondern eine Rollenidentität, die durch ihre Funktion bestimmt ist. *Sie* ist in diesem Fall das wahre Konkrete, weil sie funktioniert, nicht aber das Individuum, das beinahe funktionslos ist. Hier, scheint mir, liegt eine der größten Schwächen Bölls: in der mangelnden Darstellung solcher Funktionszusammenhänge.

Während der Clown als Erzähler und Held voller Ambivalenz ist, erscheinen die aus seiner Perspektive dargestellten Figuren fast ganz schwarz-weiß. Reid sieht sie sogar zu Allegorien reduziert (L 180, 63).

Dagegen meint H. R. Klieneberger ,,Böll does not indulge in black-and-white portraiture" (L 119, 38). Aber die Begründung ist nicht stichhaltig: daß auch die ,Bösen' attraktiv aussehen, ist bei Böll kein Kompliment, nur Ironie, und daß die ,Guten' sich zornig geben, macht sie nicht weniger ,gut', es gibt ja auch den Zorn der ,Gerechten'.

Eine existentialistische Gesamtdeutung des Romans unternimmt Robert H. Paslick (L 162). Aus derzeit modischen Tendenzen entsteht eine Mischung von Zen-Buddhismus, Anti-Rationalismus und existentialistischem Vokabular. Die absurde Welt, so heißt es, sei ,,the *cul de sac* where rationalism ended". Die ,Analyse' hebt sich am Ende selbst in Nicht-Kritik auf: ,,the positive views of the Clown are grasped and expressed at a level which in Oriental philosophy is designated as *advaita*, the level of nondualism. The minute the reader becomes involved in distinction between this and that, he is no longer in a position to understand the meaning of the Clown". Nur die unterscheidungslose Nacht der Bewußtlosigkeit also könnte dem Clown gerecht werden.

Jeziorkowski versucht auch an diesem Roman vor allem die artistische Form aufzuweisen. Manche wertvolle Beobachtungen werden aber auch hier beeinträchtigt durch die oberflächlichen Parallelen zu Einstein und diesmal auch Kant. Keineswegs werden, wie von Jeziorkowski angedeutet wird, Zeit, Raum und Kausalität aufgehoben. Sie werden nur künstlerisch neu geordnet. Das Verfahren der Zeitumstellung hat schon Homer angewandt und ist seit je ein häufiges Erzählmittel. Noch weniger wird bei Böll die Kausalität als Kategorie aufgehoben. Der Roman setzt durchaus kausale Zusammenhänge voraus, wenn auch möglicherweise unliebsame. Die Konstruktion, die Jeziorkowski aus der Ich-Perspektive ableitet, ist allzu weit hergeholt: ,,Das graphische Grundmodell des Romans — ein bestimmtes Subjekt in der Mitte, um das sich die subjektiv gesehene und zu ihm hin relativierte Welt der Einzeldinge lagert — weist schon durch seine Form darauf hin, daß auch dieses Werk Bölls von der alinearen, gekrümmten und zum Standort hin relativen Zeit geprägt wird, wie sie die Einsteinsche Relativitätstheorie definiert" (L 105, 178).

Hans Joachim Bernhard übt auch an diesem Roman seine balancierte Verknüpfung von Form- und Inhaltsanalyse. Weniger gerechtfertigt ist Jeziorkowskis Rezension des Buchs in der *Frankfurter Allgemeinen*, wo auf ca. zehn Zeilen das differenziert gearbeitete Buch als DDR-Propaganda abgetan wird.[27] Es ist zu erwarten, daß nicht jeder mit Bernhards ideologischer Perspektive übereinstimmt. Aber es läßt sich darüber argumentieren, die Prämissen sind offen. Trotz des offiziellen Banns in der DDR gegen *Ansichten eines Clowns* (wegen der Erfurter Episode im Roman) bleibt Bernhard auch diesem Roman gegenüber fair. Zwar stuft er ihn im Vergleich mit *Billard um halbzehn* als künstlerisch weniger gelungen ein. Er glaubt, den Grund in Bölls wachsendem Pessimismus zu finden, der die Balance von Kritik und Utopie zerstöre; zudem werde die Kritik allzu sehr subjektiviert: „Bölls Satire erweist sich in den *Ansichten eines Clowns* als zu stark von der Subjektivität einer Neigung gespeist, als daß sie das gleiche ästhetische Niveau und die Ausgewogenheit erreichte, wie dies für viele Erzählungen und auch Romanpartien zutrifft" (L 22, 302). Damit trifft sich Bernhards Urteil mit dem mancher westlicher Kritiker.

Frank Trommler stellt den Roman in eine literaturgeschichtliche Perspektive: „Bereits in Bölls *Ansichten eines Clowns* dokumentierte sich, was Grass später in *Örtlich betäubt* dominieren ließ: die Literarisierung und Symbolisierung der Konflikte machte einem direkten Räsonnement über sie Platz. [...] Mit Hans Schnier, dem räsonnierenden Clown, wurde das gesellschaftskritische Engagement, das zuvor der Erzählung immanent gewesen war, selbst zum ‚Helden' der Darstellung" (L 203, 107).

2.2.10 ‚Entfernung von der Truppe'

Nach Joachim Kaiser haben wir es hier mit einer harmlosen, aber charmanten Erzählung zu tun: „Denn der Tonfall hat hier eine Gelassen- und Freiheit wie noch nie zuvor bei Böll. [...] Aus Harmlosem, Ekelhaftem, Privatem und Sentimentalem wird etwas gezaubert, was der Autor, gesellschaftskritische Vorwürfe antizipierend, ‚Idylle' nennt" (L 136, 76 f.). Das Charmante an diesem Kurzroman sei die Naivität eines Erzählers, der „hinreißend und fast unzeitgemäß genau [weiß], wer er ist" (S. 77).

Wo Kaiser ungebrochene Erzähleridentität weiterleben sieht, findet Emrich einen Autor an der Front der Avantgarde (L 173, 222–228). Statt gegen alles Reden von der Krise des Erzählens naives Erzählen zu demonstrieren, habe Böll eine Geschichte geschrieben, die „durch Form und Inhalt das Erzählen selbst außer Kraft" zu setzen scheine. Diese Aufhebung des Erzählens bestehe zunächst in einer Umkehrung der Positionen: „Der Autor räumt das Feld des Erzählens und überläßt es den Truppen seiner Leser" (S. 223). Durch eine solche Umkehrung werde das Verhältnis von Fiktion und Wirklichkeit völlig geändert: im 19. Jahrhundert habe die Fiktion falsche Wirklichkeitsvorstellungen revidiert, so daß in der Fiktion die Wahrheit der Wirklichkeit erschien. Anders bei Böll: „Durch die Fiktion, der Leser habe die Freiheit, das kümmerlich oder unvollständig Erzählte zu ergänzen oder zu berichtigen, wird zugleich dem Leser bedeutet, daß alles, was er hier zusetze, Lug und Trug sei" (S. 224). Auch die ‚positiven' Gestalten sind nach Emrich nur Schablonen eines abstrakten Verhaltensmusters, so etwa der zum Heiligen stilisierte „Engel" (Engelbert) und die Mutter, die mit Gegenklischees auf Klischees reagiert. Auch Schwarz sieht in dieser Erzählung bewußte Verwendung von Klischees: Böll greife in *Entfernung von der Truppe* zu einer neuen Methode. Während in den früheren Werken diese Klischees ausdrücklich gemieden wurden, setzt sie

Böll nun in Zusammenhänge, die ihre Verlogenheit und innere Leere
dem Leser grell ins Bewußtsein bringen" (L 194, 40). Daß Böll neue
Erzählmethoden versucht, stellt auch Reich-Ranicki fest, meint aber,
Böll sollte lieber seinem naiven Erzähltalent vertrauen: „hier versucht
Böll mit verstellter Stimme zu sprechen. Es, dessen Prosa mit Recht
Schule gemacht hat, glaubt, seine Eigenart verleugnen zu müssen.
Statt zu schreiben, wie ihm der Schnabel gewachsen ist, strebt er Modernität an. Und zwar eine gründlich mißverstandene Modernität."[28]
Nicht weniger streng geht Reich-Ranicki in einem anderen Aufsatz mit
dem Helden der Erzählung ins Gericht: „Auch der unglückselige Inha-
ber einer Kaffee-Großhandlung, der in der *Entfernung von der Truppe*
[...] einige skurrile Abenteuer aus seinem Leben erzählt, zumal aus jener Zeit, da er Uniformträger war, scheint weniger eine typische Zeit-
gestalt als vor allem ein pathologischer Fall zu sein. Sehr möglich, daß
ein Schelm skizziert werden sollte, doch entstanden ist eher die Figur
eines Schwachsinnigen, jedenfalls aber die unbeabsichtigte Karikatur
des bisherigen Böll-Helden" (L 174, 336). Hier sind bereits Aspekte
der späteren Kritik an Leni Pfeiffer vorweggenommen.

Böll war offenbar in dieser Erzählung auf der Suche nach neuen erzähltechnischen Möglichkeiten. Emrich war der einzige, der das Experiment für gelungen hielt. Sonst entsprach die Kritik fast durchgehend
den oben angeführten Reaktionen: man las entweder über die experimentellen Aspekte hinweg und vergnügte sich an den hintergründigen
Skurrilitäten, oder man beurteilte das Experiment als mißlungen.
Rückblickend läßt sich die Erzählung in manchen Aspekten des Inhalts
wie der Form als Etüde für den späteren Roman *Gruppenbild mit
Dame* sehen. Im historischen Kontext gesehen, ist sie Reflexion einer
grundsätzlichen Krise der Literatur, der sich auch scheinbar ‚naive' Er-
zähltalente nicht verschließen konnten.

2.2.11 ‚Ende einer Dienstfahrt'

Die Krisensymptome einer grundsätzlichen künstlerischen Unsicherheit, die sich in *Entfernung von der Truppe* manifestierten, finden sich
modifiziert wieder in *Ende einer Dienstfahrt*. Handelte es sich dort
hauptsächlich um die Unsicherheit in bezug auf die Möglichkeiten er-
zähltechnischer Mittel und Formen, so geht es hier um die künstlerische
Position im gesellschaftlichen Kontext, konkreter: um die Möglichkeiten der Kunst als Protest, oder des Protests als Kunst. Böll wollte im
‚Happening' eine reale Möglichkeit des Protest sehen, ebenso real und
praktikabel wie später die Protestaktionen in *Gruppenbild mit Dame*
(auch hier also wieder eine Vorausdeutung auf den kommenden Roman). Als dann ein großer Teil der Kritiker skeptisch reagierte, fühlte
Böll sich mißverstanden: „... da hat man die Intention nicht erkannt.
Ich glaube schon, daß das ungerechterweise bagatellisiert worden ist:

die Aufforderung zur Aktion, die drin ist, und auch der Zusammenhang zwischen Happening als einer anerkannten Kunstweise und politischer Aktion, den ich da zu schaffen versucht habe; der ist mir zu wenig rausgekommen bei der Kritik" (L 7, 34).

Diese Deutung Bölls wurde am ehesten von sozialistischen Kritikern entweder vorweggenommen oder bestätigt. So schreibt Bernhard: „Es ist die damit nicht erschöpfte Häufung ‚originellen' Verhaltens, die der ‚Provinz' Birglar das Idyllische raubt, denn die Originalität bleibt nicht Selbstzweck. Hinter ihr leuchtet die Bereitschaft zur Selbstbehauptung – um nicht zu sagen zum Widerstand – auf, die noch wenig Gemeinsamkeit hat, Ziel und Richtung ihrer Erscheinungsformen im Diffusen läßt, aber die Ablehnung des ‚höhernorts' Gültigen und Erstrebten nicht leugnet" (L 22, 95 f.). Ebenfalls aus sozialistischer Sicht, aber ohne dialektisches Verständnis wir die Erzählung von Halina Bialek gepriesen (L 25). Das Neue sei hier, daß Böll „die große Welt durch das Prisma der Provinz" zeige. Andererseits ist aber die ‚große Welt' auch die böse Welt, der „die Welt der kleinen Leute gegenübergestellt" wird, „in der das Humane bewahrt" werde (S. 55). Diese eher kleinbürgerliche als sozialistische Perspektive löst nicht den Widerspruch, daß die ‚kleine' Welt gleichzeitig Spiegelung und Antithese der großen bösen Welt sein soll. Fragwürdig ist das kritiklose Klischee von der schönen heilen Welt der kleinen Leute, fragwürdig auch, ob diese positiven Gestalten wirklich, wie Bialek behauptet, außerhalb der „bodenlosen Gesellschaft" ihre Menschlichkeit bewahren. Am Ende sind sie doch alle mehr oder weniger integriert. So ist auch Zweifel an Karl-Heinz Bergers Feststellung angebracht, daß am Ende die utopische Dimension obwalte, und daß in dieser kleinen Welt „die Hoffnung auf eine Zukunft des Humanismus" sich manifestiere (L 17, 343). Das entspricht zwar den Intentionen Bölls, aber eben diese provozieren kritische Zweifel. Zurückhaltender äußert sich denn auch Hermann Kähler, der hier zwar „Symptome einer neuen Erscheinung getroffen" sieht, aber die „Darstellung des Selbstverständnisses eines Protests als Kunstwerk" nur im Ansatz gelungen findet.[29]

In der westlichen Kritik lassen sich grob drei Stellungnahmen unterscheiden. Die erste sieht Kritik und reagiert negativ darauf, lehnt sie ab, so Schwarz: „Fast scheint es, daß sich Bölls dichterische Einfallskraft mit seinen letzten Werken erschöpft und verausgabt hat, daß er nun endgültig die Rolle einer deutschen Mrs. Grundy zu spielen gedenkt, um mit erhobenem Zeigefinger und säuerlicher Miene Kritik und nichts als Kritik zu üben" (L 194, 40). Schwarz geht hier, wie auch sonst in seinem Buch, nicht auf die konkreten Aspekte der Kritik ein, sondern wischt sie pauschal vom Tisch. Eine zweite Form der Reaktion – und sie ist in der Mehrzahl – verharmlost die Kritik und hebt mehr das Spielerische und Humoristische der Erzählung hervor. Es ist wahrscheinlich hauptsächlich diese Gruppe, von der Böll sich mißverstanden fühlte. Auch Werner Hoffmeister betont die Sublimierung der Kritik ins Subtile und Spielerische: „The satirical anger is articulated in a form more relaxed and yet more controlled than before; there is more playfulness and more subtlety" (L 95, 291). Hinton Thomas und Wilfried van der Will sehen in *Ende einer Dienstfahrt* „to date Böll's most delicately humorous book" (L 200). Auch Werner Ross sieht mehr Verharmlosung als Kritik: „Aber Böll verwendet seine ganze glänzende Erzählergabe darauf, aus dem Fanal ein Fanälchen zu machen, den Protest ins Rheinische und Kölsche zu übersetzen, das Strafgericht durch Verwendung von Rahmbonbons als Knallkörper [...] in etwas zu verwandeln, auf dessen Bezeichnung als ‚Happening‘ sich schließlich alle Prozeßbeteiligten einigen" (L 136, 86).

Wenn, wie wir vermuten, Böll sich vor allem von dieser zweiten Tendenz der Kritik mißverstanden fühlte, so ist doch zu fragen, ob dieses Mißverständnis nicht im Roman selbst angelegt ist, also im strengen Sinne kein Mißverständnis ist. Eben hier stellt sich eine dritte Form der Kritik und, wie ich glaube, die treffendste ein. Man mag Böll die Intention zugestehen, Kunst als Protest zu verstehen und darzustellen. Das Resultat erscheint eher als eine Demonstration der Ohnmacht der Kunst, wenn nicht gar ihres affirmativen Charakters, indem der politische Protest in seiner Stilisierung zur Kunst einfach harmlos wird. Zu diesem Urteil kommt Karl Migner: „Der Protest aber bleibt bemerkenswert unpolitisch, individuell und damit wirkungslos, obwohl die beiden Gruhls für ihn strafrechtliche Verfolgung in Kauf nehmen" (L 155, 296). Auch Durzak sieht im Schluß der Erzählung eher eine Verharmlosung der aufgeworfenen Probleme: „Die in ihrer Tat sichtbar gewordene Sinnlosigkeit der Gesellschaft wird auch von ihnen wieder kaschiert" (L 52, 95).

2.2.12 ‚Gruppenbild mit Dame‘

Zeigten die beiden vorangehenden Erzählungen Symptome einer Krise, so erreichte Böll mit diesem neuen Roman einen weiteren Höhepunkt seiner Popularität. Es gelang ihm nicht nur, langfristig die belletristische Bestseller-Liste anzuführen, sondern er erhielt mit dem Nobelpreis auch die höchste internationale Anerkennung. Ein Hauptfaktor für den Erfolg mag die Erwartung gewesen sein, was ein bislang schon ziemlich populärer Autor, der sich zudem durch politisches Engagement des öftern zur Zielscheibe nicht immer liebevoller öffentlicher Aufmerksamkeit gemacht hatte, nach einer mehrjährigen Pause als Erzähler zu bieten habe. Daß er an einem großen Roman arbeitete, war seit längerer Zeit bekannt und regte Spekulationen an. Diese Erwartungssituation wurde vom Verlag entsprechend genutzt. Der Roman wurde als Bestseller geplant, erschien in einer Startauflage von 50 000 Exemplaren, die nach einem Bericht der *Rheinischen Post* schon im August, kurz nach Erscheinen, ausverkauft war (L 219). Ulrich Witsch behauptet

sogar, „sie war es im Grunde genommen schon vor dem Auslieferungs-
termin, so groß waren die Optionen im In- und Ausland." Der Verlag
gab „schon Tage vor dem Erscheinen des Romans [...] einen großen
Empfang für seinen zugkräftigen Autor". Nicht unwichtig war auch
die Versendung einer ungewöhnlich hohen Anzahl an Rezensionsexem-
plaren. Der Klappentext gab den Kritikern zudem die Stichworte:
„Gruppenbild mit Dame', Heinrich Bölls neuer Roman, ist nicht nur
sein umfangreichstes, sondern auch sein umfassendstes Werk. Man
kann es als eine Summe seines bisherigen Schaffens bezeichnen." Die
Rheinische Post variierte den Text nur leicht: „,Gruppenbild mit Dame' ist Bölls umfangreichster, aber vielleicht auch kompliziertester
Roman, mit vielen Einschiebseln, Bezügen und Anspielungen. Wer sich
die Mühe macht, wird feststellen, daß alle Bezüge stimmen" (L 219).
Vor allem aber das Wort von der „Summe seines bisherigen Schaffens"
wurde von der Kritik gerne aufgenommen. Aus den zahlreichen kritischen Reaktionen zu diesem Roman können im folgenden nur einige
Stimmen erwähnt werden.

Noch vor Erscheinen des Romans hatte Dieter Wellershoff ein Inter-
view mit dem Autor, das dann in *Akzente* publiziert wurde.[30] Es kann
aber nicht völlig befriedigen, weil der Interviewer zu wenig kritische
Fragen stellt und dem Autor zu viel Interpretation anbietet, so daß
Böll meist mit einem „ja, das ist möglicherweise schon so — jetzt, da
Sie es sagen ..." antwortet. Aber das Interview gibt immerhin erste Einblicke in die intendierte Konzeption des Romans und das Böllsche
Verfahren. Zur Hauptperson Leni heißt es: „Ich habe versucht, das
Schicksal einer deutschen Frau von etwa Ende Vierzig zu beschreiben
oder zu schreiben, die die ganze Last dieser Geschichte zwischen 1922
und 1970 mit und auf sich genommen hat" (S. 331). Intendiert war
ferner, „daß diese Frau die verschiedensten sozialen Stufen durchlebt,
materiell, milieumäßig, daß sie mit relativer Unbefangenheit sehr ernste
Perioden der deutschen Geschichte fast unverletzt überstanden hat".
Befragt nach Leni als Idealgestalt, naiv und unschuldig, bekräftigt Böll
vor allem ihre Unschuld; sie sei „fast schon in einem metaphysischen
Sinne unschuldig" (S. 332). Das schließt nicht eine extreme Tendenz
zur Sinnlichkeit aus, die nach Böll „eine Form von Sensibilität" ist,
„der sozialen Sensibilität, der erotischen Sensibilität, als auch der phy-
sischen Sensibilität, und ihre Sinnlichkeit wird deshalb sehr kompliziert" (S. 333). Der Roman ist für Böll „auch ein Bildungsroman [...],
der Roman der Bildung einer Frau" (S. 334). Amerys These von der
Legendenstruktur von Bölls Erzählungen wird hier indirekt bekräftigt,
wenn Böll ausdrücklich auf die Geschichten und Erzählungen von Heiligen hinweist (S. 343). Und als Wellershoff ihm vorschlägt, in Leni
eine rheinische Madonna zu sehen, möchte Böll das nicht ganz vernei-
nen: „Das mag alles drinstecken, das will ich nicht ableugnen. [...] Das
wäre eine Möglichkeit. Ich glaube aber eher, daß die Tatsache, daß es
eine Frau ist, auch der Versuch ist, den männlichen Helden aus der Li-

teratur etwas zu verdrängen" (S. 345). (Die Idee von der Madonna-Gestalt ist übrigens von Wolfram Schütte in seiner Rezension in der *Frankfurter Rundschau* schon im Titel angedeutet: „Häretische Marienlegende, kräftig abgedunkelt" (L 185). Das Interview gibt auch wieder Einblicke in Bölls Werkstatt. Auch für diesen Roman hat Böll sehr detaillierte Recherchen gemacht (so z. B. über das Kranzwinden). Wichtig ist, wie Böll die Funktion solcher Detailrecherchen sieht: „Natürlich habe ich sehr viel recherchiert und recherchieren lassen. Wenn man aber ein Detail hat, ein exaktes, ergibt sich daraus eine logische Weiterentwicklung einer bestimmten Welt" (S. 336). Böll geht es also nicht so sehr um eine genaue Dokumentation der Detailzusammenhänge, sondern um das Detail als Ausgangspunkt für die Fabulierlust des Erzählers. Aufschlußreich für Bölls Erzählweise scheint mir auch sein Kommentar zu der für ihn wichtigen Liebesepisode: „[...] mir schien, daß es spannender, echter, exakter und auch der Wirklichkeit entsprechender sei, wenn man eine Liebe zwischen Mann und Frau in eine möglichst schwierige [...] Situation stellt" (S. 337). Was daran exakter oder echter sei, ist nicht ganz klar, aber diese Aussage zeigt, wie sehr Böll die einfachen, unkomplizierten und ungemischten Gefühle den differenzierten und vermischten vorzieht. Denn sobald ein Liebespaar, wie hier, in eine extreme Gefahrensituation gestellt ist, läßt sich sozusagen die große Liebe unvermischt als Gegenkraft und Widerstand darstellen, sie löst sich nicht auf in die vermischten und differenzierten wechselnden Gefühlslagen einer Liebe im Alltag. Das ist wohl ein Grund, weshalb es bei Böll kaum das sonst relativ häufige Thema der Ehekrise gibt. So nuancierte Beobachtungen und Studien zu zwischenmenschlichen Beziehungen, wie sie etwa in Max Frischs zweitem Tagebuch zu finden sind, wird man bei Böll schwerlich finden; sein erzählerisches Talent liegt anderswo.

Die Kritik, wie schon angedeutet, reagierte diesmal zum großen Teil sehr positiv, wenn auch durchaus nicht einstimmig. Karl Korn, seit Jahren schon beredter Anwalt Bölls, schrieb auch diesmal ein Loblied in der *Frankfurter Allgemeinen*.[31] Die Leser der Zeitung, von denen wohl manche noch von Bölls Äußerungen zur Hetze gegen die Baader-Meinhof-Gruppe verschreckt waren, mußten zunächst in dieser Hinsicht beruhigt werden. Die politischen und sozialkritischen Aspekte wurden dementsprechend entschärft, statt dessen „leicht getönter Realismus" hervorgehoben mit Assoziationsziel in Richtung auf Storm und Raabe. Vor allem das Marxistische soll eliminiert werden: „Die anarchischen Grundstimmungen und schwärmerischen Sozialutopien der Leute aus dem Kölner Stadtvolk sind nicht zufällig eher mit dem als kleinbürgerlich-handwerklich verschrienen Franzosen Proudhon zu begreifen als mit dem rheinischen Preußen Karl Marx." Auch sonst wird dem Leser der *Frankfurter Allgemeinen* geschmeichelt: die Dokumentation, die doch einen Anruch von Sozialismus haben könnte, dient nur dazu, die Spannung „für den anspruchsvolleren Geschmack" zu steigern. Die Kritik wird zur genußreichen Zeitsatire, bei der kluge Köpfe kenntnisreich ,aha' sagen dürfen: „Unverkennbar hat Böll seinen Roman und dessen Auskunftspersonen auch zu Trägern der politischen Zeitsatire gemacht. Dem Leser wird der Genuß vermittelt, Bewußtseinslagen und ideologische Hintergründe aus dem Vokabular zu erkennen." Der neue Roman ist, zusammenfassend, „ein großer Wurf, der das gesamte vorangehende schriftstellerische Werk wieder aufnimmt und auf eine höhere Ebene hebt, vermutlich Bölls bedeutendstes Buch."

Heinz Ludwig Arnold ist zwar nicht mit Karl Korns Rezension einverstanden, spart aber auch seinerseits mit Superlativen nicht (L 8). Vor allem Leni Pfeiffers Menschlichkeit wird hervorgehoben: „[...] wohl die menschlichste Person, die Böll je gezeichnet hat", heißt es von ihr. Von da her leitet Arnold die Thematik des Romans ab: „Diese Menschlichkeit, so allgemein das auch klingen mag, ist das Thema dieses Romans; die Unmenschlichkeit von Technokratie, Terror, kapitalistischer, faschistischer und klerikaler Borniertheit wird nicht primär thematisch, sondern nur als Widerstand, Hindernis und Anfechtung erfaßt" (S. 44). Interessant ist ein Hinweis auf Leni als schöne Seele: „Alles, was Leni tut, geschieht aus Neigung, und sie hat nun mal eine fast erotische Neigung zu helfen" (S. 44). Das entspricht weitgehend der Definition der schönen Seele im 18. Jahrhundert; die kritische Frage wäre natürlich zu stellen, ob ein solches Konzept unreflektiert noch eine Berechtigung hat.

Die *Frankfurter Hefte* publizierten drei Rezensionen, die zugleich drei Kritiker-Generationen repräsentieren sollten (L 87, L 132, L 124). Der Roman wurde, aus unterschiedlichen Gründen, von allen drei Repräsentanten gelobt. Der älteste der drei Kritiker, Geno Hartlaub, betont die metaphysischen Dimensionen, ohne den Roman aber darauf reduzieren zu wollen: „,Gruppenbild mit Dame' ist *auch* ein metaphysischer Roman, in Szene gesetzt nicht nur von Autor und Verfasser, sondern von höheren Instanzen, die ungenannt bleiben bei diesem Stück Welttheater" (S. 794). Aber auch Technisches bewundert Hartlaub: „Im Gegensatz zu einigen Literaturkritikern, die nicht unbefangen an Bölls Recherchen-Roman herangehen, weil ihnen die ,ganze Richtung' der fiktiven Dokumente nicht paßt, halte ich ,Gruppenbild mit Dame' für einen sehr bewußt und sorgfältig komponierten Roman" (S. 793). Positiv bewertet er auch, „daß die meist weiblichen Figuren bei der indirekten Erzähltechnik nicht blaß und schemenhaft wirken, sondern ein intensives, wenn auch geheimnisvolles Leben gewinnen" (S. 793). Auch Paul Konrad Kurz, die mittlere Generation vertretend, beginnt mit einem Superlativ: „Der episch und moralisch souveränste Böll, den es je gab" (S. 789). Wie Hartlaub findet er die „Schematisierung" der Person durchbrochen. Drei Hauptthemen strukturieren nach ihm den Roman: Menschsein aus Opposition; Hochzeit der Feinde; Eva, die Frau (Leni). Er betont vor allem Böll als modernen Frauenlob, ein Lob, das scheinbar nicht nur irdische Gründe hat: „Kein gegenwärtiger deutscher Erzähler hat wie Böll die Frauen gelobt. Sie sind dem Lieben, Leiden, Aushalten des Lebens, der Erde und dem Himmel näher als der Mann" (S. 789). Man muß allerdings fragen, ob solche ‚archetypischen' Eigenschaften nicht mit der sozialen Stellung der Frau zu tun haben. Es gibt ein Frauenlob, das die Unterdrückung der Frau als Basis haben muß, so wie das Lob der Armut die soziale Ungerechtigkeit voraussetzt. Auch Kurz weist auf Legendenstrukturen hin, in diesem Fall die „heilige Familie" (Leni-Boris-Lev). Nur ungenau geht er auf die dokumentarischen Züge ein: „Das Dokumentarische ist Form, Rolle. Der Roman wird erzählt" (S. 790). Aber welche Funktion hat dann das Dokumentarische als Fiktion? Der Roman hat einige Züge, die den Tiefsinn der Interpreten anregen werden. Kurz ist da noch relativ zurückhaltend: „Geradezu archetypisch eint der Verfasser Eros und Todesnähe, Aussonderung und Gemeinschaft, das Sinnliche und Sakrale, die ‚Hochzeit' als Kranzflechten und Begrabenwerden" (S. 790). Der Jüngste der Rezensenten, Hans Christian Kosler, beginnt mit einer kritischen Rückschau, die Böll mehr oder weniger als Repräsentanten bildungsbürgerlicher Ideologie sieht. Aber mit dem *Gruppenbild* ändert sich auch das Böll-Bild: Nicht eine Zusammenfassung und Krönung des vorangehenden Werkes sieht Kosler in diesem Roman, er sei vielmehr „gegen die eigene Tradition geschrieben". Es sind die literarisch konservativen Aspekte, die Kosler lobt, und zwar als Annäherung an den sozialistischen Realismus (S. 792). Vor allem, daß bei Böll noch menschliche Subjekte auftreten, interpretiert Kosler als „das emphatische Zugeständnis an die Subjekte, Motor der Geschichte zu sein" (S. 791). Auch hierzu wären wieder kritische Fragen zu stellen. Erstens: inwiefern kann man ohne idealistische Bemäntelung die Subjekte noch als ‚Motor der Geschichte' bezeichnen (und wenn, welche und in welcher Weise)? Zweitens: sind die Figuren bei Böll wirklich ‚Motor der Geschichte'? Mir scheint, es gibt zwar Subjekte bei Böll, aber diese finden sich eher als Objekt denn als Subjekt der Geschichte. Abseits stehen bedeutet noch nicht, Geschichte bewegen; Sand im Getriebe der Welt knirscht zwar, aber der Sand wird zerknirscht und das Getriebe läuft weiter; zudem fehlt es nicht an Kultursymphonikern, die auch noch das bißchen Knirschen übertönen.

„Zwei Stimmen" zum Roman brachte auch der *Merkur* mit Heißenbüttel und Schwab-Felisch (L 89). Auch diese loben den Roman, ebenfalls aus völlig entgegengesetzten Gründen. Für Heißenbüttel ist es der „dokumentarische Antistil" (S. 912), der ihn fasziniert. (Es ist übrigens interessant, daß neben Heißenbüttel auch Hildesheimer, also zwei Formalisten und Experimentatoren, die weit von Böll entfernt scheinen, sich sehr positiv zu ihm geäußert haben.)[32] Wo andere Kritiker die „runde" Figur Lenis loben, heißt es bei Heißenbüttel: „Solche und ähnliche Figuren der Erzählung sind nicht, wie in traditionellen Romanen üblich, auf Anschaulichkeit bedacht [...], sondern sie sum-

mieren Fakten und Meinungen in geradezu protokollarischer Form"
(S. 912). Dagegen ärgert sich Schwab-Felisch zunächst über das Dokumentarische, freut sich aber dann umso mehr, herauszufinden, daß es
in Wirklichkeit als Parodie auf das Dokumentarische gemeint sei
(S. 915). In bezug auf Leni scheint er in gewisser Weise jedoch mit
Heißenbüttel übereinzustimmen: ,,Sie ist eine Kunstfigur, mehr irreal
als real" (S. 916).

Daß Leni als Kunstfigur zu nehmen sei, betont auch Jürgen Petersen in den *Neuen Deutschen Heften* (L 164). Er bezeichnet sie als eine
,,synthetische Figur, eine personifizierte Idee, eine idealische Existenz,
wie immer man es nennen mag, bei der es am Ende beinahe mehr auf
die Zeugen als auf den Gegenstand ankommt" (S. 139). Leni wird
nach Petersen ,,zu einem deutschen Gegentyp" (S. 141). Und wo Kosler die Annäherung an den sozialistischen Realismus pries, heißt es bei
Petersen: ,,Vor allem aber: einen realistischen Roman wollte er nicht
schreiben. Er überhöht die Wirklichkeit, entrückt sie in eine gewisse
Distanz" (S. 141).

Neben der positiven Resonanz hat sich gleichzeitig die Kritik ge-
meldet. Joachim Kaiser kritisiert vor allem den Mangel an Komposition
(L 111). Ein Hauptthema des Romans auf Böll übertragend, wirft er
ihm ,,epische Leistungsverweigerung" vor. Das ,,Nacheinander der be-
fragten Personen, die alle mehrfach sich äußern dürfen", scheint ihm
,,ziemlich zufällig". Eher positiv beschreibt er dagegen die Spannung
von Naturalismus und mystischer Vision. Weit schärfer geht Reich-Ranicki mit Böll ins Gericht (L 176). Er kritisiert vor allem Leni, ihren
Mangel an Intellekt, der durch Gefühl wettgemacht werde: Böll gönne
seinen Helden ,,mit der Zeit immer weniger Verstand". Böll gerät damit in recht fragwürdige Gesellschaft: ,,Aber so wenig dieses Mädchen
begreift, so viel fühlt sie. Kein Verstand, doch das Herz auf dem rechten Fleck — das ist eine Mischung, die von deutschen Dichtern (wenn
auch nicht gerade von den besseren) immer schon bevorzugt wurde."
Und er fragt sich, wie mir scheint nicht ganz zu Unrecht, ob Böll sich
bewußt sei, ,,daß diese Leni mit ihrer ganzen Weltfremdheit und Naturverbundenheit haarscharf einem fatalen deutschen Mädchen entspricht". So ambivalent ist diese Gestalt: dem einen (Petersen) erscheint sie als deutscher Gegentyp, dem andern als Verkörperung eines
deutschen Mädchenideals. Ihre konkreten Handlungen (etwa einen
russischen ,Untermenschen' zu lieben) passen natürlich nicht zum deutschen Mädchen, aber andere Züge wieder gar zu sehr. Reich-Ranicki be-
mängelt auch die wenig differenzierte Sprache: alle Personen ,,spre-
chen das gleiche Idiom, ein Böllsches *colloquial German*". Aber einfach verreißen kann er den Roman doch nicht: ,,Was immer gegen dieses Buch einzuwenden ist, es bietet doch eine nicht geringe Zahl
schlechthin großartiger Streiflichter und Impressionen, Nahsichtbilder,
Episoden und Reminiszenzen." Wie Kaiser findet aber auch er keine
Komposition. Während Kaiser noch bereit ist, sich von einer genaue-

ren Analyse belehren zu lassen, verwahrt Reich-Ranicki sich rigoros
und von vornherein gegen eine solche Möglichkeit: „Sollten jedoch
Wissenschaftler, die sich des ‚Gruppenbildes‘ bestimmt gern annehmen
werden — es eignet sich vorzüglich für Interpretationen —, etwa zu
dem Ergebnis kommen, die Komposition des Ganzen sei durchdacht
und womöglich raffiniert, dann gestatte ich mir schon jetzt zu sagen,
daß ich davon kein Wort glaube. Ein Formprinzip ist in diesem Buch
überhaupt nicht erkennbar." Auch wenn Reich-Ranicki in diesem Falle
recht haben sollte, und das ist möglich, zeigt eine solche Äußerung wenig kritisches Verantwortungsbewußtsein, ja es scheint mir eine Haltung,
die Reich-Ranicki gerade an Leni kritisiert, die Berufung nämlich auf Intuition und Impression, die von vornherein der Analyse sich überlegen
meint.

Manfred Durzaks Studie zum Roman bildet einen Übergang von
den ersten kritischen Reaktionen zu den umfassenderen literaturwis-
senschaftlichen Auseinandersetzungen (L 54). Durzaks Ergebnis hin-
sichtlich der Komposition des Romans ist negativ. Böll präsentiere
„den Roman gewissermaßen im Rohzustand" (S. 177). Vor allem le-
senswert ist Durzaks Auseinandersetzung mit den dokumentarischen
Zügen des Romans; er kann sich dabei auch auf Materialskizzen von
Böll berufen. Die Analyse des Dokumentarischen wird für jede zukünf-
tige Interpretation des Romans unerläßliche Voraussetzung sein. Ein
weiterer Teil beschäftigt sich mit dem „Verf." und seinem Verhältnis
zu den Figuren. Durzak vermutet, dieser Verfasser sei „eine technische
Hilfskonstruktion für die montagenhafte Materialaufbereitung des Romans" (S. 181). Wichtig für die literarische Montage findet er auch
„die Integration von dichterischen Zitaten" (S. 186). Er kritisiert aber
Unstimmigkeiten: etwa Lenis Vorliebe für Hölderlin und die Exkre-
mentalsphäre (S. 186 f.), ebenso mangelnde Integration des dokumentarischen Materials (S. 190) und unmotivierte erzählerische Identifikation des „Verf.s" mit seinen Personen, vor allem Leni (S. 190). Es zeigt
sich, daß es Böll scheinbar immer noch schwerfällt, sich von seinen
Personen zu distanzieren. Kritisch vermerkt wird auch die Tendenz
zur Legendenstruktur: „Bölls Material-Montage, die die Epiphanie Lenis einzufangen versucht, verwandelt sich unter diesem Aspekt in eine
säkularisierte Heiligenvita. Der für Johnsons Darstellung so grundlegende Vermittlungszusammenhang von Ich und gesellschaftlicher Situation ist hier aufgehoben" (S. 193).

Der Überblick über die Kritik zeigt, daß hauptsächlich zwei Probleme in den Vordergrund treten und gegensätzliche Bewertung erfahren:
die Hauptfigur Leni und die Dokumentar-Struktur des Romans. Die
beiden Pole in der Bewertung Lenis sind durch Petersen (positiv) und
Reich-Ranicki (negativ) gesetzt. Zu den positiven Bewertungen gehört
auch die enthusiastische Kritik von Ziolkowski (L 229). Er sieht in
Leni ein „spiritual center, holding together all the other characters
by the force of her essential humanity". Das gibt an Begeisterung in

nichts jenen Stimmen nach, die Ziolkowski in einem späteren Aufsatz etwas abschätzig zitiert (L 231 f.). In der Sinnlichkeit Lenis sieht James Reid einen Ausdruck von Bölls Monismus: „The physical and the emotional are one, hence the overwhelming importance of tears, excrementa, orgasms und blushing" (L 180, 75). In der Gestaltung der Figur findet er Anspielungstechniken, die die Assoziation zu einer Märchen-Hexe darstellen: „Two of Leni's lodgers are called Hans and Grete. The Hänsel and Gretel theme implies that Leni is to be seen as the witch. Witches are mentioned by the industrial psychologist in his testimony on the character of Leni's son Lev" (S. 75). Das ist zwar eine interessante Variation zur Madonna-Anspielung, aber es wäre doch nach der Funktion einer solchen Assoziation zu fragen, falls Böll sie wirklich intendiert hat. Geht es einfach um die Außenseiterstellung Lenis? Ihre Naturverbundenheit? Oder soll einfach das Mysteriöse der Gestalt erhöht werden?

Kritisch bewertet Bernhard die Hauptgestalt. Er mißt sie an der Intention Bölls, in der Figur Lenis den Inbegriff einer integren Person zu schaffen, die „spontan, aus einer intuitiv gewonnenen Sicherheit [ihrer] Emotionen handelt" (L 23, 277). Gerade darin aber wird sie für Bernhard unglaubwürdig: „Da die Hauptfigur aber immerhin als Mensch verstanden werden soll, der mehrere Jahrzehnte in der spätkapitalistischen Gesellschaft über- und bestanden hat, kommt der Autor nicht umhin, ihre Naivität zu überfordern" (S. 278). Hatte bereits Reich-Ranicki den Mangel an Intellekt beklagt, so kritisiert Bernhard ihre Sprachlosigkeit, was umso treffender wirkt, als sie wiederum von einer Böllschen Konzeption ausgeht: „Er [Böll] setzt in den *Frankfurter Vorlesungen* die Suche nach einem ‚bewohnbaren Land' der Suche nach einer ‚bewohnbaren Sprache' gleich. Seine Hauptfigur im jüngsten Roman ist eigentlich ‚sprachlos'" (S. 278).

Gegen diese Kritik hat es bereits die ersten Erwiderungen gegeben, am ausführlichsten bis jetzt von Ralph Ley, der sich vor allem gegen Reich-Ranicki wendet (L 141). Die Basis seiner Verteidigung ist, „that Leni exists on two levels, as a symbol and a real person" (S. 28). Das ist ein wichtiger Hinweis auf die Strukturprinzipien des Romans, widerlegt aber weder Reich-Ranicki noch die leicht modifizierte Kritik Bernhards. Wenn Reich-Ranicki die symbolische Ebene vernachlässigt, so vernachlässigt Ley die realistische Ebene; da er aber die Verbindung beider postuliert, müßte er eine solche nachweisen. Nicht überzeugender als Argument wirkt ein Werfel-Zitat: „For those who believe, no explanation is necessary; for those who do not, no explanation is possible" (S. 29). Dieser letztlich anti-humanistische Rückzug auf die Gesinnungsgemeinschaft der Gläubigen und die implizierte Degradierung des rationalen Diskurses ist etwas seltsam in bezug auf einen Autor, den man gern als humanistischen feiert.

Eine Analyse der Leni-Figur müßte sie auch innerhalb der Genese von Bölls Werk sehen. Einige kurze Hinweise dazu müssen hier genügen. In der Erzählung „Warum ich kurze Prosa wie Jacob Maria Hermes und Heinrich Knecht schreibe" (1965) gibt es eine Inhaltsangabe zu einer Kurzgeschichte von Hermes: „Die Hauptperson war ein neunjähriges Mädchen, das auf einem von Ahornbäumen bestandenen Schulhof von einer Nonne, die auf eine liebenswürdige Weise nicht mehr ganz richtig im Kopf war, überredet, überlistet, vielleicht gar gezwungen wurde, einer Bruderschaft beizutreten" (E, 392 f.). Analogien zu Leni drängen sich auf. Auch das Motiv der Sinnlichkeit spielt eine wichtige Rolle in der Geschichte, wobei bezeichnenderweise, wie der Erzähler vermutet, das Wort ‚Sinnlichkeit' von den Setzern zu ‚Sinnlosigkeit' verschlimmbessert wurde — eine Fehlleistung, die der Verdrängung der Sinnlichkeit durch die Gesellschaft entspricht. Auch die fast allegorische Figur der Europa in „Er kam als Bierfahrer" (1968) weist frappante Ähnlichkeiten mit Leni auf. Auch hier die unbekümmerte Sinnlichkkeit, die Zivilisationsfeindlichkeit und eine etwas versponnene Verbindung von „Intuition und Intellektualität", wie die Nonnen formulieren (E, 423). Fast eine Entgegnung auf die Kritik von Lenis an Schwachsinn grenzender Naivität schrieb Böll schon 1963 in der „Antwort an Msgr. Erich Klausener": „doch seine geheime Liebe [des Schriftstellers] gilt dem verehrungswürdigen, liebenswürdigen Schwachsinn der von dieser Welt als ‚schwachsinnig' Bezeichneten, die für ihn Träger einer himmlischen Intelligenz sind" (AKR I, 127 f.).

Das zweite Hauptproblem ist die Struktur des Romans. Reid stellt zwar fest, es könnten wichtige strukturelle Prinzipien entdeckt werden, bezeichnet das Ganze dann aber doch als „a much more rambling novel than anything Böll had written previously" (L 180, 72). Im dokumentarischen Charakter des Romans sieht Reid gerade eine Parodie auf Dokumentation und Wissenschaftlichkeit. Gleichzeitig bilde die dokumentarische Haltung aber auch eine Art Verfremdungseffekt, durch den Böll sozusagen Gefühle durch die Hintertür einführen könne, die sonst leicht sentimental wirken könnten. Bernhard kritisiert einen Bruch in der Erzähltechnik, weil nach und nach ein Erzähler den „Verf." ersetze (L 23, 274) und glaubt, daß in diesem Bruch nicht einfach ein Versehen liege, sondern „daß sich hinter dem Nicht-zu-Ende-Führen einer Konzeption ein grundlegendes weltanschaulich-ästhetisches Problem verbirgt" (S. 274).

Eine neue Perspektive bringt Raoul Hübners Aufsatz (L 101) in die Diskussion. Hübner analysiert zunächst die Rezeptionssituation. Er untersucht die Methoden in der Popularisierung von Bölls Werk, die ja mit dem Gruppenbild einen Höhepunkt erreicht hat. Manche rezeptionsformenden Konzepte werden von Hübner nur kurz gestreift und bieten Ausgangspunkte zu weiteren Untersuchungen: so die allgemeinen Implikationen des Romans durch erwartungsformende Konzepte wie ‚Frauenroman', ‚biographischer Roman' etc. Den dokumentarischen Aspekt setzt Hübner mit Recht in den weiteren Kontext der neueren westdeutschen Literatur, weist aber auch darauf hin, daß Böll die Form nur ironisch gebrochen verwendet. Kritisch wird vor allem die Figurendarstellung behandelt. Entsprechend dem rezeptionsästhetischen Ansatz geht es dabei nicht so sehr darum, was Böll intendiert haben mag, sondern was die Implikationen der jeweiligen Gestaltung im vorgegebenen Rezeptionsraum sind, mit welchen ideologischen Konzepten sie konform gehen, oder welchen sie widersprechen, auch welche emotionalen Reaktionen ihnen naheliegen. Hübner kritisiert zunächst die implizierte Konformität mit dem Mythos des intakten Individuums, daß „die Selbstbehauptung des Individuums immer noch einmal gelingen darf". Indem der ganze Roman sich an Personen und Personengeschichten orientiert, stößt er nirgends zu wirklicher Systemkritik vor. Bedenklicher noch ist der von Hübner aufgezeigte Biologismus im Roman, der Charaktereigenschaften als angeborene Qualitäten postuliert. Zwar dürfte der Autor in manchen Fällen Bölls Ironie unterschätzen, andererseits aber wirft gerade das Rezeptions-Moment hier schwierige Fragen auf. (So haben zum Beispiel Umfragen in den Vereinigten Staaten über die beliebte Fernsehserie „All in the Family", worin die rassistischen und sonstigen Vorurteile des Anti-Helden Archie Bunker zu satirischer Situationskomik verarbeitet werden, ergeben, daß ein großer Prozentsatz gerade jener Personen, die solche Vorurteile hegen, die satirische Intention gar nicht wahrnehmen.) Trotzdem, scheint mir, daß Hübner der Böllschen Ironie doch zu wenig Wirkungsraum zugesteht. Das gilt zum Beispiel für Hübners Kritik an der Darstellung der Herrschenden, wenn etwa Böll bzw. der „Verf." einem Großunternehmer „geradezu sanfte Augen" zuschreibt. Die negativen Signale des Kontextes sind hier stark genug, die sanften Augen als zynischen Schein bloßzustellen. Ohnehin wäre die Darstellung von Großunternehmern etwa als Monstren in der Erscheinung weder wirkungsvoll noch realistisch. Einleuchtender ist Hübners Kritik an der Darstellung gesellschaftlicher und interpersoneller Beziehungen, die im Roman durchgehend instinkthaft und emotional determiniert sind. Böll, so scheint es, traut dem unausgesprochen implizierten Konzept der ‚schönen' Seele zuviel zu.

  Unterdessen ist der Roman schon fast in geschichtliche Distanz gerückt. Vier Jahre nach Erscheinen dieser ‚epischen Summe' Bölls wird eine Art kritischer Summe angekündigt (L 231). Sechs Literaturwissenschaftler behandeln den Roman aus verschiedenen Perspektiven. Begrüßenswert ist, daß außer dem Nachdruck des (oben besprochenen) Böll-Interviews mit Wellershoff, das Einblick in Bölls Intentionen zum Roman gibt, alle sechs Beiträge original sind, obwohl einige der Autoren (Bernhard, Durzak, Ziolkowski) bereits schon Aufsätze zum Roman publiziert haben. Hier lassen sich zum Teil interessante, durch die zeitliche Distanz bedingte Modifizierungen im Urteil ablesen. Grundsätzlich erlaubt der größere zeitliche Abstand eine Entwicklung nach zwei Richtungen: einerseits ein genaueres Eingehen auf die Details, die nun nach und nach im komplexen Ganzen sichtbar werden, andererseits eine Ausweitung der Perspektive, die es erlaubt, die Position des Romans im Gesamtwerk Bölls und im Kontext der bundesrepublikanischen Literaturentwicklung genauer zu bestimmen. Dies umso mehr, als inzwischen eine neue längere Erzählung von Böll erschienen ist, die allerdings nur von Durzak als weiterer Bezugspunkt einbezogen wird.

Diesen Sammelband als kritische Summe vorzustellen ist zwar so problematisch wie den Roman selbst als ‚epische Summe' zu bezeichnen. Ganz unberechtigt ist es nicht, denn zumindest methodisch sind hier die wichtigsten Tendenzen der Böll-Forschung vereinigt: gesellschaftsbezogene, religiöse und formale. Es handelt sich jedoch in den meisten Fällen nicht um die einseitige Anwendung dieser Methoden, sondern nur um Dominanzen, die andere Aspekte nicht ausschließen.

Gesellschaftliche Aspekte werden hauptsächlich von Balzer, Durzak und Bernhard hervorgehoben. Balzer untersucht das Problem der Solidarität im Roman, vor allem die sozialen Rollen des „Helft-Leni-Komitees". Es zeigt sich, daß keine eindeutige Klassifizierung möglich ist, daß durch die Teilnahme so ambivalenter Figuren wie Pelzer die ‚Solidarität der kleinen Leute' ‚unrein' und problematisch wird. Balzer zeigt mögliche Parallelen zu Bölls Verhältnis zur SPD, das nach Balzer wieder pragmatischer geworden sei, jedoch nich frei von a-rationalen Impulsen, die sich z. B. im Willy-Brandt-Aufsatz Bölls äußern. Hier, wie im Roman, spielen emotionale Aspekte eine wesentliche Rolle in den Solidaritätsbeziehungen. Damit konstatiert Balzer, allerdings mit umgekehrter Wertung, dasselbe Phänomen, das schon Hübner kritisiert hat.

Bernhard, der in einem früheren Aufsatz die Hauptfigur ziemlich kritisch beurteilte, untersucht noch einmal ihre Stellung im Roman und kommt zu einer positiveren, wenn auch immer noch ambivalenten Beurteilung. Sie ist „Inbegriff" einer moralischen Integrität, aber das Verhältnis dieser Integrität zur geschichtlichen Realisierung bleibt problematisch. Durzak stellt die Leistungsverweigerung als Utopie in Frage; es fehle eine wirkliche utopische Perspektive. Der Schluß, den Böll als praktikablen Widerstand intendierte, sei eher Märchen als Utopie.

Gesellschaftliche Probleme existieren für Arpád Bernáth nur am Rande. Er sieht eine Grundstruktur im Gesamtwerk Bölls, deren Basis „die Liebe im Krieg" sei, die auf einer doppelten Ebene sich abspiele, und zwar in Form der Wiederholung eines früheren Geschehens. Daraus glaubt Bernáth ableiten zu dürfen, daß wir die Figuren „als Träger religiöser Inhalte interpretieren müssen". Damit werden auch die gesellschaftlichen Aspekte vollständig in Theologie aufgelöst, die zusammenfassende Interpretation wird aus einem theologischen Lexikon zitiert. – Interessant sind die Hinweise auf die *Marquise von O...* als eine Metaphernbasis für den Roman.

Die Untersuchung der Bildverknüpfung und der Romanstruktur steht im Zentrum der Aufsätze von Victor Lange und Theodore Ziolkowski. Lange untersucht zunächst die Funktion des Erzählvorganges, der gleichzeitig ein Erinnerungsvorgang ist. Damit wird die von anderen Kritikern schon hervorgehobene Bedeutung der Erinnnerung in früheren Werken Bölls auch in diesem Roman als wesentliches Element konstatiert. Wichtig für das Verständnis des Romans sind auch Langes Hinweise auf die Verfremdung des Gewöhnlichen in der Beschreibungsweise – eine Methode, die an Techniken Uwe Johnsons erinnert, etwa an die berühmte Beschreibung eines Fahrrads im *Dritten Buch über Achim* – sowie die Metaphorik und literarischen Anspielungen als Leitmotive. Ziolkowski konzentriert sich auf die Gesamtstruktur als einer „Einfachen Form" im Sinne von André Jolles. Es handle sich in diesem Fall, nach Ziolkowski, um „das Protokoll des Postulators oder *Advocatus Dei* im Prozeß der Beatifikation".

2.2.13 ‚Die verlorene Ehre der Katharina Blum oder: Wie Gewalt entstehen und wohin sie führen kann'

„Zum erstenmal seit seinem Bestehen veröffentlicht der SPIEGEL ein, wie man so sagt, belletristisches Werk, in vier Folgen, eine nicht allzu lange Erzählung von Heinrich Böll [...], dem einzigen lebenden Nobelpreisträger für Literatur deutscher Sprache." Mit diesen Worten kündigte Rudolf Augstein im *Spiegel* Nr. 31 1974 den Vorabdruck der neuen Erzählung von Heinrich Böll an. Vorabdrucke Böllscher Romane und Erzählungen in westdeutschen Zeitungen sind, wie bereits erwähnt wurde, keine Seltenheit. Die *Frankfurter Allgemeine Zeitung* hatte mehrere Böll-Romane als Vorabdruck gebracht. Der *Spiegel*-Vorabdruck ist aber, wie Augstein auch betont, eine Ausnahme in der Tradition des Magazins. Was veranlaßte diese Ausnahme? Augsteins Antwort ist kaum befriedigend, höchstens die halbe Wahrheit: „Böll, der traurig-humorvoll-heiter-gütige Böll, bleibt Böll. Seine neue Erzählung ist wieder skandalös. Darum drucken wir sie."

Gar so skandalös ist die Erzählung nicht. Aktuell allerdings ist sie und mit dem *Spiegel* im allgemeinen wie im besonderen verknüpft. Im allgemeinen: weil es hier um die Presse geht, und nicht nur die Springer-Presse, wenn diese auch vor allem gemeint ist; im besonderen, weil gewissermaßen der Ausgangspunkt zu dieser Erzählung, Bölls Aufsatz gegen die Hetze der Springerpresse, im *Spiegel* erschien. Die politisch-gesellschaftliche Dimension dieses Aufsatzes und die Reaktion, die er hervorrief, sind schon behandelt worden. Eine zweiseitige Zusammenfassung dieser Hintergründe stellt auch der *Spiegel* dem Abdruck der Erzählung voran. Gleichzeitig wird zweimal darauf hingewiesen, daß dieses Werk Bestseller-Qualitäten hat: „Bestseller-Favorit Nr. 1 für die neue Buchsaison ist Heinrich Bölls neue Erzählung" und: „Daß auch dieses neue Werk Heinrich Bölls ein Bestseller wird wie zuletzt ‚Gruppenbild mit Dame' und wie seit zwei Jahrzehnten fast alle seine Bücher, scheint Buchmarkt-Experten schon jetzt gewiß". Die Startauflage betrug 100000. Die groß aufgemachte Werbekampagne war offensichtlich erfolgreich und nutzte ihrerseits den Erfolg zu weiterer Werbung. „150000 Exemplare nach sechs Wochen verkauft" verkündete ein Werbeblatt des Kiepenheuer & Witsch Verlags. Im Börsenblatt vom 26. November 1974 waren es bereits 193000 Exemplare. Dazu kamen Raubdrucke (vgl. 4.2). Eine Verfilmung durch Schlöndorff wurde unmittelbar geplant (und lief noch 1975 an). Manches mag also den *Spiegel*-Herausgeber zu dieser Ausnahme veranlaßt haben: das Thema, der Schriftsteller Böll, der seit dem Baader-Meinhof-Aufsatz und seinem vorangehenden Roman mehr als jeder andere westdeutsche Schriftsteller im Licht der Öffentlichkeit steht, und damit verbunden die hohen Verkaufsaussichten.

Den unmittelbar aktuellen Anlaß der Erzählung hat Böll im Vorspann hervorgehoben: „Personen und Handlung dieser Erzählung sind frei erfunden. Sollten sich bei der Schilderung gewisser journalistischer Praktiken Ähnlichkeiten mit den Praktiken der ,Bild'-Zeitung ergeben haben, so sind diese Ähnlichkeiten weder beabsichtigt noch zufällig, sondern unvermeidlich." Da Böll aber den Anlaß zu einem Stück Literatur verarbeitet hat, ist nach der literarischen Verallgemeinerung des besonderen Falls zu fragen. Verallgemeinerung soll hier nicht heißen, eine entpolitisierte Überzeitlichkeit, die Frage zielt vielmehr darauf, inwiefern es Böll gelingt, am Einzelfall die weiteren sozialpolitischen Verflechtungen sichtbar zu machen und, da es ja um die Aktion bzw. Reaktion einer Person geht, auch die psychologischen Dimensionen. Damit verknüpft ist die Frage nach der Verarbeitungs-Methode.

Die Fabel läßt sich leicht zusammenfassen: eine junge Frau, verfolgt von der Hetzpropaganda eines gewissenlosen Sensationsblattes, genannt die *Zeitung,* greift, nachdem sie nicht ohne begründeten Verdacht von der Polizei vernommen worden war, schließlich zur Pistole und erschießt einen Journalisten der *Zeitung.* Diese Tat steht nicht am Ende, sondern am Anfang der Erzählung. Sie bildet den Ausgangspunkt einer detaillierten Recherche des Berichterstatters oder Erzählers, dessen Ziel die Beantwortung jener Frage ist, die schon im Untertitel aufgeworfen wird: *Wie Gewalt entstehen und wohin sie führen kann.* Damit ist das Zentralthema gegeben. Gewalt in ihren verschiedenen Modifikationen tritt in Erscheinung, wobei der Pistolenschuß beinahe als die geringste Form erscheint, zumindest als eine, die nur von andern Formen bedingt ist. Daß das, was in der Öffentlichkeit als offenbare Gewalt verurteilt wird, auf eine andere, heimliche Gewalt hindeutet, die als solche oft nicht bewußt wird und doch Grund aller Gewalt ist, war ein häufiges Thema rebellierender und revolutionärer Studenten seit den sechziger Jahren und spielt auch im Selbstbewußtsein der Baader-Meinhof-Gruppe eine wesentliche Rolle. Vor diesem Hintergrund weitet sich die Bedeutung der Erzählung über den aktuellen Anlaß hinaus.

Die *Zeitung* vertritt einen Übergangspunkt zwischen heimlicher repressiver und offener Gewalt. Die Erzählung zeigt daneben, wie auch andere Formen von Gewalt in alle Bereiche des Lebens eindringen, etwa im Ehemann der Katharina Blum, der statt Zärtlichkeit nur Zudringlichkeit kennt. Der Gegensatz von Zärtlichkeit und Zudringlichkeit, auf dem Katharina besteht, ist nur eine Sonderform des Gegensatzes von Gewalt und Liebe, der eine Grundkonstellation der Erzählung ausmacht. Aus dieser Konstellation gewinnt das Liebesmotiv seine Spannung. Der Gegensatz ist aber dadurch kompliziert, daß die beiden Momente aufs engste miteinander verflochten sind, so daß dem Schein nach die plötzliche Liebe zu Ludwig zum unmittelbaren Anlaß der ganzen Gewaltkette wird.

Böll hatte schon immer der Sprache eine besondere Macht zuerkannt, im guten wie im bösen Sinn. Die Wuppertaler Rede von 1958 („Die Sprache als Hort der Freiheit", H, 109–115) enthält Passagen, die als Motto für die Erzählung von 1974 hätten geschrieben sein können: „[...] und wer mit Worten umgeht, wie es jeder tut, der eine Zeitungsnachricht verfaßt [...], sollte wissen, daß er Welten in Bewegung setzt [...]" (S. 110). Ähnliche Bemerkungen, die hier noch im Kontext allgemeiner Reflexionen gemacht werden, finden sich später in den Frankfurter Vorlesungen; das Zustandekommen der Erzählung ist ihre dichterische Zusammenfassung, ausgelöst durch die Praktiken der westdeutschen *Zeitung*spresse.

Es ist daher kein Wunder, wenn in der „Katharina Blum" die Sprache auf den verschiedensten Ebenen thematisiert wird. Das geschieht in differenzierten Formen. Katharinas Sprachsensitivität und die fast pedantische Genauigkeit, mit der sie auf den Nuancen von Wortbedeutungen besteht, ist ein moralischer Protest gegen die Schludrigkeit im gewöhnlichen Sprachgebrauch; dem entspricht auch die umständlich genaue Beschreibung von Sachverhalten. Von dieser Hauptebene aus werden, unterstützt durch die strukturelle Verflechtung, weitere Aspekte in die Sprachthematisierung einbezogen. Dazu gehören die sprechenden Namen: Katharina Blum für die Heldin, Tötges für den *Zeitungs*-Reporter, Ludwig Götten für den Geliebten, der Katharina fast wie ein Messias erscheint. Sprachthematisierung sind auch die vielen Wortspiele, aus denen sowohl wesentliche inhaltliche Momente als auch die Struktur sich ergeben. Als Beispiel für die Ableitung der Struktur aus einem Wortspiel mag eine Passage aus dem zweiten Kapitel dienen: „Wenn der Bericht – da hier soviel von Quellen geredet wird – hin und wieder als ‚fließend‘ empfunden wird, so wird dafür um Verzeihung gebeten [...]. Angesichts von ‚Quellen‘ und ‚Fließen‘ kann man nicht von Komposition sprechen, so sollte man vielleicht statt dessen den Begriff der Zusammenführung [...] einführen, und dieser Begriff sollte jedem einleuchten, der je als Kind [...] in, an und *mit* Pfützen gespielt hat ..." (S. 10). Die fiktiven Quellen des Berichterstatters werden zum semantischen Ausgangspunkt des mitreflektierten Kompositionsprinzips. Ein Sprachspiel begleitet auch die zentrale

Handlung: Ein Wort des Reporters löst die Aktion aus: „Er sagte, ‚Na, Blümchen, was machen wir zwei denn jetzt?' Ich sagte kein Wort, wich ins Wohnzimmer zurück, und er kam mir nach und sagte: ‚Was guckst du mich denn so entgeistert an, mein Blümelein — ich schlage vor, daß wir jetzt erst einmal bumsen.' Nun, inzwischen war ich bei meiner Handtasche, und er ging mir an die Kledage, und ich dachte: ‚Bumsen, meinetwegen', und ich habe die Pistole rausgenommen und sofort auf ihn geschossen" (S. 185). Offenbar wollte Böll hier den Zusammenhang von Wort und Gewalt im Wortspiel zur Unmittelbarkeit verdichten. Das ist ihm einerseits zwar gelungen, jedoch mit bedenklichen Kosten: denn was das Wortspiel symbolisch verdichtet, löst es im Kontext der Handlung auf, indem es die Motivation verwirrt und den Schuß zur Reaktion auf eine sexuelle Attacke macht, womit die von der Recherche mühsam aufgebauten Motivationszusammenhänge gefährlich in Frage gestellt werden.

Daß hier Böll eine Fehlkalkulation unterlaufen ist und daß man von hier aus den Vorgang nicht herleiten soll, wird vor allem durch das Kapitel 49 unterstützt, in dem kurz vor der ausführlichen Erzählung der Tat der Text noch einmal in konzentrierter Weise emotional gegen die *Zeitung* aufgeladen wird, wobei der Berichterstatter noch ausdrücklich sagt, daß er hier dem Leser die „Tatzusammenhänge" über jeden Zweifel einprägen wolle. Es ist ohnehin eine Eigenart des Schriftstellers Böll, daß die intentionale Verteilung von Recht und Unrecht stärker durch emotionale Signale angezeigt werden als durch strikte Logik oder juristische Eindeutigkeit.

Eine Fehlkalkulation in der zeitlichen Koordination scheint Böll am Anfang der Erzählung unterlaufen zu sein. Zwei Tage nachdem Katharina den Journalisten Tötges erschossen hat, wird ein zweiter Journalist ermordet, und zwar heißt es ausdrücklich, er sei am Dienstagmittag erschossen worden. Trotzdem wird für einige Stunden Katharina Blum verdächtigt, und nur die Tatsache, daß zwei verschiedene Tatwaffen im Spiel waren, scheint den Verdacht der Beamten nach und nach abzubauen (S. 14). Nun heißt es aber vorher, daß sich Katharina bereits am Abend nach der Tat, am Sonntagabend „gegen 19.04 Uhr" der Polizei stellte, also wohl zur Tatzeit des zweiten Mordes in Untersuchungshaft sein mußte, was den Beamten doch hätte bekannt sein müssen. Es scheint, daß hier wieder einmal, wie es auch in früheren Romanen geschah, Bölls Zeitschemata und Diagramme entweder ungenau waren oder von ihm zu wenig studiert wurden.

Die Rezeption der Erzählung ist im allgemeinen sehr positiv verlaufen. Dazu hat ohne Zweifel das Thema beigetragen. Angriffe auf die *Bild*-Zeitung dürfen unter bürgerlichen Intellektuellen auf allgemeine Sympathie rechnen. Hier können auch die seit einiger Zeit deutlich nach rechts gerückten Feuilletons der meisten bundesrepublikanischen Zeitungen Beifall spenden, sofern sie nicht gerade zum Springer-Konzern gehören.

Uneingeschränkt blieb der Beifall allerdings nicht. Der Zweifel an der künstlerischen Verarbeitung gut gemeinter Intentionen motivierte auch in diesem Fall manche Rezensionen. Ein Beispiel dafür ist die Kritik von Rolf Michaelis in der *Zeit* (L 154). Während der „moralische Zorn des Autors" ihn überzeugt, erhebt er kritische Bedenken gegen die Erzählung als literarisches Werk. Diese Bedenken richten sich hauptsächlich gegen zwei Momente: die Figurengestaltung und die strukturelle Verarbeitung. Wieder stehen sich in den Hauptfiguren Gut und Böse allzu eindeutig gegenüber: „In der Idealisierung seines Blum-Mädchens geht Böll bis an die Grenze des literarisch Zulässigen und Überzeugenden. Während Tötges (,der Kerl von der *Zeitung*') natürlich ,schmierig' ist und Porsche fährt, strahlt die einen gebrauchten VW kutschierende Katharina (griechisch: die Reine) in dem moralischen SUWA-Weiß, das Flecken auf der Seele von Kunstfiguren hinterläßt." Weniger einleuchtend erscheint dagegen seine psychologische Kritik: „doch wird die Verwandlung der passiven, ziellos streunenden Frau in eine aktive, ihr Ich bis zum Mord verteidigende Frau nur behauptet, nicht auch literarisch verwirklicht". Dagegen ließe sich von zwei Seiten argumentieren. Einmal bietet die Realität selbst Material in Überfluß für die Verwandlung stiller, unscheinbarer und zurückgezogener Menschen zu Mördern; Böll beläßt es aber keineswegs dabei, sondern schafft eine psychologische Situation, die den Mord fast unvermeidlich macht. Man könnte sogar im Gegenteil kritisieren, daß er die Motive bis zur Redundanz häuft. Zum zweiten ist Katharina keineswegs nur die ,streunende' Frau, sondern eine durchaus zielbewußte Person, die in ihrem kleinen Kreis ein beachtliches Organisationstalent beweist und dafür auch besonders geschätzt ist. Und daß sie Angriffe jeder Art auf ihre Person nicht duldet, ist schon durch die Scheidung von ihrem Mann angedeutet.

Das zweite von Michaelis kritisierte Moment ist die Struktur, und zwar „ein Übermaß an Konstruktion", die ein „Nebenwerk" legitimieren solle. Im Zusammenhang damit wird auch die Sprache, die ja von der Konstruktion als Bericht bedingt ist, kritisiert; Böll flüchte sich „in einen Stil von oft gequält bürokratischer Ironie". In dieser stilistischen Gewundenheit mehr als in der Konstruktion liege Bölls Schwäche. Denn nicht immer sei der Stil von der Konstruktion und dem Kontext her gerechtfertigt. Michaelis gibt schließlich noch einen wertvollen interpretatorischen Hinweis, indem er den barock anmutenden Titel mit Motiven der Erzählung in Verbindung bringt, z. B. dem barocken Kontrast von Lebenslust und Tod in der Konfrontation von Karneval und Mord. Von diesem Hintergrund her erhalten dann auch manche anderen Aspekte eine Motivation: die rigorose Trennung von Gut und Böse, das manchmal fast biblische Pathos, und auch der gewundene Stil. Die kritische Frage bleibt aber offen, ob dieser Hintergrund und die dadurch motivierten künstlerischen Elemente dem Stoff und dem Thema gerecht werden.

Es ist auffallend, wie sehr auch die kritische Reaktion die Ähnlichkeit mit dem vorausgehenden Roman *Gruppenbild* implizit bestätigt. Denn auch dort konzentrierte sich die Auseinandersetzung hauptsächlich um die Hauptfigur Leni und um die fiktive dokumentarische Konstruktion. Während aber Reich-Ranicki Leni scharf kritisierte, lobt er hier gerade die Charaktergestaltung. Tatsächlich hat Böll der Katharina Blum bedeutend mehr Verstand und Klugheit zugebilligt, wenn sie auch immer noch naiv genug erscheint. Reich-Ranickis Lob basiert auf seinem unveränderten Festhalten am Charakterideal des 18. und 19. Jahrhunderts: ,,Böll verzichtet endlich auf jenes bisweilen etwas naive Beiwerk, mit dem er viele seiner früheren Geschöpfe unverwechselbar machen wollte — und schafft trotzdem (oder eben deshalb) eine geradlinig-einheitliche, eine glaubhafte und überzeugende Gestalt" (L 191). ,,Glaubhaft" und ,,überzeugend" sind fragwürdige ästhetische Kategorien. Sie hatten eine Funktion als polemische Kategorien im 18. Jahrhundert, als der realistische Roman sich erst etablieren mußte, unterdessen aber können sie kaum mehr als subjektiven Wert haben. Die Subjektivität der Kategorien wird schon unmittelbar dadurch demonstriert, daß Reich-Ranicki glaubhaft scheint, was Michaelis nicht überzeugt. Gegenüber dem Lob, das Reich-Ranicki dieser Erzählung spendet, und das, wie die lange Einleitung nahelegt, stark motiviert ist aus einem Ressentiment gegen die gesamte experimentelle und politische Literatur der Gegenwart, sind die kritischen Einwände eher gering. Moniert werden ,,eine Anzahl stilistischer Nachlässigkeiten", die aber wieder positiv ausgeglichen werden durch Bölls sprachliche Sensitivität, wenn es um das Belauschen des Alltagsdeutsch geht. Einige ,,Albernheiten und Witzeleien" werden hingenommen als etwas, von dem Böll nun einmal nicht lassen kann.

Der Aufsatz Reich-Ranickis ist betitelt ,,Der deutschen Gegenwart mitten ins Herz". Das läßt eine Auseinandersetzung mit den politisch-gesellschaftlichen Aspekten der Erzählung erwarten. In Wirklichkeit entpolitisiert Reich-Ranicki die Erzählung. Es wurde schon darauf hingewiesen, daß Böll teilweise im Privaten steckenbleibt. Zunächst scheint es, als ob Reich-Ranicki Böll politischer interpretiere, als er ist, denn er behauptet, die Erzählung sei ,,weniger gegen die ‚Bild'-Zeitung gerichtet als gegen die Gesellschaft, die ein Phänomen wie die ‚Bild'-Zeitung duldet". Da aber die komplexen gesellschaftlichen Bedingungen tatsächlich nicht erscheinen, bleibt die Feststellung Reich-Ranickis eine Verallgemeinerung, die von den vorhandenen beschränkten konkreten Aspekten ablenkt. Die Verallgemeinerung wird sogar noch einen Schritt weitergetrieben, wenn es heißt, es gehe Böll um ,,das Extreme" überhaupt. Aber gerade darum geht es Böll nicht. Gegen pauschale Verurteilung von ‚Extremisten' und die darin implizierte Ideologie der Mitte hat sich Böll eindeutig und heftig in seinem fiktiven Shaw-Brief an Wehner gerichtet.

Die politische Dimension dieser Erzählung ist beschränkt, gerade deshalb darf sie nicht unnötig ins Unverbindliche verallgemeinert werden. Ihren stärksten Ausdruck findet sie thematisch und formal in der Sprache. Es ist das Verdienst der Rezension von Wolfram Schütte in der *Frankfurter Rundschau* (L 186), diesen Aspekt in den Vordergrund gestellt zu haben: „Denn nicht nur ist die Presse Gegenstand der Kritik — und damit deren hauptsächliches Mittel, die Sprache, die sie als Waffe, als Totschläger und Aufputschmittel benutzt: Böll in der Nachfolge von Karl Kraus —, sondern auch Katharina Blum hat eine sehr bestimmte, sehr genaue Sensibilität für die Wahrheit und Lüge der Sprache." Diese Aspekte der Sprache, wie überhaupt die wesentlichen Intentionen der Erzählung, werden von Friedrich Torberg in seiner *Spiegel*-Parodie (L 201) völlig übersehen. Während die stil-parodistischen Passagen nicht ohne Witz sind und gewisse Schwächen bloßlegen, geht der Inhalt der Kritik weit am Thema vorbei. Die Problematik beginnt mit der Glaubwürdigkeit bzw. Unglaubwürdigkeit der Hauptfigur. Die unteren Klassen, aus denen Leni stammt, dürfen nach Torberg keine Sensitivität haben, wie Böll sie seiner Katharina zugesteht. Das sagt mehr über Torbergs Menschenunkenntnis aus als über diejenige Bölls. Schütte hat in seiner Rezension (L 186) mit Recht eine solche Ideologie kritisiert: „Im Gegensatz zu den landläufigen Ideologen der neuen Sensibilität, die sie vornehmlich den Intellektuellen zusprechen, beharrt Böll darauf, diese emotionale, mit Erkenntnis verbundene Verletzlichkeit auch und gerade unter ‚einfachen Leuten' finden zu können." Böll selbst hat in seinem Aufsatz über Willy Brandt gegen die Reservierung der Sensibilität für die oberen Klassen polemisiert: „Die Worte Plebs und plebejisch bedürfen noch einer Ergänzung durch die bisher noch nicht entdeckte und (auch im sozialistischen Realismus) noch nicht beschriebene ‚plebejische Sensibilität', der man sehr rasch die Anführungsstriche nehmen muß. Die Herren sind nämlich nie sensibel oder gar zimperlich gewesen: weder in ihrem sexuellen noch in ihrem finanziellen Gebaren. Das haben sie immer ihren Frauen überlassen, die Klavier spielten, Rilke lasen, Vernissagen besuchten [...]. Es ist ein verfluchtes, durch Literatur und bildende Kunst bis in die Gegenwart hineintransportiertes Klischee, daß die ‚plebs' nicht sensibel, komplizierten Empfindungen nicht zugänglich oder deren nicht fähig sei" (NS, 255). Es ist offenbar, daß sowohl Leni Pfeiffer in *Gruppenbild* wie auch Katharina Blum Versuche Bölls darstellen, eben diese Sensibilität literarisch zu aktivieren. Bölls Problem ist nur, daß er notwendigerweise aus einer gewissen Distanz heraus schreiben muß und daß er aus dieser Distanz leicht das Ziel verfehlend aus der Sensibilität Sentimentalität macht. In dieser Hinsicht scheint mir aber Katharina — obwohl auch sie teilweise zu idealisiert als schöne Seele auftritt — gelungener als Leni.

Torbergs Kritik läuft letztlich darauf hinaus, daß Böll nicht eine Romeo-und-Julia-Geschichte geschrieben habe, wo Liebe „elementar" hereinbricht und mit der Staatsgewalt tragisch konfrontiert wird. Hier wird die Parodie zur Selbstparodie. Man gerät in Zweifel, ob Torberg die Erzählung Bölls überhaupt gelesen hat, wenn er fragt, ,,ob Heinrich Böll grundsätzlich dafür zu plädieren wünscht, daß die Presse einen Fall wie den von ihm berichteten – immerhin die Flucht eines polizeilich gesuchten Kriminellen und die ihm geleistete Fluchthilfe – entweder gänzlich verschweigen oder höchstens mit zwei, drei unauffälligen Zeilen vermerken sollte ...". Es geht nirgends bei Böll um das bloße Berichten, sondern um das sensationelle falsche Berichten, das bewußt Lügen, Verdrehungen der Wahrheit und emotionale Hetze als politische Instrumente einsetzt.

2.2.14 Hörspiele, Theaterstücke und Gedichte

Neben dem Erzähler Böll ist der Dramatiker fast ganz in den Hintergrund getreten. Eher ist Böll noch als Hörspielautor bekannt. Vor allem in den fünfziger Jahren waren die Hörspiele ein wichtiger Teil seines Schaffens. Zu der inzwischen wieder aufgekommenen ,neuen' Hörspiel-Welle scheint Böll dagegen kaum mehr beizutragen. Eine eingehende Analyse seiner Hörspiele fehlt aber immer noch. Es finden sich fast nur einzelne verstreute Bemerkungen. Wilhelm J. Schwarz bewundert die Dialogtechnik, ,,mit der er die lakonische Sprechweise des einfachen Mannes treffsicher wiederzugeben versteht" (L 194, 8). Mir scheint das Eigenartige mancher Hörspiele in einer Tendenz zur Lyrisierung der Sprache zu liegen. Auch Stresau erwähnt die Beherrschung der Dialogführung (L 198, 21). Eine genaue Analyse zur Dialogführung steht aber noch aus. Karl Migner betont mehr das erzählerische Moment in den Hörspielen: ,,Bölls Hörspiele leben stark vom Erzählerischen, in dessen Dienst die Dialoge stehen" (L 155, 308). Auf einige Techniken von Bölls Hörspielen weist Eugen Kurt Fischer in seinem Buch über das Hörspiel hin.

Das Schauspiel *Ein Schluck Erde* hat ziemlich einmütige Absage erhalten. Joachim Kaiser hebt zwar eine gewisse Sensibilität darin hervor, klammert aber ausdrücklich jeden dramatischen Wert aus (L 173, 47). Er versucht auch eine Erklärung für den Mißerfolg des Stückes zu finden: ,,Doch da der spezifische Tonfall von Bölls Sprachkritik sich offenbar nur beim epischen Erzählen, nicht aber im dramatischen Dialog auf eigentümlich scheue und herzbewegende Weise herzustellen vermag, blieb das allzu absichtsvolle Drama ohne Bühnenleben." Paul Konrad Kurz spricht von der ,,Idylle", die ,,im mißglückten Bühnenstück ,Ein Schluck Erde'" stecke (L 131, 93). Hans Mayer differenziert zwischen dem Hörspielautor und dem Dramatiker und versucht aus der Differenz der Gattungen und Bölls spezifischer Begabung für das Akustische das Mißlingen des Dramas zu erklären: ,,Die Beziehung zwischen Menschen als akustische Beziehung gehört zu den Eigentümlichkeiten dieser Literatur [des Hörspiels]. Vermutlich hängt damit auch zusammen, daß Heinrich Böll große Erfolge erzielte beim Schreiben von Hörspielen, aber als Bühnenautor bisher gescheitert ist (L 173, 19). Mayer leitet diese These von den häufigen Telefongesprächen in Bölls Erzählungen und Romanen ab. Nach Karl Migner liegt der Mißerfolg vor allem an der „Überstilisierung von Menschenbild und Sprache" (L 155, 297).

Nicht sehr erfolgreich war auch die Aufführung einer Bühnenfassung der *Ansichten eines Clowns* unter dem Titel *Der Clown* am 23. Januar 1970 in Düsseldorf. Die Bühnenfassung stammte zwar nicht von Böll selbst, war aber von ihm autorisiert. Im mokanten *Spiegel*-Ton werden die Akzentverschiebungen der Bühnenfassung deutlich: „[...] politische ‚Ansichten' nur schwach [vertreten]. Stark ist nur die Liebe. Das meiste ist Zirkus".[33]

Wenig Beachtung hat auch Bölls zweites Stück *Aussatz* erhalten. Die ausführlichste und genaueste kritische Analyse stammt von Klaus Berghahn (L 18). Im Gegensatz zum früheren Stück habe dieses „wenigstens den Reiz des Stoffes auf seiner Seite". Das Gesamturteil fällt ziemlich negativ aus, vor allem aus zwei Gründen: Berghahn kritisiert zunächst die dramatische Struktur, deren Schwäche hauptsächlich darin gesehen wird, daß Böll schon im 2. Akt alle wesentlichen Fragen beantworte, so daß der Rest an dramatischer Spannung verliere. Dazu kommen „hintersinnig nichtssagende Mätzchen [...], die die Unsicherheit des dramatischen Anfängers" verraten. Der zweite Einwand Berghahns richtet sich dagegen, daß Böll letzten Endes seine Kritik wieder durch versöhnliche Gesten zurücknehme.

Noch weniger bekannt als der Dramatiker Böll ist der Lyriker. Auch die meisten Böll-Kenner waren vermutlich überrascht, als 1971 ein schmaler Band Gedichte erschien. Sie blieben fast unbeachtet. Die einzige mir bekannte Auseinandersetzung mit Bölls Lyrik stammt von dem sowjetischen Germanisten Lew Kopelew. Er versucht, die Gedichte aus dem Kontext von Bölls Gesamtwerk zu verstehen. Was die Gedichte nach Kopelew mit dem übrigen Werk Bölls verbindet, ist zunächst die konkrete, alltägliche Welt, unter der aber das Geheimnisvolle, Mysteriöse immer zugegen ist, wie in den unterirdischen Gängen der Stadt Köln, die ein Zentralthema der Gedichte ausmachen. So ist auch dieselbe Sprache gemeinsamer Ausgangspunkt für Gedichte und Prosa: „Bölls Gedichte sind seiner Prosa nah verwandt dem Geist und der Wortwahl nach, es sind aber auch wesentliche Unterschiede wahrnehmbar. So ist in den Gedichten das Wort bedeutend zwangloser und abstrakter. Abgeleitet von konkreten Dingen der lebendigen Wirklichkeit, wird es dennoch immer unabhängiger von ihnen, als ob es die Anziehungskraft der Erde überwindet." Von hier aus zieht Kopelew Linien zu Bölls Sprachkonzeption, wie sie vor allem in den *Frankfurter Vorlesungen* zutage tritt.

2.2.15 Die Essays

Viel zu wenig Beachtung haben bisher die Essays erhalten, wie überhaupt die Essayistik in Deutschland ein etwas vernachlässigtes Dasein
führt. Desto wichtiger wäre es, wo diese Gattung gepflegt wird, sie der
kritischen Analyse zu unterziehen. Jochen Vogt hat schon darauf hingewiesen, wie wertvoll es wäre, auch Bölls Essays in den Deutschunterricht aufzunehmen anstatt nur Kurzgeschichten. Sein Vorschlag scheint
mir beherzigenswert: ,,Bölls Publizistik im Literaturunterricht [...],
das könnte ein Kursus in ernsthafter Gesellschaftskritik, ein Stück Erziehung zur Mündigkeit sein; und keineswegs würde dabei (wie ein ver-
breitetes Vorurteil es will) die Reflexion auf Formalia, auf die Darstel-
lungsleistung und -mittel von Sprache und Literatur überflüssig"
(L 206,36). Folgt man Deschner und Schwarz, dürfte man sich allerdings
kaum um die Essays kümmern. Nach Deschner sind sie ,,fast lauter Brei"
(L 48, 45), nach Schwarz ,,literarisch anspruchslose Versuche" (L 194,
42). Begründungen fehlen, liegen aber wohl hauptsächlich in der Irritation
an den politischen Inhalten. Joachim Fest versucht wenigstens seinen Ver-
riß des Bandes *Aufsätze, Kritiken, Reden* im *Spiegel* zu begründen
(L 62). So einseitig die Kritik auch ist, trifft sie doch schwache Punkte
Bölls, besonders in seiner Argumentationsweise: ,,seine Assoziationen
folgen nicht so sehr einer gedanklichen Konzeption als vielmehr Bil-
dern, Klängen, verbalen Reizen und den Zufallsbedeutungen".

Die bisher ausführlichsten Analysen stammen von Peter Spycher
und Ludwig Marcuse. Spycher konzentriert sich hauptsächlich auf inhaltliche Aspekte, aus denen er ein Porträt Heinrich Bölls gewinnen
will (L 197). Doch beginnt er auch mit einigen formalen Beobachtungen; er weist auf die ,,sorgfältige Komposition" hin (für die man sich
allerdings Belege wünscht), auf die Tendenz zum Erzählerischen, die
sich unter anderm auch darin zeige, daß Böll meist eine Erfahrung als
Ausgangspunkt nehme.

Betonten Wert legt Ludwig Marcuse auf Bölls ,,Nebenbeis", wie er
dessen Essays nennt, nur um anzudeuten, daß sie mehr als das sind
(L 173, 119—128). Er weist darauf hin, daß Böll als Essayist da am
stärksten ist, wo das Persönliche zurücktritt. Zutreffend ist wohl seine Bemerkung, daß Böll kein Talent zur Analyse hat, so daß seine Essays weniger theoretisch reflektierend als erzählerisch sind. (Dazu paßt
wohl auch, daß Böll, entgegen einer starken Tendenz im modernen
Roman seit der Jahrhundertwende, sehr wenig Essayistisches in die Erzählungen integriert.)

Anmerkungen

1 Ernst Bloch, „Philosophische Ansicht des Detektivromans", in: E. B., *Verfremdungen*, Frankfurt a. M.: Suhrkamp 1968 (Bibliothek Suhrkamp, 85), S. 37–63.

2 Böll selbst ist sich der Gefahr bewußt. 1967 antwortete er auf die Frage Reich-Ranickis, warum er sich vom aktuellen politischen Kampf ferngehalten habe: „... weil ich nicht als etablierter Aufpasser, als Teil des ‚guten Gewissens‘, als einer der ‚funktionalisierten Schreihälse‘ vom Dienst, als willkommener Bösewicht, der immer wieder durch seine Existenz bestätigt, wie wunderbar frei wir sind, verschlissen werden möchte" (AKR II, 219).

3 Horst Krüger, „42 ehrenwerte Zeugen", in: *Spiegel* 22 (29. Juni 1968), S. 88.

4 Hegel, *Werke in zwanzig Bänden*, Band 3: Phänomenologie des Geistes, Frankfurt a. M.: Suhrkamp 1970, S. 22.

5 Bertolt Brecht, *Gesammelte Werke*, Band 3, Frankfurt a. M.: Suhrkamp 1967, S. 1294.

6 Das Verhältnis von Zeit und Raum in Bölls Werk müßte zunächst einmal auf dem Hintergrund der allgemeinen ästhetischen Problematik behandelt werden. Seit Lessings Unterscheidung von zeitlichen und räumlichen Künsten und ihren Möglichkeiten hat sich die Raum-Zeit-Relation als ästhetisches Problem erwiesen und hat gerade in der Gegenwart wieder Diskussionen entfacht. So hat sich der Begriff der ‚spatiality‘ in der Literatur entwickelt. Eingehend behandelt auch Lukács das Problem in seiner Ästhetik (in der gekürzten Ausgabe der Sammlung Luchterhand, Band II, 238 ff.). Besonders beachtenswert scheinen mir seine Ausführungen über ‚Quasiraum‘ und ‚Quasizeit‘ in den Künsten. (Vgl. auch James H. Reid über den „spatializing effect der Leitmotive" bei Böll, L 179, 484).

7 Den spielerischen Aspekt auch der metaphysischen Momente in Bölls Werk übersieht Stresau, wenn er mit Pathos Hebbelsche Geschichtsmetaphysik beschwört: „Wir stehen nicht an, zu erklären, daß Bölls Werk zuletzt nur aus diesem Blickwinkel [d. h. der Hebbelschen Geschichtsmetaphysik] zu verstehen ist" (L 198, 81). Die pompöse Emphase des Satzes ersetzt nicht fehlende Belege.

8 „Die neuen Probleme der Frau Saubermann", in: *Die Zeit*, Ausgabe vom 17. Januar 1975.

9 Den stark emotionalen Impuls in Bölls Gesellschaftskritik hebt auch James Reid hervor, wenn er sagt: „His [Böll's] ‚socialism‘, if it may be called that, is emotional rather than political" (L 180, 12).

10 James Reid erwähnt in seinem Buch, daß Böll Kritik an technischen Fehlern sehr viel ernster nimmt als Kritik am Inhalt (L 180).

11 Robert C. Conard betonte in einem Vortrag über „Die Moskauer Schuhputzer" (im Dezember 1974 bei der MLA-Konferenz in New York) den sakramentalen, rituellen Charakter des Essays und brachte ihn in Beziehung zu Bölls christlichem Humanismus und seiner Vorliebe für den ‚kleinen Mann‘. Dabei zeigte sich ein anderer Aspekt, den schon Amery an Böll kritisch vermerkt hatte: die sentimentalisch-idyllische Perspektive, die den ritualisierten Alltag des ‚kleinen Manns‘ als die einfache und wahre Ordnung glorifiziert. Conard hielt sich allerdings ganz an die positive menschliche Seite, die jedoch leicht in Sentimentalität umschlägt.

12 Das arationale Moment in der Literatur wurde von Böll auch in seiner Nobelpreisrede hervorgehoben: „Versuch über die Vernunft der Poesie", in: *Les*

Prix Nobel en 1972, Stockholm 1973. - Vgl. dazu auch Bernd Balzer, „Einigkeit der Einzelgänger?" (L 231a).

13 Eine Ausnahme dürfte Pelzer in *Gruppenbild mit Dame* sein. Näheres dazu im entsprechenden Kapitel (2.2.12).

14 In: Martin Walser, *Wie und wovon handelt Literatur. Aufsätze und Reden,* Frankfurt a. M.: Suhrkamp 1973 (edition suhrkamp 642), S. 89–99.

15 Vgl. zum Beispiel L 93.

16 Sigmund Freud, „Der Humor", in: S. F., *Studienausgabe*, Band IV: Psychologische Schriften, Frankfurt a. M.: S. Fischer 1970, S. 280.

17 Ibid., S. 279.

18 G. W. F. Hegel, *Werke in zwanzig Bänden*, Band 13: Vorlesungen über die Ästhetik I, Frankfurt a. M.: Suhrkamp 1970, S. 97.

19 „Die ‚Masse der Individuen' aber verlor ihre Unteilbarkeit durch ihre Zuteilbarkeit." Bertolt Brecht, *Gesammelte Werke*, werkausgabe edition suhrkamp, Frankfurt a. M.: Suhrkamp 1967, Band 15, S. 218.

20 Vgl. dazu Rainer Nägele, „Unterwegs nach Ixtlan. Zur Phänomenologie eines neuen Bewußtseins", in: *Neue Rundschau* 84 (1973), S. 667–687.

21 Hans Bender, „Ende – Übergang – Anfang", in: *Akzente* 8 (1961), S. 378.

22 Hans Bender, „Ortsbestimmung der Kurzgeschichte", in: *Akzente* 9 (1962), S. 205–225.

23 Man sucht sie z. B. vergeblich in der Bibliographie von Reinhard Schlepper: *Was ist wo interpretiert?*, Paderborn: Schöningh 1970. – Ein Aufsatz von John Fetzer (L 63) möchte die Interpretation von Cases weiterführen, fällt aber methodisch weit hinter die differenzierte Analyse von Cases zurück, da Fetzer nur juristisch argumentiert, alle anderen Intentionssignale der Geschichte aber vernachlässigt.

24 Reid bemerkt dazu kritisch: „So shortly after the Nazi abuse of a peasant ideology, this is disconcerting" (L 180, 47).

25 Den Zwang zum Detail thematisiert auch Peter Handke in *Der kurze Brief zum langen Abschied*, Frankfurt a. M.: Suhrkamp 1972, S. 34.

26 Es wurde schon darauf hingewiesen (1.1), daß Bölls eigenes Konzept der Armut zwiespältig ist, schwankend zwischen der Kritik an der bestehenden Klassengesellschaft und einer christlichen Glorifizierung der Armut als Wert an sich. Insofern muß man wohl Bogners Bewußtsein mit dem seines Autors identifizieren.

27 „Böll von drüben gesehen. Eine DDR-Studie über seine Romane", in FAZ 22. Februar 1971.

28 Marcel Reich-Ranicki, *Literatur der kleinen Schritte. Deutsche Schriftsteller heute*, München: Piper 1967, S. 79.

29 Hermann Kähler, „Ästhetik und Gewalt. Protest als Happening?", in: *Sinn und Form* 23 (1971), S. 702.

30 L 211 – Jetzt wieder abgedruckt in *Die subversive Madonna*, L 231.

31 „Heinrich Bölls Beschreibung einer Epoche" in: FAZ 28. Juli 1971; nachgedruckt in L 136, 111–116.

32 Wolfgang Hildesheimer, „Auseinandersetzung mit Günter Eichs Vortrag ‚Der Schriftsteller vor der Realität'", in: *Über Günter Eich*, hrsg. v. Susanne Müller-Hanpft, Frankfurt a. M.: Suhrkamp 1970 (editon suhrkamp 402), S. 56–68; zu Böll: S. 59 f.

33 „Zuviel Staub", in: *Der Spiegel* 24 (2. Februar 1970), S. 123.

3 Rückblick und Ausblick

Es gibt Autoren, die die gesamte methodologische Apparatur der Literaturwissenschaft in Bewegung setzen und dazu noch von der Psychoanalyse und Soziologie bis zur Theologie alles, was man Humanwissen-
schaften im weitesten Sinne nennen könnte, provozieren. Ein Beispiel-
fall wäre Kafka.[1] Im Vergleich dazu nimmt sich die kritische Reaktion
auf Böll in ihrer Methodenbreite bei aller Gegensätzlichkeit der Ausgangspunkte, Forschungsweisen und Resultate eher bescheiden aus.

Man könnte damit beginnen, Methoden zu rubrizieren, die in der
Böll-Forschung fehlen, womit noch nicht unbedingt impliziert ist, daß
man sie auch vermißt; das wäre im Einzelfall erst noch zu prüfen. Worum es geht, ist vielmehr, wie früher schon erwähnt, daß die Art der
provozierten Kritik auf den Autor zurückreflektiert. Und das gilt ex
negativo auch für die nicht provozierten Methoden. Wenn es etwa im
Gegensatz zur Kafka-Literatur – um bei diesem einen Vergleichsbeispiel
zu bleiben – kaum psychoanalytische Untersuchungen gibt, so liegt das
wohl an einer Eigenschaft von Bölls Werk.[2] Kaum findet man bei ihm
jene traumhafte Verfremdung der Welt, selten auch die verfremdende
Parabel, die in psychische Tiefen lockt. Es dürfte allenfalls nicht mehr
lange dauern, bis die skatologischen Interessen der Nonne Rachel und
Leni Pfeiffers die ersten Anal-ytiker auf den Plan rufen. Bölls fiktive
Welt ist realistisch, wenn auch nicht in dem Sinne, daß sie Welt ‚wie
sie ist' repräsentiert, sondern die Welt, wie sie alltäglich perzipiert wird.
Sie ist realistisch im traditionellen Sinn, indem sie zur Identifikation
einlädt; Bölls Realismus steht in der Tradition jenes realistischen Romans, den Diderot in seiner *Éloge de Richardson* (1761) als die neue
und in die Zukunft weisende Form pries: ,,C'est lui [Richardson] qui
fait tenir aux hommes de tous les états, de toutes les conditions, dans
toute la variété des circonstances de la vie des discours qu'on reconnaît."[3] ,,Des discours qu'on reconnaît": Auf Böll übertragen hieße das
modifiziert: die Welt, die man wiedererkennt. Das gilt natürlich cum
grano salis und mit den Modifikationen und Einschränkungen, die sich
im Laufe dieser Untersuchung ergeben haben. Es ist sozusagen die
Oberfläche seines Werkes, die aber gerade für die Rezeption eine nicht
zu unterschätzende Bedeutung hat, denn sie bestimmt oft schon die
Selektion der kritischen Reaktion. Es ist diese Oberfläche des Werkes,
die selbst einfachen Formanalysen lange Zeit Widerstand bot, nicht zu
sprechen von strukturalistischen Methoden, die in der Böll-Forschung
gänzlich fehlen. Das mag allerdings auch damit zu tun haben, daß der
Strukturalismus in der deutschen Germanistik überhaupt wenig Fuß
gefaßt hat, abgesehen von wenigen Ausnahmen, etwa den Versuchen
Beda Allemanns. An sich ließe sich ja auf Bölls Werk eine strukturale
Grammatik des Erzählens ebensogut anwenden wie auf Boccaccio, an
dessen Werk Todorov seine strukturale Poetik demonstrierte. Es gibt
aber eine Tendenz der Strukturalisten, sich auf zwei Extreme zu ver-

teilen: entweder esoterisch-hermetische Texte oder sogenannte Trivial-
texte. Böll steht hier sozusagen neutralisiert in der Mitte. Bölls Texte
laden auch kaum zum raunenden Interlinear-Gemurmel ein, wie Martin Walser einmal gewisse Tendenzen der Hölderlin-Literatur bezeichnete; ebensowenig regen sie tiefsinnige Sprachspekulationen an wie Peter Handke oder Heißenbüttel. Für das erstere scheinen die Texte zu
‚selbst-verständlich‘, für das zweite erscheint Bölls Sprache zu sehr
Mittel der Kommunikation; sie ist, in strukturalistischer Terminologie, referentiell, nicht literal; sie weist nicht demonstrativ auf sich,
sondern auf Signifikate.
     Diese grob skizzierten Oberflächenphänomene schließen, wie gesagt,
weder die genannten Methoden grundsätzlich aus, noch erschöpfen sie
natürlich das Werk. Aber sie erklären zum Teil die Haupttendenzen in
der Böll-Rezeption, die zunächst stärker auf Inhalte ausging, wobei als
primär wahrnehmbare Inhalte vor allem gesellschaftskritische und religiöse Aspekte in den Vordergrund traten. Die Untersuchung dieser Inhalte macht denn auch einen großen Teil der Literatur zu Böll aus,
wobei manchmal die einen auf Kosten der anderen isoliert werden.
Eine gewisse Verbindung beider Elemente liegt im Konzept des christlichen Humanismus bzw. eines christlich getönten Sozialismus, mit
dem Böll manchmal identifiziert wird. (Vor allem die von Robert C.
Conard angeregte Böll-Forschung in Amerika, die sich in der *University
of Dayton Review* konzentriert, betont stark die christlich-humanistischen Züge.)
     Humanistische Züge sind es auch, die von marxistischen Kritikern
an Böll meist hervorgehoben werden. Eine Hauptschwäche auf dieser
Seite ist häufig, wie oft in der marxistischen Kritik, daß sie die Poten-
tialität ihrer Prämissen nicht ausnutzt. Statt dialektischer Ideologie-
kritik wird oft nur die gut gemeinte Gesinnung des Autors zugrunde
gelegt und von daher das Werk interpretiert; statt die subjektive Tendenz auf ihre Bedingungen und Implikationen hin zu hinterfragen,
wird sie mit dem Werk identifiziert. Dabei wurde die ‚intentional fall-
acy‘ von der marxistischen Literaturtheorie entdeckt, bevor sie im
New Criticism zum Schlagwort wurde. Eine Hinterfragung der subjektiven Tendenz müßte gerade formalen Aspekten besondere Aufmerksamkeit widmen, denn in ihnen erhalten alle Inhalte erst ihre objektive
Tendenz.
     Die Gegenreaktion auf die Inhaltsanalysen blieb nicht aus, wenn sie
auch relativ spät einsetzte. Ihre Vor- und Nachteile treten vor allem in
der ausgedehnten Studie von Jeziorkowski hervor. Die Isolierung der
— genauer: einiger — Formaspekte führt leicht zu unhaltbaren Konstruktionen. Die Verbindung von Form- und Inhaltsanalyse leisten unter den umfangreichen Böll-Studien vor allem Bernhard und Durzak.
Bernhard entgeht nicht immer der oben erwähnten Gefahr marxistischer Literaturkritik, allzusehr von der subjektiven Tendenz des Autors
auszugehen, doch bietet er fruchtbare Ansätze zu einer synthetischen

Analyse, einer Methode, die die verschiedenen konstituierenden Elemente des Textes in ihrer funktionalen Abhängigkeit untersucht. Eine erhöhte methodische Effektivität wäre zu erreichen, wenn einerseits die hochspezialisierten neueren Techniken der Formanalyse mehr einbezogen würden, andererseits die gesellschaftliche und historische Basis-Analyse differenziert würde. Trotz wertvoller Einsichten bleibt Bernhard in seiner Analyse oft zu sehr an konventionellen Interpretationstechniken hängen und läßt sich zu schnell zu soziologischen Verallgemeinerungen führen. Dennoch gehören sein Böll-Buch und seine Aufsätze zu den wichtigsten Beiträgen der Böll-Forschung. Ähnliches gilt für Durzak, der aber mehr als Bernhard auch ideologiekritische Methoden anwendet.

Ein bisher fast völlig vernachlässigtes Gebiet der Böll-Forschung hat Raoul Hübner mit seinem rezeptions-ästhetischen Aufsatz über *Gruppenbild mit Dame* eröffnet. Überhaupt hat *Gruppenbild mit Dame* auch neue kritische interpretatorische Impulse ausgelöst und zum Teil auch frühere Aspekte wieder in die Diskussion eingeführt. So erfuhren unter anderem die religiösen, theologischen und existentialistischen Interpretationen einen neuen Aufschwung. Zusammengefaßt sind sie in dem Aufsatz von Bernáth, spielen aber auch bei Balzer und Ley eine wichtige Rolle. Die Formanalyse wurde im Aufsatz von Ziolkowski über die „einfache Form" in *Gruppenbild* stärker zum Strukturalistischen — wenn auch nur in Annäherung — hin entwickelt.

Es wurde schon in der Einleitung erwähnt, daß es immer schwieriger wird, Literatur*wissenschaft* und -*kritik* reinlich zu scheiden. Das hängt mit verschiedenen Faktoren zusammen. Einerseits tritt die Literaturkritik im traditionellen Sinne immer mehr zurück, andererseits öffnet sich die Germanistik mehr der Gegenwartsliteratur. Es ist für einen Germanisten längst nicht mehr anrüchig, für die Feuilleton-Seite zu schreiben, ebensowenig wie ‚seriöse' philologische Fachzeitschriften Beiträge über Gegenwartsautoren ausschließen. Auch die literaturwissenschaftliche Buchproduktion über lebende und zum Teil sogar noch ziemlich junge Autoren ist in den letzten Jahren stark gestiegen.

Diese Situation kann jedoch nicht darüber hinwegtäuschen, daß die Literaturkritik in eine grundsätzliche Krise geraten ist; man könnte fast im Gegenteil sagen, daß sie von der Krise mitbedingt ist. Das hängt zunächst einmal mit der Krise der Literatur selbst zusammen, die — nicht erst in den sechziger Jahren — des öfteren im ganzen oder in einzelnen Erscheinungsweisen für tot erklärt wurde. 1972 erschien ein Buch mit dem symptomatischen Titel *Brauchen wir noch die Literatur?*, das mit der Krise der Literatur gleichzeitig die Krise der Kritik dokumentierte: „Daß die Kunstkritik und vornehmlich die Literaturkritik in einer Krise stecken, ist leichter zu erklären, historisch zu erklären; aber daß sie sich tatsächlich darin befindet, sollte eher Hoffnung wecken als zu solch apodiktischen Hinrichtungen führen."[4] Die Hinrichtung wurde unter anderen von Walter Boehlich vollzogen, der 1968 in

einem *Autodafé* die Kritik für tot erklärte.[5] Doch war das nur der
spektakulärste Fall einer radikalen Infragestellung der Kritik, wie sie
sich auch sonst in manchen Titeln ankündigt: „Kritik der Literaturkritik" (1973),[6] „Kritik − von wem / für wen / wie" (1968).[7]

Daß die Attacken meist von der politischen Linken aus geführt wurden, führte dazu, daß man sie auch für die Krise verantwortlich machte. Auch wenn man nicht gerade von Kulturbolschewismus sprach,
klang doch, was man aussprach, oft sehr danach. So leitet Marianne
Kesting ihre Rezension eines Breton-Bandes mit einer Attacke auf die
Studentenbewegung ein, die die Literatur zerstört habe: „Die Studen-
tenrevolten des Jahres 1968 haben weniger auf unsere soziale Realität
eingewirkt als auf unsere geistige: Sie lenkten den Bücherstrom von
der nun verachteten Literatur hin zu Psychologie und Soziologie. Dies
hatte einen ungeheuerlichen Niveauverlust im Literaturprogramm der
Verlage zur Folge, denn offenbar waren einst die Studenten die Haupt-
adressaten dessen, was man als Literatur von Qualität bezeichnen
kann."[8] Ein solcher Kausalitätszusammenhang ist mehr als fragwürdig.
Wenn viele Studenten − und nicht nur sie − sich lieber Psychologie
und Soziologie zuwandten, lag das unter anderem auch daran, daß ein
großer Teil der produzierten Kunst den Spannungen ihrer eigenen An-
tinomien nicht standhielt. Nicht daß es im Eifer der politischen Gefechte keine Kurzschlüsse und Pseudo-Radikalismen gegeben hätte,
aber diese hätten die Kunst nicht ernstlich gefährdet, hätte sie nicht
ihre Gefährdung schon in sich getragen. Zudem ist ein großer Teil der
Totenreden auf die Kunst innerhalb der modernen bürgerlichen Kunst
selbst entstanden.

Das gilt in modifizierter Weise für die Kritik. Bezeichnend für die
Situation, daß etwa in dem Aufsatzband von Peter Hamm[9] die Selbstdarstellung der Kritik ihre Fragwürdigkeit überzeugender noch demonstriert als die Attacken des Herausgebers. Manche der „Großkritiker"
wie Karl Korn, Günther Blöcker, Friedrich Luft und Marcel Reich-Ranicki, die eine Selbstdarstellung verweigerten oder zurückzogen, mögen das vielleicht befürchtet haben. Eine Kritik aber, die sich dem öffentlichen Räsonnement entzieht, entzieht sich auch die Basis und
Rechtfertigung. Ihre Grundlage war, wie Jürgen Habermas gezeigt
hat[10], der räsonnierende Diskurs einer sich im 18. Jahrhundert etablie-
renden Öffentlichkeit. Der „Strukturwandel" dieser Öffentlichkeit ist
der objektive Grund für die Krise der Kritik, nicht das Unvermögen
der Kritiker. Ihr subjektives Versagen liegt eher darin, daß sie die objektiven Bedingungen der Kritik nicht mitreflektieren, nicht einmal
anerkennen. Obwohl der öffentliche Diskurs in den meisten Fällen
längst zum privaten Gemurmel isolierter Subjekte geworden ist, hält
man immer noch zäh am Schein einer objektiven Kritik fest oder bekennt sich kurzerhand zur eigenen Subjektivität entweder als einer ge-
setzgebenden oder als selbstgenügsamer Partikularität, die nun einmal
das Privileg hat sich darzustellen.

Angesichts dieser doppelten Aporie der Kritik ist zu fragen, ob sie durch eine bloße Verbesserung ihrer Methoden zu retten wäre. Eine solche Lösung hat offenbar Arnold im Sinn, wenn er in der Krise gleichzeitig die Hoffnung sieht, daß sie zur Selbstbesinnung und zur Besserung führt. Dabei ergibt sich aber ein nicht ganz gelöster Widerspruch. Einerseits sieht nämlich Arnold den konkreten Grund der Krise ,,in den Redaktionen, die Feuilletonseiten, in Funkhäusern, die dritte Programme produzieren und die Kultur vom politischen Tagesgeschehen absetzen".[11] Das liegt aber weniger an einer spezifisch deutschen Tendenz zur Trennung der Bereiche, wie Arnold meint, als an einer die gesamte Medienpolitik der westlichen Länder umfassenden Problematik, auf die der einzelne Kritiker und Redakteur, in der Regel bloßer Angestellter oder sogar nur ‚freier‘ Mitarbeiter, wenig Einfluß hat. So ist denn auch Arnolds Vorschlag, daß die Kritik, wenn sie überleben will, sich verändern muß, leichter gesagt als getan. Die Funktion der Kritik zu verändern, hieße die Medien verändern.

Damit ist nicht gesagt, daß eine Objektivierung der kritischen Methoden nicht wünschbar und kein Fortschritt wäre, wenn auch in Anbetracht der Gesamtsituation ein höchst bescheidener. Jost Hermand sieht mit Recht eine der Hauptfunktionen der Rezension in ihrem Informationswert.[12] Aber gerade hier ist der größte Teil der üblichen Kritik äußerst sparsam. Was Walter Hinderer aus der Analyse von Blöckers Rezensionen als Fazit ableitet, gilt für viele andere: ,,Nicht aus der Beschreibung und Analyse der literarischen Gegenstände also wird das Urteil entwickelt, sondern in dem Ensemble von Eindrücken vorgestellt, womit weder fürs Lesepublikum noch für den Autor viel geleistet oder gar kritisches Wissen vermehrt worden ist."[13] Vom Standpunkt der Information an die Teilnahme von Literaturwissenschaftlern an der Rezensionstätigkeit den wohltuendsten Einfluß gehabt und diese in den meisten Fällen keineswegs auf Kosten der Brillanz.

Nun könnte man einwenden, Information sei nicht ausschließlicher Zweck der Kritik, sei sei auch berechtigterweise Selbstdarstellung des menschlichen Geistes, Dokument des in beständigem Prozeß sich befindenden Bewußtseins.[14] Es ist kein Zweifel, daß Kritik zum Prozeß des Bewußtseins gehört und als Dokument dieses allgemeinen Prozesses das Selbstverständnis des Menschen in der Geschichte erweitert. Aber zwei Fragen stellen sich sogleich ein: partizipiert jede Kritik an der Objektivierung des Bewußtseins und, zum zweiten, geschieht es in derselben Weise wie in der Literatur, wenn sie daran partizipiert? In einer dialektischen Umkehrung plädiert Martin Walser von links für einen Subjektivismus, der erst wahre Objektivität garantiert, und setzt als Bedingung dafür, daß der Kritiker als Schriftsteller, daß heißt in derselben Bewußtseins-Modalität, sich äußert: ,,Der Schriftsteller als Kritiker dürfte, glaube ich, seine Prosa schreiben als einer, der nur für sich schreibt, der nur bemüht ist, mit seiner ganzen bewußten und unbewußten Geschichte auf den literarischen Gegenstand zu antworten.

Und je radikaler er das versuchte, desto mehr Verbindlichkeit bewirkte er. Ganz glaubhaft wird ja nur das, was einer halbwegs rücksichtslos persönlich hervorbringt".[15] Das stimmt überein mit Walsers Literaturtheorie, nach der der Schriftsteller an die Gesellschaft nur durch die radikale Reduktion auf das Subjekt herankommt. Was aber für den Schrifsteller, wenn auch nicht ohne Problematik, angehen mag, kann für die Kritik zur Sackgasse der reinen Innerlichkeit werden. Die von Walser implizierte Identifizierung von Erfahrung und Leseerfahrung — übrigens Titel eines seiner Essaybände — beruht letztlich auf einer existentialistischen Neigung zur Authentizität; die Leseerfahrung des Kritikers soll als authentische Primärerfahrung sich äußern. Walser dürfte dagegen einwenden, daß schon in der primären Erfahrung die Vermittlung mitgegeben ist, daß diese gerade dadurch mit der Leseerfahrung identisch ist und daß sie mit in die Äußerung tritt, wo nur das Subjekt als Ganzes sich äußert, „mit seiner ganzen bewußten und unbewußten Geschichte". Gerade daran ist zu zweifeln. Wäre es nicht vielmehr Aufgabe der Kritik, die in die Literatur eingegangenen Erfahrungen der kritischen Reflexion zu unterwerfen, sie in ihren objektiven Zusammenhängen zu zeigen? Das ist aber nur möglich, wo die Kritik aus der reinen Dokumentation des Subjektes heraustritt auf die Ebene des intersubjektiven Diskurses. Sie ist eine Übersetzung des Textes in eine andere Operationsform des Bewußtseins. Sie ist damit dem literarischen Text an sich weder unter- noch übergeordnet, sie ist ganz einfach anders. Die Abgrenzung kann natürlich nur eine typologische sein, umso mehr als gerade die moderne Literatur, wie erwähnt, die Reflexion als immanente Form sich inkorporieren mußte, wollte sie den ihr von Hegel prophezeiten Tod vermeiden. Es wird so eher der Schriftsteller zum Kritiker als der Kritiker zum Schriftsteller. Dennoch hat Walser nicht unrecht, wenn er gegen die prätendierte Objektivität einiger ,Großkritiker' polemisiert. Denn zum bloßen Schein wird die Objektivität, wo sie die in jeder Leseerfahrung vorhandenen subjektiven Momente nicht mit in die Reflexion einbezieht. Als Moment des Kontextes zum Text ist die Subjektivität des Kritikers nicht nur zulässig, sondern unabdingbar.

Wenn, auf eine Formel gebracht, Literaturkritik und -wissenschaft sich in der Aufgabe finden, zum Text den Kontext aufzuweisen, bleibt in Hinsicht auf Böll noch viel zu tun. Keineswegs werden bei einer solchen Zielsetzung die formalen Aspekte ausgeklammert, gerade sie müssen in ihren Implikationen erst verstanden werden. So wären vor allem Symbolik und Bildstrukturen bei Böll daraufhin zu untersuchen, wie sie die jeweilige Text-Intention stützen bzw. in manchen Fällen unterlaufen. Ebenso ist die Darstellung der Figuren als Symbolträger im Verhältnis zu ihrer Funktion als ,reale' Personen erst in Ansätzen geklärt. Die Untersuchung von Bölls Arbeitsweise auf Grund der Vorstufen und Materialien zu seinem Werk, die allerdings vorläufig europäischen Germanisten noch nicht leicht zugänglich sind, wird zweifellos zu differenzierteren Urteilen über die technischen Qualitäten des Schriftstellers führen. Bestimmend wird allerdings letzten Endes das Resultat, das vollendete Werk, sein. Sollen aber Über- und Unterschätzungen von Bölls formalen Qualitäten vermieden werden, werden in stärkerem Maße als bisher komparatistische Methoden erforderlich sein. Vor allem aber wird es darum gehen, die technischen und formalen Aspekte nach ihrer Funktion zu fragen, sie als Signifikanten zu behandeln, die in Interaktion mit den semantischen Signifikanten des Textes stehen.

Erst auf Grund dialektischer Form-Inhalt-Analysen läßt sich die Bedeutung des Textes im gesellschaftlichen Kontext einschätzen, und die Kritik kann endlich über den bloßen Nachweis dieser oder jener Gesinnung Bölls hinausgehen. Das Verhältnis des Werkes zum gesellschaftlichen Kontext läßt sich grundsätzlich von zwei Hauptaspekten her bestimmen: zu fragen wäre einmal nach der sogenannten ‚Widerspiegelung' des gesellschaftlichen Kontextes, zweitens nach der Funktion des Werkes in diesem Kontext. Die beiden Aspekte bestimmen die Interaktion zwischen Werk und Kontext. In der Frage nach der ‚Widerspiegelung' wäre nicht nur danach zu fragen, welche Momente der menschlichen Realität ins Werk eingegangen sind, sondern unter anderem auch, welche neuen Perspektiven der Erfahrung Böll in seinen Texten eröffnet. Ebensowenig darf die gesellschaftliche Funktion der Texte zu eng gefaßt werden. Zunächst ist, wie immer wieder in dieser Arbeit betont wurde, die Reduktion auf die bloße Intention Bölls zu vermeiden. Diese Intention ist vielmehr mit der tatsächlichen erschließbaren oder empirisch nachweisbaren Funktion des Werkes zu konfrontieren. Auch die Funktion selbst muß im weiten Sinne verstanden werden und nicht nur die direkte politische Wirkung einschließen, sondern zum Beispiel auch hedonistische Aspekte. Der Genuß, den ein Text bietet, gehört zu seinen gesellschaftlichen Funktionen und sollte nicht unterschätzt werden. Der unglückliche Puritanismus, der sich manchmal in die Kritik von links — aber gewiß nicht nur dort — eingeschlichen hat, hat weniger mit Marxismus an sich zu tun als mit nicht überwundenen autoritären Strukturen. Das heißt nicht, daß die Genußaspekte eines Textes nicht negativ umfunktionierbar sind. Das wäre in jedem Einzelfall zu untersuchen. Auf jeden Fall wird aber die gesellschaftliche Funktion eines Werkes niemals verbessert, wo seine hedonistischen Aspekte unterdrückt werden.

Beide oben genannten Momente der gesellschaftlichen Relation des Werkes bedürfen rezeptionsästhetischer Methodik, die in bezug auf Böll erst in den Anfängen steht, obwohl gerade hier wegen der relativ hohen Popularität Bölls rezeptorische Untersuchungen besonders aufschlußreich wären. Dabei wäre auch die sogenannte Trivialliteratur als Vergleichsbasis einzubeziehen. Von daher ließe sich vielleicht die Frage beantworten, inwiefern es Böll gelungen ist, die Scheidung in hohe und niedere Literatur zu überbrücken, populäre Texte zu schreiben, ohne dem von der Trivialliteratur perpetuierten falschen Bewußtsein

zum Opfer zu fallen. Die Antwort auf diese Frage wäre entscheidend
für ein mehr als subjektives Werturteil über die Qualität des Schriftstellers Böll.

Anmerkungen

1 Vgl. Peter U. Beicken, *Franz Kafka. Eine kritische Einführung in die Forschung,* Frankfurt a. M.: Athenäum Fischer Taschenbuchverlag 1974.
2 Eine Ausnahme ist Karlheinz Daniels (L 46), der die Kurzgeschichte *Steh
   auf, steh doch auf* mit Jungschen Kategorien interpretiert.
3 Zit. nach Diderot, *Oeuvres Romanesques,* édition de H. Bénac, Paris: Editions Garnier Frères 1962, S. X.
4 Heinz Ludwig Arnold, *Brauchen wir noch die Literatur?* (L 9, 13).
5 Walter Boehlich, ,,Autodafé", in: *Kursbuch* 15 (1968).
6 *Kritik der Literaturkritik,* hrsg. von Olaf Schwencke, Stuttgart: Kohlhammer
   1973.
7 *Kritik – von wem / für wen / wie? Eine Selbstdarstellung der Kritik,* hrsg. von
   Peter Hamm, München: Hanser 1968 (Reihe Hanser 12).
8 Marianne Kesting, ,,Kollektive Träume. Späte Bekanntschaft mit program-
   matischen Schriften des Surrealismus", in: *Die Zeit* Nr. 46, Ausgabe vom
   15. November 1974.
9 Siehe Anmerkung 7.
10 Jürgen Habermas, *Strukturwandel der Öffentlichkeit,* 5. Aufl., Neuwied:
   Luchterhand 1971 (Sammlung Luchterhand 25).
11 L 10, 16.
12 Jost Hermand, ,,Vom Gebrauchswert der Rezension", in: *Kritik der Literaturkritik,* l. c., S. 32–47.
13 Walter Hinderer, ,,Zur Situation der westdeutschen Literaturkritik", in: *Die
   deutsche Literatur der Gegenwart,* hrsg. von Manfred Durzak, Stuttgart:
   Reclam 1971, S. 308.
14 Vgl. dazu auch: Hermand, ,,Vom Gebrauchswert der Rezension", l. c.,
   S. 36 f.
15 Martin Walser, ,,Tagtraum, daß der Kritiker ein Schriftsteller sei", in: *Kritik –
   von wem ...,* l. c., S. 13.

4 Bibliographischer Anhang

4.1 Chronologisches Werkverzeichnis

Aufgezeichnet werden im folgenden nur die in Buchform erschienenen Werke Bölls. Kurzgeschichten, Aufsätze, Essays usw., die verstreut in Zeitschriften und Zeitungen erschienen sind, liegen größtenteils in Buchform gesammelt vor. Für die Lokalisierung nicht selbständig erschienener Beiträge wird auf die einschlägigen Bibliographien verwiesen (vgl. 4.3). Angeführt wird jeweils die Erstveröffentlichung eines Buches; weitere Editionen werden im folgenden Kapitel behandelt (4.2). Sammelbände werden jeweils angeführt, wenn sie noch nicht in Buchform publiziertes Material enthalten.

Der Zug war pünktlich. Erzählung, Opladen: Middelhauve 1949.

Wanderer, kommst du nach Spa... Erzählungen, Opladen: Middelhauve 1950.
Enthält 25 Kurzgeschichten:
Über die Brücke (1950). Kumpel mit dem langen Haar (1947). Der Mann mit den Messern (1948). Steh auf, steh doch auf (1950). Damals in Odessa (1950). Wanderer, kommst du nach Spa... (1950). Trunk in Petöcki (1950). Unsere gute, alte Renée (1950). Auch Kinder sind Zivilisten (1950). So ein Rummel (1950). An der Brücke (1950). Abschied (1950). Die Botschaft (1947). Aufenthalt in X (1950). Wiedersehen mit Drüng (1950). Die Essenholer (1950). Wiedersehen in der Allee (1948). In der Finsternis (1950). Wir Besenbinder (1950). Mein teures Bein (1950). Lohengrins Tod (1950). Geschäft ist Geschäft (1960). An der Angel (1950). Mein trauriges Gesicht (1950). Kerzen für Maria (1950).

Wo warst du, Adam? Roman, Opladen: Middelhauve 1951.

Die schwarzen Schafe. Erzählung, Opladen: Middelhauve 1951.

Nicht nur zur Weihnachtszeit. Eine humoristische Erzählung, Frankfurt a. M.: Verlags-Anstalt 1952 (Studio Frankfurt, 5).

Und sagte kein einziges Wort. Roman, Köln: Kiepenheuer & Witsch 1953.

Haus ohne Hüter. Roman, Köln: Kiepenheuer & Witsch 1954.

Das Brot der frühen Jahre. Erzählung, Köln: Kiepenheuer & Witsch 1955.

So ward Abend und Morgen. Erzählungen, Zürich: Arche 1955.
Enthält:
Das Abenteuer (1950). Der Tod der Elsa Baskoleit (1951). Die Postkarte (1952). Die Waage der Baleks (1952). So ward Abend und Morgen (1954).

Unberechenbare Gäste. Heitere Erzählungen, Zürich: Arche 1956.
Enthält:
Mein Onkel Fred (1951). Der Lacher (1952). Erinnerungen eines jungen Königs (1953). Hier ist Tibten (1953). Im Lande der Rujuks (1953). Die unsterbliche Theodora (1953). Unberechenbare Gäste (1954).

Wanderer, kommst du nach Spa..., München: List 1956.
Enthält 19 der 25 Erzählungen aus der ursprünglichen Sammlung mit diesem Titel. Dazu folgende Erzählungen:
Abenteuer eines Brotbeutels (1950). Der Zwerg und die Puppe (1951). Die blasse Anna (1953). Daniel, der Gerechte (1954). So ward Abend und Morgen (1954).

Irisches Tagebuch, Köln: Kiepenheuer & Witsch 1957.

Im Tal der donnernden Hufe. Erzählung, Leipzig: Insel Verlag 1957.

Doktor Murkes gesammeltes Schweigen und andere Satiren, Köln: Kiepenheuer & Witsch 1958.
Enthält:
Nicht nur zur Weihnachtszeit (1951). Es wird etwas geschehen (1954). Doktor Murkes gesammeltes Schweigen (1955). Hauptstädtisches Journal (1957). Der Wegwerfer (1957).

Billard um halbzehn. Roman, Köln: Kiepenheuer & Witsch 1959.

Der Bahnhof von Zimpren, München: List 1959.
Enthält:
Schicksal einer henkellosen Tasse (1952). Bekenntnis eines Hundefängers (1953). Eine Kiste für Kop (1956). Wie in schlechten Romanen (1956). Un dines gewaltiger Vater (1956). Der Bahnhof von Zimpren (1958).
Dazu weitere Erzählungen aus früheren Sammlungen.

Brief an einen jungen Katholiken, Köln: Kiepenheuer & Witsch 1961.

Erzählungen, Hörspiele, Aufsätze Köln: Kiepenheuer & Witsch 1961.
Enthält

a) Erzählungen:

Das Abenteuer (1950). Das Abenteuer eines Brotbeutels (1950). Mein Onkel Fred (1951). Der Tod der Elsa Baskoleit (1951). Der Zwerg und die Puppe (1951). Der Lacher (1952). Die Postkarte (1952). Schicksal einer henkellosen Tasse (1952). Die Waage der Baleks (1952). Bekenntnis eines Hundefängers (1953). Erinnerungen eines jungen Königs (1953). Hier ist Tibten (1953). Im Lande der Rujuks (1953). Die unsterbliche Theodora (1953). Daniel, der Gerechte (1954). So ward Abend und Morgen (1954). Unberechenbare Gäste (1954). Eine Kiste für Kop (1956). Wie in schlechten Romanen (1956). Im Tal der donnernden Hufe (1957). Der Bahnhof von Zimpren (1958).

b) Hörspiele:

Mönch und Räuber (1953). Zum Tee bei Dr. Borsig (1955). Die Spurloser (1957). Bilanz (1957). Klopfzeichen (1960).

c) Aufsätze:

Bekenntnis zur Trümmerliteratur (1952). Thomas Wolfe und das bittere Geheimnis des Lebens (1953). Der Zeitgenosse und die Wirklichkeit (1953). Die Stimme Wolfgang Borcherts (1955). Ein Denkmal für Joseph Roth (1956). Das Risiko des Schreibens (1956). Großeltern gesucht (1957). Reise durch Polen (1957). Eine Stunde Aufenthalt (1958). Brief an einen jungen Katholiken (1958). Die Sprache als Hort der Freiheit (1958). Über mich selbst (1958). Kunst und Religion (1959). Stadt der alten Gesichter (1959). Der Zeitungsverkäufer (1959). Zur Verteidigung der Waschküchen (1959). Interview mit Studenten (1960). Hierzulande (1960). Der Rhein (1960). Über den Roman (1960). Was ist kölnisch? (1960).

Als der Krieg ausbrach. Als der Krieg zu Ende war. Zwei Erzählungen, Frankfurt a. M. und Leipzig: Insel Verlag 1962.

Ein Schluck Erde, Köln: Kiepenheuer & Witsch 1962 (Collection Theater, Texte 3). (Uraufführung des Stückes im Düsseldorfer Schauspielhaus am 22. 12. 1961).

Ansichten eines Clowns. Roman, Köln: Kiepenheuer & Witsch 1963.

Entfernung von der Truppe. Erzählung, Köln: Kiepenheuer & Witsch 1964.

Frankfurter Vorlesungen, Köln: Kiepenheuer & Witsch 1966.

Ende einer Dienstfahrt. Erzählung, Köln: Kiepenheuer & Witsch 1966.

Die Freiheit der Kunst. Wuppertaler Rede, Berlin: Voltaire Verlag 1967.

Georg Büchners Gegenwärtigkeit. Eine Rede, Berlin: Verlag der Wolff's Bücherei 1967.

Aufsätze, Kritiken, Reden, Köln: Kiepenheuer & Witsch 1967
Enthält

a) Aufsätze:

Im Ruhrgebiet (1957/58). Rose und Dynamit (1958). Zeichen an der Wand (1960). Nordrhein-Westfalen (1960). Mutter Ey (1960). Karl Marx (1960). Zvi Asaria (1960). Zur neuen Übersetzung von Synge (1961). Hast Du was, dann bist Du was (1961). Befehl und Verantwortung (1961). Assisi (1961). Was heute links sein könnte (1962). In der Bundesrepublik leben? (1963). Nachwort zu Carl Amery ,Die Kapitulation' (1963). Antwort an Msgr. Erich Klausener (1963). Gesinnung gibt es immer gratis (1963). Über Balzac (1964). Vorwort zu Schalom (1964). Die humane Kamera (1964). Stichworte (1964). Wort und Wörtlichkeit (1965). Raderberg, Raderthal (1965). Brendan Behan (1965). Jugendschutz (1965). Der Rhein (1965). Heimat und keine (1965). Angst vor der ,,Gruppe 47"? (1965). Das wahre Wie, das wahre Was (1965). Mauriac zum achtzigsten Geburtstag (1965). Werner von Trott zu Solz (1965). Brief an einen jungen Nichtkatholiken (1966). Vorwort zu ,Unfertig ist der Mensch' (1966). An einen Bischof, einen Gene-

ral und einen Minister des Jahrgangs 1917 (1966). Einführung in ‚Dienstfahrt'
(1966). Dreizehn Jahre später (1966). Die armen r.k.s. (1967). You enter
Germany (1967).

b) Kritiken

Das Ende der Moral (1952). Die Deplacierten (1957). Teils bedenklich, teils
bezaubernd (1960). Die Offenbarung der Asozialen (1960). Der Schriftsteller
und Zeitkritiker Kurt Ziesel (1960). Kennedy, Irland und der große Hunger
(1963). Wie hast Du's mit der Bundeswehr? (1963). Im Gleichschritt ins Ver-
hängnis (1963). Das Glück und das Heil (1963). Zu Reich-Ranickis ‚Deutsche
Literatur in West und Ost' (1963). Gefahr unter falschen Brüdern (1964).
Unterwerfung gefordert (1964). Besprechung Melita Maschmann ‚Fazit'
(1964). Jürgen Becker ‚Felder' (1964). Die Befreiten erzählen (1964). Christen im Korea-Krieg (1965). Keine so schlechte Quelle (1965). Das Zeug zu
einer Äbtissin (1966). Warum so zartfühlend? (1967).

c) Feuilletons:

Selbstkritik (1956). Rom auf den ersten Blick (1961). Cocktail-Party (1961).
Vom deutschen Snob (1961). Briefe aus dem Rheinland (1962/63). Briefe an
einen Freund jenseits der Grenzen (1963/64). „Ich gehöre keiner Gruppe an"
(1963). Vom Mehrwert bearbeiteten Papiers (1963). Anekdote zur Senkung
der Arbeitsmoral (1963). Weggeflogen sind sie nicht (1964). Silvester-Artikel
(1965). Was ist eine christliche Grundlage? (1966).

d) Reden:

Heldengedenktag (1957). Lämmer und Wölfe (1958). Zweite Wuppertaler
Rede (1960). Die Freiheit der Kunst (1966).

e) Interviews:

Interview von Dr. A. Rummel (1964). Interview von Marcel Reich-Ranicki
(1967).

*Leben im Zustand des Frevels. Ansprache zur Verleihung des Kölner
Literaturpreises an Jürgen Becker*, Berlin: Hessling 1969.

Hausfriedensbruch. Hörspiel. – *Aussatz*. Schauspiel, Köln: Kiepenheuer & Witsch 1969. (Veränderte Fassung von *Aussatz*.)

Gruppenbild mit Dame, Köln: Kiepenheuer & Witsch 1971.

Gedichte, Berlin: Literarisches Colloquium 1972.

Erzählungen 1950–1970, Köln: Kiepenheuer & Witsch 1972

Enthält:
Das Abenteuer (1950). Abenteuer eines Brotbeutels (1950). Nicht nur zur
Weihnachtszeit (1951). Der Zwerg und die Puppe (1951). Der Tod der Elsa
Baskoleit (1951). Mein Onkel Fred (1951). Die Postkarte (1952). Der Lacher
(1952). Die Waage der Baleks (1952). Schicksal einer henkellosen Tasse
(1952). Krippenfeier (1952). Der Engel (1952). Die blasse Anna (1953). Die
unsterbliche Theodora (1953). Bekenntnis eines Hundefängers (1953). Erinnerungen eines jungen Königs (1953). Im Lande der Rujuks (1953). Hier
ist Tibten (1953). Es wird etwas geschehen (1954). So ward Abend und Mor-

gen (1954). Unberechenbare Gäste (1954). Daniel, der Gerechte (1954). Die Suche nach dem Leser (1954). Doktor Murkes gesammeltes Schweigen (1955). Monolog eines Kellners (1955). Wie in schlechten Romanen (1956). Undines gewaltiger Vater (1956). Eine Kiste für Kop (1956). Hauptstädtisches Journal (1957). Der Wegwerfer (1957). Im Tal der donnernden Hufe (1957). Ein Pfirsichbaum in seinem Garten stand (1957). Der Bahnhof von Zimpren (1958). Keine Träne um Schmeck (1961). Als der Krieg ausbrach (1961/62). Als der Krieg zu Ende war (1961/62). Anekdote zur Senkung der Arbeitsmoral (1963). Entfernung von der Truppe (1964). Warum ich kurze Prosa wie Jakob Maria Hermes und Heinrich Knecht schreibe (1965). Die Kirche im Dorf (1965). Er kam als Bierfahrer (1968). Veränderungen in Staech (1969). Epilog zu Stifters „Nachsommer" (1970).

Neue politische und literarische Schriften, Köln: Kiepenheuer & Witsch 1973.

Enthält:
Offene Antwort an die 329 tschechoslowakischen Schriftsteller, Intellektuellen und Künstler (1967). Georg Büchners Gegenwärtigkeit (1967). Radikale für Demokratie (1968). Dunkel und trickreich (1968). Notstandsnotizen (1968). Vorwort zur „Krebsstation" (1968). Taceat Ecclesia (1968). Der Panzer zielte auf Kafka (1968). „Weh is' mir" (1968). Über die Gegenstände der Kunst (1968). Über Günter Eichs „Maulwürfe" (1968). Es wird immer später (1969). Dostojewski und Petersburg (1969). Die verhaftete Welt (1969). Ende der Bescheidenheit (1969). Deutsche Meisterschaft (1969). Wilde Poesie der Flüche (1969). Ein Satz aus der Geschichte: Der Ort war zufällig (1969). Was ist angemessen? (1969). Die Ursachen des Troubles mit Nordirland (1970). Schwierigkeiten mit der Brüderlichkeit (1970). Leiden, Zorn und Ruhe (1970). Annäherungsversuch (1970). Die Moskauer Schuhputzer (1970). Gesichtskosmetik der Großmächte – ein teurer Spaß (1970). Wer Augen hat zu sehen, sehe! (1970). Einigkeit der Einzelgänger (1970). Hülchrather Straße Nr. 7 (1971). Die Heuchelei der Befreier (1971). Unpassender aus der Lagernation (1971). Bericht zur Lage der Nation (1971). Will Ulrike Meinhof Gnade oder freies Geleit? (1971). Suchanzeigen (1971). Schwierigkeiten mit Essenmarken (1972). Über Willy Brandt (1972). Der Lorbeer ist immer noch bitter (1972). Die Würde des Menschen ist unantastbar (1972). Das tägliche Brot der Bomben oder: Law und order (1972). Gewalten, die auf der Bank liegen (1972). Luft in Büchsen (1972). Rede zur Verleihung des Nobelpreises am 10. 12. 1972 in Stockholm (1972).

Die verlorene Ehre der Katharina Blum oder: Wie Gewalt entstehen und wohin sie führen kann. Erzählung, Köln: Kiepenheuer & Witsch 1974.

Berichte zur Gesinnungslage der Nation, Köln: Kiepenheuer & Witsch 1975 (pocket 64).

Im Interview mit Christian Linder:
Drei Tage im März. Ein Gespräch. Interview mit Christian Linder, Köln: Kiepenheuer & Witsch 1975 (pocket 65).

4.2 Editionen:
Taschenbuchausgaben, Ausgaben für Buchgemeinschaften, DDR-Ausgaben

Bölls Erfolg als Autor spiegelt sich zu allererst in der schon fast unübersehbar gewordenen Menge verschiedener Editionen, die meist wiederum in mehrfachen Auflagen erschienen sind. Die ersten Buchausgaben Bölls wurden vom Middelhauve Verlag in Opladen herausgegeben. Der Absatz war eher schwach, zu schwach für den Verlag. 1953 wechselte Böll mit seinem Roman *Und sagte kein einziges Wort* zu Kiepenheuer & Witsch über, und gleichzeitig begann mit diesem Roman sein Erfolg als Schriftsteller. Seither ist Böll zum Hausautor des Verlages geworden. Kiepenheuer hat stetig und zielbewußt das Image seines erfolgreichsten belletristischen Autors aufgebaut, mit immer steigendem Erfolg, wie vor allem die letzten beiden Bestseller Bölls zeigen.

Besonders wichtig für die Rezeption moderner Literatur sind die Taschenbücher. Diese werden deshalb im folgenden möglichst vollständig aufgeführt. Die Bedeutung des Taschenbuchs für die Rezeption von Gegenwartsliteratur ist kaum zu überschätzen, wobei es sich allerdings in den meisten Fällen, wenn man etwa von Serien wie edition suhrkamp oder Reihe Hanser absieht, um Lizenzausgaben handelt. Zum großen Teil sind es ja auch die schon etablierten Autoren, die von Taschenbuchverlagen publiziert werden. Nach diesen allerdings ist, wie Heinz Gollhardt schrieb, die Nachfrage groß: „Um die ‚Klassiker' der Nachkriegszeit (Böll, Grass, Lenz, Frisch etc.) gibt es mit der gleichen Regelmäßigkeit, in der diese produzieren, das große Feilschen der lizenzhungrigen Taschenbuchverlage. Das Ergebnis sind Lizenzhonorare, die selbst bei den sicheren hohen Absatzzahlen dieser Bücher oft ohne Deckung bleiben."[1] Wenn also hier von der Bedeutung des Taschenbuchs für Gegenwartsliteratur gesprochen wird, so handelt es sich weniger um die Vermittlung literarischen Neulandes als um die Erweiterung der Rezeptionsbasis von schon relativ bekannten Autoren.

Die Rezeptionsbasis erfährt eine weitere wesentliche Erweiterung durch Lizenzausgaben von Buchgemeinschaften. Diese erreichen im allgemeinen eine Leserschicht, die von anderen Formen des Buchmarktes kaum berührt werden. Angesichts dieser Situation ist der von solchen Buchgemeinschaften gern hervorgehobene pädagogische Anspruch zwar naheliegend, von der Praxis aber in den meisten Fällen wenig gerechtfertigt. Im allgemeinen wird die unglückliche Trennung in Literatur für die wenigen und Massenliteratur eher perpetuiert als überbrückt. Das zeigt sich in den Programmen unter anderem im fast völligen Fehlen kritischer gegenüber affirmativer Literatur; Gegenwartsliteratur spielt eine sehr untergeordnete Rolle mit Ausnahme weniger Autoren, deren Image sie verkaufsfähig macht. Darunter gehört zweifellos Böll. Hier wäre viel Stoff zu einer differenzierten literatursoziologischen Untersuchung über die Wirkung von Bölls Werk. Dabei wäre vor allem auch die Frage zu stellen: wie verhält sich der kritische Impetus von Bölls Werk, seine subjektiv gegebene gesellschaftskritische Intention, zur objektiven Rezeptionssituation?

Aufgeführt werden schließlich noch die wichtigsten DDR-Ausgaben. Für weitere Ausgaben, Sonderbände, Schuleditionen einzelner Werke sowie Übersetzungen sei auf die Bibliographie von Lengning (L 136) verwiesen.

Als Raubdruck ist *Die verlorene Ehre der Katharina Blum* erschienen (Meta-Verlag, Graz 1974; DM 8.00 — Normalpreis der Kiepenheuer-Ausgabe DM 19,80). Berichte über die Reaktion des Kiepenheuer Verlags sind widersprüchlich. Nach *Buchreport* vom 20. 9. 1974 hat der Verlag eine Einstweilige Verfügung erwirkt; nach dem *Börsenblatt für den Deutschen Buchhandel* vom 10. September hat jedoch Kiepenheuer & Witsch einen Strafantrag gegen die Marburger Buchhandlung „Roter Stern" bereits einen Tag später „per Eilboten" zurückgezogen.[2]

Taschenbuchausgaben

Die ersten Taschenbuchausgaben erschienen beim Ullsteinverlag, später übernahm der Deutsche Taschenbuchverlag (dtv) die Taschenbuchlizenz und publizierte auch Werke, die bereits bei Ullstein erschienen waren. So sind jetzt praktisch alle Hauptwerke Bölls bei dtv erhältlich. Vereinzelte Werke sind in anderen Taschenbuchausgaben erschienen. Hinter dem Titel wird jeweils in Klammer die Nummer innerhalb der jeweiligen Taschenbuchserie angegeben.

a) Ullstein-Taschenbücher:

Der Zug war pünktlich (415)
Wanderer, kommst du nach Spa... (322)
Wo warst du, Adam? (84)
Und sagte kein einziges Wort (141)
Haus ohne Hüter (185)
Das Brot der frühen Jahre (239)

b) Deutscher Taschenbuch Verlag:

Der Zug war pünktlich (818)

Wanderer, kommst du nach Spa... (437)
     Inhalt wie die Originalausgabe

Wo warst du, Adam? (856)

Irisches Tagebuch (1)

Nicht nur zur Weihnachtszeit (350)
    Enthält:
    Doktor Murkes gesammeltes Schweigen. Der Bahnhof von Zimpren. Bekennt-
    nis eines Hundefängers. Erinnerungen eines jungen Königs. Hier ist Tibten.
    Im Lande der Rujuks. Der Lacher. Mein Onkel Fred. Schicksal einer henkel-
    losen Tasse. Unberechenbare Gäste. Die unsterbliche Theodora. Keine Träne
    um Schmeck.

Billard um halbzehn (991)

Als der Krieg ausbrach (339)
    Enthält:
    Als der Krieg ausbrach. Als der Krieg zu Ende war. Das Abenteuer. Abenteuer
    eines Brotbeutels. Der Zwerg und die Puppe. Der Tod der Elsa Baskoleit. Die
    Postkarte. Die Waage der Baleks. So ward Abend und Morgen. Daniel, der
    Gerechte. Wie in schlechten Romanen. Eine Kiste für Kop. Die blasse Anna.
    Im Tal der donnernden Hufe. Undines gewaltiger Vater. Kümmelblättchen,
    Spritzenland, Kampfkommandantur. Entfernung von der Truppe.

Hierzulande. Aufsätze zur Zeit (sr 11)
    Enthält:
    Über mich selbst. Hierzulande. Brief an einen jungen Katholiken. Kunst und
    Religion. Zwischen Gefängnis und Museum. Der Zeitgenosse und die Wirk-
    lichkeit. Vom deutschen Snob. Cocktail-Party. Stadt der alten Gesichter. Der
    Rhein. Was ist kölnisch? Der Zeitungsverkäufer. Großeltern gesucht. Die
    Sprache als Hort der Freiheit. Lämmer und Wölfe. Über den Roman. Zur
    Verteidigung der Waschküchen. Bekenntnis zur Trümmerliteratur. Die Stim-
    me Wolfgang Borcherts. Thomas Wolfe. Ein Denkmal für Joseph Roth. Das
    Risiko des Schreibens.

Zum Tee bei Dr. Borsig. Hörspiele (200)
    Enthält:
    Mönch und Räuber. Zum Tee bei Dr. Borsig. Eine Stunde Aufenthalt. Bilanz.
    Die Spurlosen. Klopfzeichen. Sprachanlage. Konzert für vier Stimmen.

Ansichten eines Clowns (400)

Frankfurter Vorlesungen (sr 68)

Ende einer Dienstfahrt (566)

Aufsätze, Kritiken, Reden (616 und 617)
    Inhalt wie die Originalausgabe.

Gruppenbild mit Dame (959)

Der Lorbeer ist immer noch bitter. Literarische Schriften (1023)
    Auswahl aus dem Band *Neue politische und literarische Schriften.*

Zu erwähnen sind noch zwei dtv-Bände mit Aufsätzen von und über
Heinrich Böll:

Der Schriftsteller Heinrich Böll. Ein biographisch-bibliographischer Abriß. Neu herausgegeben v. Werner Lengning (530)

In Sachen Böll. Ansichten und Einsichten. Hrsg. v. Marcel Reich-Ranicki (730)

Näheres über diese beiden Bände im Literaturverzeichnis, sowie in den Kapiteln 4.3 und 1.2

c) Sonstige Taschenbuchausgaben

So ward Abend und Morgen. Erzählungen. (Die kleinen Bücher der Arche 200)

Unberechenbare Gäste. Heitere Erzählungen. (Die kleinen Bücher der Arche 219/220)

Der Mann mit den Messern. (Reclams Universal-Bibliothek 8287)

Billard um halbzehn. (Knaur-Taschenbücher 8)

Bilanz. Klopfzeichen. Zwei Hörspiele. (Reclams Universal-Bibliothek 8846)

Geschichten aus zwölf Jahren. 1950–1962. (Bibliothek Suhrkamp 221).

Ausgaben für Buchgemeinschaften

Wo warst du, Adam? (Bertelsmann Lesering, 1963)

Und sagte kein einziges Wort. (Stuttgart: Europäischer Buchklub, 1958; Darmstadt: Deutsche Buch-Gemeinschaft, 1961; Schweizer Volks-Buchgemeinde, 1962).

Haus ohne Hüter. (Darmstadt: Moderner Buch-Club, 1960; Darmstadt: Deutsche Buch-Gemeinschaft, 1962; Bertelsmann Lesering, 1963; Deutscher Bücherbund, 1968; Neue Schweizer Bibliothek, 1970).

Das Brot der frühen Jahre. (Deutsche Buchgemeinschaft, 1964; Bertelsmann Lesering, 1965).

Irisches Tagebuch. (Deutsche Buch-Gemeinschaft, 1959).

Doktor Murkes gesammeltes Schweigen. (Bertelsmann, Kleine Lesering-Bibliothek 46, 1960; Deutsche Buch-Gemeinschaft, 1966).

Billard um halbzehn. (Büchergilde Gutenberg, 1961; Deutsche Buch-Gemeinschaft, 1961; Buchclub Ex Libris, 1964; Bertelsmann Lesering, 1965).

Das Brot der frühen Jahre und andere Prosastücke. (Büchergilde Gutenberg, 1960).

Erzählungen, Hörspiele, Aufsätze. (Deutscher Bücherbund, 1964).

Ansichten eines Clown. (Büchergilde Gutenberg, 1964; Deutsche Buch-
Gemeinschaft, 1964; Deutscher Bücherbund, 1964; Buchclub Ex
Libris, 1964; Bertelsmann Lesering, 1964).

*Heinrich Böll 1947 bis 1951. Der Zug war püunktlich. Wo warst du,
Adam? und 26 Erzählungen.* (Büchergilde Gutenberg, 1966; Deutscher Bücherbund, 1966; Buchclub Ex Libris, 1967; Buchclub Welt
und Heimat, 1967; Buchgemeinschaft Welt im Buch, 1967).

Der Zug war pünktlich und andere Erzählungen. (Bertelsmann Lesering, 1963).

Entfernung von der Truppe. (Deutsche Buch-Gemeinschaft, 1968; Moderner Buch-Club, 1968).

*Novellen. Erzählungen. Heiter-satirische Prosa. Irisches Tagebuch.
Aufsätze. Hörspiele.* (Europäischer Buchklub, 1964).

*Novellen. Erzählungen. Heiter-satirische Prosa. Irisches Tagebuch.
Aufsätze.* (Buchclub Ex Libris, 1964).

Das Brot der frühen Jahre und andere Prosastücke. (Neue Schweizer
Bibliothek, 1963; Buchgemeinschaft Donauland, 1963).

Das Brot der frühen Jahre und andere Erzählungen. (Bertelsmann Lesering, 1964).

Ende einer Dienstfahrt. (Büchergilde Gutenberg, 1968; Deutsche Buch-
Gemeinschaft, 1969; Europäische Bildungsgemeinschaft; Buchgemeinschaft Donauland).

Aufsätze, Kritiken, Reden. (Deutscher Bücherbund, 1969).

Ansichten eines Clowns. Und sagte kein einziges Wort (Neue Schweizer Bibliothek, 1967).

Romane und Erzählungen. (Herder-Buchgemeinde, 1968; Schweizer
Volks-Buchgemeinde, 1968).

Gruppenbild mit Dame. (Bertelsmann Lesering; Europäische Bildungsgemeinschaft; Buchgemeinschaft Donauland; Deutsche Buch-Gemeinschaft; Buchclub Ex Libris; Büchergilde Gutenberg).

Ausgaben in der DDR

Wo warst du, Adam? Berlin: Rütten & Loening 1956.
    Leipzig: Reclam 1961 (Reclams Universal-Bibliothek 364)
    Leipzig: Insel Verlag 1969 (Insel-Bücherei 908)

Und sagte kein einziges Wort. Berlin: Union Verlag 1960.
Leipzig: Insel Verlag 1962.
Leipzig: Insel Verlag 1970 (Insel-Bücherei 923)

Haus ohne Hüter. Berlin: Verlag Volk und Welt 1957.
Berlin: Verlag Volk und Welt 1966 (Roman-Zeitung 209)
Leipzig: Insel Verlag 1969.

Das Brot der frühen Jahre. Leipzig: Insel Verlag 1965 (Insel-Bücherei 512).

Irisches Tagebuch. Leipzig: Insel Verlag 1966 (Insel-Bücherei 498).

Im Tal der donnernden Hufe. Leipzig: Insel Verlag 1957 (Insel-Bücherei 674).

Doktor Murke und andere. Drei Satiren. Leipzig: Insel Verlag 1963. (Insel-Bücherei 832).

Die Waage der Baleks und andere Erzählungen. Berlin: Union Verlag 1959.

Billard um halbzehn. Leipzig: Insel Verlag 1961.

Der Zug war pünktlich. (10 Erzählungen). Berlin: Union Verlag 1961.

Als der Krieg ausbrach. Als der Krieg zu Ende war. Frankfurt a. M. und Leipzig: Insel Verlag 1962.

Die Spurlosen. Drei Hörspiele. Leipzig: Insel Verlag 1966.

Die Erzählungen. Leipzig: Insel Verlag 1966.

Ende einer Dienstfahrt. Leipzig: Insel Verlag 1968.

Die Erzählungen. 1947–1970, Nachwort von Hans Joachim Bernhard, Leipzig: Insel Verlag 1973.

4.3 Bibliographien und Materialien

Bereits im Zeitraum zwischen 1958 und 1963 erschienen vier wichtige Böll-Bibliographien:

Heinrich Böll. Ein Bücherverzeichnis. Bearbeitet v. Hanne-Christa Bertermann. Dortmund: Städtische Volksbüchereien 1958.

Der Schriftsteller Heinrich Böll. Ein biographisch-bibliographischer Abriß. Hrsg. v. Ferdinand Melius. Bibliographische Bearbeitung von Werner Lengning. Köln: Kiepenheuer & Witsch 1959.

Annemarie Nobbe, *Heinrich Böll.* Eine Bibliographie seiner Werke und der Literatur über ihn. Köln: Greven 1961. (Ursprünglich eine Prüfungsarbeit für den gehobenen Dienst an wissenschaftlichen Bibliotheken am Bibliothekar-Lehrinstitut des Landes Nordrhein-Westfalen in Köln, 1958).

Das Werk Heinrich Bölls 1949–1963. Ein Bücherverzeichnis. Einführung, Textauswahl und Bibliographie von Hugo Ernst Käufer. Mit 2 Beiträgen von Böll. Dortmund: Städtische Volksbüchereien 1963.

Unter diesen Bibliographien ist wohl die wichtigste und hilfreichste die von Werner Lengning bearbeitete in *Der Schriftsteller Heinrich Böll.* Sie erscheint alle paar Jahre; die bisher neueste Ausgabe erschien 1972 und verzeichnet Literatur von und über Böll bis ins Jahr 1972.[3] Da sie seit 1968 als dtv-Taschenbuch (dtv 530) erscheint, ist sie auch für Studenten leicht erschwinglich. Ihr Wert liegt nicht nur in der Vollständigkeit (soweit ich das nachprüfen konnte), sondern auch in der detaillierten Aufschlüsselung und Anordnung der Literatur. Die Bibliographie ist nach folgenden Kategorien geordnet:

I. Das schriftstellerische Werk von Böll

  1. Buchausgaben
  2. Vorworte und Nachworte in Büchern
  3. Beiträge in Sammelbänden
  4. Beiträge in Schulausgaben
  5. Erzählungen und Gedichte in deutschen Zeitschriften, Zeitungen, Festgaben, Kalendern und Rundfunk
  6. Aufsätze, Kritiken, Reden, Vorträge, Interviews in deutschen Periodica und im Rundfunk
  7. Hör- und Fernsehspiele, Filme, Theaterstücke, Sprechplatten
  8. Annemarie und Heinrich Böll als Übersetzer: Romane und Erzählungen
  9. Annemarie und Heinrich Böll als Übersetzer: Theaterstücke
  10. Übersetzungen und ausländische Ausgaben
  11. Beiträge in ausländischen Sammelbänden
  12. Beiträge in ausländischen Schulbüchern und Studien-Ausgaben

13. Erzählungen, Hörspiele, Gedichte in Periodica und Sendern des Auslandes
14. Aufsätze, Kritiken, Reden, Interviews in ausländischen Zeitschriften

II. Literatur über Böll und sein Werk

1. Buchveröffentlichungen über Heinrich Böll
2. Hinweise und Artikel in Nachschlagewerken und Handbüchern
3. Würdigung und Deutung in deutschen Literaturgeschichten
4. Darstellungen und Untersuchungen in Werken der Literaturkritik und Literaturwissenschaft
5. Interpretationen für den Literaturunterricht in Büchern und Zeitschriften
6. Hochschulschriften, Seminararbeiten, Schülerarbeiten
7. Abhandlungen, Berichte, Diskussionsbeiträge in Zeitschriften, Zeitungen und Rundfunksendungen
8. Besprechungen einzelner Werke in den Rezensionsorganen der Literaturkritik des In- und Auslandes

Angefügt werden noch die Literaturpreise, die Böll erhalten hat. Die Anordnung innerhalb der einzelnen Kategorien ist strikt chronologisch, einzelne Kategorien sind zudem noch unterteilt nach Literatur zu einzelnen Werken Bölls. Die Vorteile einer solchen differenzierten Anordnung fallen ins Auge, ein gewisser Nachteil liegt darin, daß es oft schwierig ist, einen bestimmten Autor oder einen bestimmten Artikel zu lokalisieren. Hier wäre ein alphabetisches Autorenverzeichnis von großer Hilfe.

Eine einführende Auswahlbibliographie gibt Thomas B. Schumann *Text + Kritik* 33 (Januar 1972).

Mehrere Institutionen bieten sich als Informationsquellen und für Materialien zur Böll-Forschung an. Bei Lengning aufgeführt und kommentiert sind folgende:

1. Böll-Archiv des Verlags Kiepenheuer & Witsch, Köln
2. Internationale Autoren-Dokumentation der Stadtbücherei Dortmund
3. Stadt- und Universitätsbibliothek Frankfurt a. M:

Von Lengning nicht erwähnt, aber für die künftige Böll-Forschung unentbehrlich, ist die Spezialkollektion der Bibliothek der Universität von Boston. Diese Kollektion wurde 1968 begonnen und enthält Manuskripte, Typoskripte und Durchschläge von Bölls Werken. Einen ersten ausführlichen Bericht über das Archiv und seine Entstehung legte Robert C. Conard vor (L 39). Der Wert dieser Sammlung für die Böll-Forschung liegt vor allem darin, daß es nun möglich ist, Varianten zu Bölls Werken zu vergleichen, so wie aus den Notizen, Korrekturen und Vorarbeiten seine Arbeitsweise untersuchen zu können. Leider ist die Katalogisierung des umfangreichen Materials noch bei weitem nicht abgeschlossen. Außer den Manuskripten und Notizen zum Werk enthält die Sammlung auch Korrespondenz. Zudem werden Zeitungsausschnit-

te über Böll und sein Werk sowie Aufsätze und Rezensionen gesammelt. Um auch in dieser Hinsicht das Archiv möglichst vollständig zu
erhalten, wäre es gut, wie schon Conard vorgeschlagen hat, daß alle,
die über Böll arbeiten, Exemplare ihrer Publikationen dem Archiv zukommen lassen.

4.4 Bibliographie der Böll-Literatur

1. Ahl, Herbert, *Literarische Porträts*, München–Wien: A. Langen–G. Müller 1962; Böll: S. 61–69.
2. Angres, Dora, „S. V. Roznovskij. Heinrich Böll", in: *Weimarer Beiträge* 15 (1969), S. 204–206.
3. Anonym, „The Green Bouquet", in: *Time* (30. Oktober 1972).
4. Anonym, „,Au' Is a Camera", in: *Newsweek* (14. Mai 1973).
5. Anonym, „Raking the Muck. Heinrich Böll: ‚Die verlorene Ehre der Katharina Blum'", in: *Times Literary Supplement* (11. Oktober 1974).
6. Aoki, Junzo, „Kriegs- und Nachkriegserlebnisse im Werk Heinrich Bölls" (Japanisch mit deutscher Zusammenfassung), in: *Doitsu Bungaku* 34 (1965), S. 5–15.
7. Arnold, Heinz Ludwig, *Im Gespräch: Heinrich Böll mit Heinz Ludwig Arnold*, München: Richard Boorberg 1971.
8. Arnold, Heinz Ludwig, „Heinrich Bölls Roman ‚Gruppenbild mit Dame'", in: *Text und Kritik* 33 (1972), S. 42–49.
9. Arnold, Heinz Ludwig, „Heinrich Bölls Roman ‚Gruppenbild mit Dame' und einige Marginalien zu seinen Kritikern", in: H. L. A., *Brauchen wir noch die Literatur?*, Düsseldorf: Bertelsmann 1972, S. 198–204.
10. Arnold, Heinz Ludwig, „Heinrich Bölls Versuch, der Massenhysterie zu wehren, und seine Folgen", in: H. L. A., *Brauchen wir noch die Literatur?*, l. c., S. 114–121.
11. Augstein, Rudolf, „Potemkin am Rhein", in: *Die Zeit* (14. Juni 1963).
12. Baumgart, Reinhard, „Unglücklich oder verunglückt?", in: *Die Zeit* (21. Juni 1963).
13. Baumgart, Reinhard, „Kleinbürgertum und Realismus. Überlegungen zu Romanen von Böll, Grass und Johnson", in: *Neue Rundschau* 75 (1964), S. 650–664.
14. Bauschinger, Sigrid, „Wie stehen die Amerikaner zu Grass und Böll?", in: *Frankfurter Allgemeine Zeitung* 278 (1. Dezember 1971).
15. Beckel, Albrecht, *Mensch, Gesellschaft, Kirche bei Heinrich Böll. Mit einem Beitrag von Heinrich Böll: Interview mit mir selbst*, Osnabrück: Fromm 1966 (Fromms Taschenbücher ‚Zeitnahes Christentum', Bd. 39).
16. Becker, Rolf, „Böll. Brot und Boden", in: *Spiegel* 15 (6. Dezember 1961), S. 71–86.
17. Berger, Karl-Heinz, *Heinrich Böll. Leben und Werk*, Berlin: Volk und Wissen 1967 (zusammen mit: Gerhard Dahne, *Westdeutsche Prosa. Ein Überblick*; Böll: S. 251–352.
18. Berghahn, Klaus, „Heinrich Böll: Aussatz", in: *Basis* 1 (1970), S. 248–252.
19. Bergholz, Harry, „Ansichten eines Clowns", in: *Books Abroad* 38/2 (1964), S. 165.
20. Bergholz, Harry, „Entfernung von der Truppe", in: *Books Abroad* 39/3 (1965), S. 317–318.
21. Bernhard, Hans Joachim, „Vom Anspruch der Geschichte", in: *Neue Deutsche Literatur* 12 (1964), Heft 1, S. 100–114.
22. Bernhard, Hans Joachim, *Die Romane Heinrich Bölls. Gesellschaftskritik und Gemeinschaftsutopie*, Berlin: Rütten & Loening 1970.
23. Bernhard, Hans Joachim, „Der Clown als Verfasser. Heinrich Böll: ‚Grup-

penbild mit Dame'", in: *Geschichte der deutschen Literatur aus Methoden – Westdeutsche Literatur von 1945–1971*, hrsg. von Heinz Ludwig Arnold, Frankfurt a. M.: Fischer Athenäum Taschenbuchverlag 1972, S. 272–281. (Der Aufsatz erschien ursprünglich in: *Neue Deutsche Literatur* 4/1972, S. 157–164).

24. Beth, Hanno, ,,Trauer zu dritt und mehreren. Notizen zum politischen Publizisten Heinrich Böll", in: *Text und Kritik* 33 (1972), S. 10–18.

25. Bialek, Halina, ,,Heinrich Bölls ,Ende einer Dienstfahrt'. Versuch einer Interpretation", in: *Acta Universitatis Wratislaviensis* 154 (1971), S. 47–60.

26. Bienek, Horst, *Werkstattgespräche mit Schriftstellern*, München: Hanser, 2. Aufl. 1962; Böll: S. 138–151.

27. Blöcker, Günter, ,,Heinrich Böll als Satiriker", in: *Die Bücherkommentare* 7/1 (1958), S. 2.

28. Blöcker, Günter, *Kritisches Lesebuch. Literatur unserer Zeit in Probe und Bericht*, Hamburg: Leibniz Verlag 1962; Böll: S. 285–289.

29. Blöcker, Günter, *Literatur als Teilhabe. Kritische Orientierung zur literarischen Gegenwart*, Berlin: Argon Verlag 1966; Böll: S. 20–23.

30. Bondy, François, ,,Die Rezeption der deutschen Literatur nach 1945 in Frankreich", in: *Die deutsche Literatur der Gegenwart. Aspekte und Tendenzen*, hrsg. von Manfred Durzak, Stuttgart: Reclam 1971, S. 415–424; Böll: S. 418

31. Brinkmann, Hennig, ,,Heinrich Böll: ,Es wird etwas geschehen. Eine handlungsstarke Geschichte'. Aufschließung eines literarischen Textes von den Satzmodellen aus", in: *Wirkendes Wort* 14 (1964), S. 365–373.

32. Bronsen, David, ,,Böll's Women. Patterns in Male-Female Relationships", in: *Monatshefte* 57 (1965), S. 291–300.

33. Broyard, Anatole, ,,File-Cabinet Fiction", in: *The New York Times* (9. Mai 1973).

34. Brückl, Otto, ,,Kunst und Ethik in der zeitgenössischen Kurzgeschichte: Elisabeth Langgässer, Gerd Gaiser, Heinrich Böll", in: *Acta Germanica* 2 (1967), S. 89–115.

35. Brückl, Otto, ,,Der Zeitgenosse und die Wirklichkeit: Gedanken anläßlich der Verleihung des Nobelpreises für Literatur an Heinrich Böll am 10. 12. 1972", in: *Deutschunterricht in Südafrika* 4 (1973), S. 17–31.

36. Burns, Robert A., *The Theme of Non-Conformism in the Work of Heinrich Böll*, Coventry: University of Warwick, Department of German Studies 1973.

37. Cases, Cesare, *Stichworte zur deutschen Literatur. Kritische Notizen*, Wien/Frankfurt a. M.: Europa Verlag 1969; Böll: S. 297–304.

38. Clark, Robert T., ,,Heinrich Böll: ,Wo warst du, Adam?'", in: *Books Abroad* 26/4 (1952), S. 352.

39. Conard, Robert C., ,,The Humanity of Heinrich Böll. Love and Religion", in: *Boston University Journal* Spring (1973), S. 35–42.

40. Conard, Robert C., ,,Report on the Heinrich Böll Archive at the Boston University Library", in: *The University of Dayton Review* 10/2 (1973), S. 11–14.

41. Cotet, Pierre, ,,Les débuts d'un écrivain. Heinrich Böll", in: *Etudes Germaniques* 13 (1958), S. 139–144.

42. Coupe, W. A., ,,Heinrich Böll's *Und sagte kein einziges Wort* – an Analysis", in: *German Life & Letters* 17 (1964), S. 238–249.

43. Cwojdrak, Günther, ,,Rückzug vom Realismus. Zu einigen Büchern von H.

E. Nossack, Wolfgang Koeppen und Heinrich Böll", in: *Neue Deutsche Literatur* 7 (1960), S. 113—124.

44. Cwojdrak, Günther, „Quo vadis, Heinrich Böll", in: G. C., *Eine Prise Polemik. 7 Essays zur westdeutschen Literatur*, Halle: Mitteldeutscher Verlag 1965.

45. Daniels, Karlheinz, „Wandlung des Dichterbildes bei Heinrich Böll. ‚Wir Besenbinder'. — ‚Es wird etwas geschehen'", in: *Neophilologus* 49 (1965), S. 32—43.

46. Daniels, Karlheinz, *Zur Problematik des Dichterischen bei Heinrich Böll*, Saltsjö-Duvnäs: Moderna Språk 1966 (Language Monographs 8).

47. Demetz, Peter, *Die süße Anarchie. Deutsche Literatur seit 1945*, Berlin: Propyläen Verlag 1970; Böll: S. 220—235.

48. Deschner, Karlheinz, *Talente, Dichter, Dilettanten*, Wiesbaden: Limes Verlag 1964; Böll: S. 13—47.

49. Dohse, Helga, „Ende einer Dienstfahrt", in: *Books Abroad* 41/2 (1967), S. 186—187.

50. Dotzenrath, Theo, „Heinrich Böll: ‚Die schönsten Füße der Welt'. Versuch einer Interpretation", in: *Wirkendes Wort* 8 (1957/58), S. 302—307.

51. Duroche, Leonard L., „Böll's *Ansichten eines Clowns* in existentialist perspective", in: *Symposium* 25 (1971), S. 347—358.

52. Durzak, Manfred, *Der deutsche Roman der Gegenwart*, Stuttgart: Kohlhammer 1971; Böll: S. 19—107.

53. Durzak, Manfred, „Die Rezeption der deutschen Literatur nach 1945 in den USA", in: *Die deutsche Literatur der Gegenwart,* l. c. (s. L 30), S. 437—447; Böll: S. 444.

54. Durzak, Manfred, „Heinrich Bölls epische Summe? Zur Analyse und Wirkung seines Romans ‚Gruppenbild mit Dame'", in: *Basis* 3 (1972), S. 174—197.

55. Duwe, Wilhelm, *Ausdrucksformen deutscher Dichtung vom Naturalismus bis zur Moderne. Eine Stilgeschichte der Moderne*, Berlin: E. Schmidt 1965; Böll: S. 52—60.

56. Eljaschewitsch, A., „Menschen mit leiser Stimme. Der schöpferische Weg Heinrich Bölls", in: *Kunst und Literatur* 13 (1965), S. 1151—1183.

57. Enderstein, Carl O., „Heinrich Böll und seine Künstlergestalten", in: *German Quarterly* 43 (1970), S. 733—748.

58. Enright, D. J., „Cracking Leni's Case", in: *New York Review of Books* (31. Mai 1973).

59. Enzensberger, Hans Magnus, „Satire als Wechselbalg", in: H. M. E., *Einzelheiten*, Frankfurt a. M.: Suhrkamp 1962, S. 215—220.

60. Fabritius, Rudolf, „Komik, Humor und Verfremdung in Heinrich Bölls Erzählung ‚Unberechenbare Gäste'", in: *Deutschunterricht* 18/3 (1966), S. 63—70.

61. Fechter, Paul, *Geschichte der deutschen Literatur,* Band II: *Literatur des zwanzigsten Jahrhunderts*, bearbeitet v. K. L. Tank und W. Jacobs, Gütersloh: Signum Verlag o. J. (1960); Böll: S. 368—371.

62. Fest, Joachim, „Wer will da Gegner sein", in: *Spiegel* 4 (22. Januar 1968).

63. Fetzer, John, „The Scales of Injustice: Comments on Heinrich Böll's ‚Die Waage der Baleks'", in: *German Quarterly* 45 (1972), S. 472—479.

64. Fischer, Heinz, „Sprachliche Tendenzen bei Heinrich Böll und Günter Grass", in: *German Quarterly* 40 (1967), S. 372—383.

65. Frey, John R., „Heinrich Böll: Und sagte kein einziges Wort", in: *Books*

Abroad 28/1 (1954), S. 30–31.

66.   Frey, John, „Heinrich Böll: Haus ohne Hüter", in: *Books Abroad* 29/3 (1955), S. 300.

67.   Frey, John, „Heinrich Böll: Das Brot der frühen Jahre", in: *Books Abroad* 30/4 (1956), S. 400.

68.   Frey, John R., „Heinrich Böll: Doktor Murkes gesammeltes Schweigen und andere Satiren", in: *Books Abroad* 32/4 (1958), S. 413–414.

69.   Fricke, Gerhard und Volker Klotz, *Geschichte der deutschen Dichtung*, Lübeck: Matthiesen, 9. Aufl. 1962; Böll: S. 485–487.

70.   Friedmann, Hermann und Otto Mann, *Deutsche Literatur im 20. Jahrhundert. Strukturen und Gestalten*, Heidelberg: Rothe 1954; Böll: s. Register.

71.   Friedrichsmeyer, Erhard, „Böll's Satires", in: *The University of Dayton Review* 10/2 (1973), S. 5–10.

72.   Glade, Henry, „Soviet Views of Heinrich Böll", in: *Arcadia* 7 (1972), S. 65–73.

73.   Glade, Henry, „Novel into Play: Heinrich Böll's *Clown* at the Mossoviet Theater in Moscow", in: *The University of Dayton Review* 10/2 (1973), S. 15–24 (mit Illustrationen).

74.   Glade, Henry, „Soviet Publications on Modern German Literature: A 1972 Survey", in: *Germano-Slavica* (1973), S. 109–120.

75.   Godfroid, M., „Heinrich Böll et la société allemande", in: *Les Langues Modernes* 60 (1966), S. 291–296.

76.   Gössmann, Wilhelm, „Trivialität und Gesellschaftskritik im modernen Roman", in: *Stimmen der Zeit* 97 (1972), S. 103–119.

77.   Grenzmann, Wilhelm, *Deutsche Dichtung der Gegenwart*, Frankfurt a. M.: Menck 1953; Böll: S. 441–443.

78.   Grothmann, Wilhelm, „Die Rolle der Religion im Menschenbild Bölls", in: *German Quarterly* 44 (1971), S. 191–207.

79.   Grützbach, Frank (ed.), *Heinrich Böll. Freies Geleit für Ulrike Meinhof: ein Artikel und seine Folgen*, Köln: Kiepenheuer & Witsch 1972.

80.   Guembe, Dolores, „El ‚monólogo interior' en la obra de Heinrich Böll", in: *Boletín de Estudios Germánicos* 7 (1968), S. 61–79.

81.   Haase, Horst, „Charakter und Funktion der zentralen Symbolik in Heinrich Bölls Roman ‚Billard um halbzehn'", in: *Weimarer Beiträge* 10 (1964), S. 219–226.

82.   Häny, Arthur, „Heinrich Böll", in: *Schweizer Monatshefte* 44 (1964), S. 271–274.

83.   Hättich, Edgar, „Heinrich Böll", in: *Schriftsteller der Gegenwart. Deutsche Literatur*, hrsg. von Klaus Nonnemann, Olten: Walter 1963, S. 58–64.

84.   Hagelstange, Rudolf, „Rede auf den Preisträger", in: *Jahrbuch der Deutschen Akademie für Sprache und Dichtung* (1967), S. 73–83.

85.   Hanson, W. P., „Heinrich Böll, ‚Das Brot der frühen Jahre'", in: *Modern Languages* 48 (1967), S. 148–151.

86.   Hartlaub, Geno; Paul Konrad Kurz und Hans Christian Kosler, „Recherchen nach dem guten Menschen", in: *Frankfurter Hefte* 26 (1971), S. 789–794. (s. einzelne Autoren).

87.   Hartlaub, Geno, „Metaphysisch religiös", in: *Frankfurter Hefte* 26 (1971), S. 792–794.

88.   Hasenfuß, Josef, „Gedanken über Heinrich Böll", in: *Deutsche Studien* 5 (1967), Heft 17, S. 87–89.

89. Heißenbüttel, Helmut und Hans Schwab-Felisch, „Wie man dokumentarisch erzählen kann. Zwei Stimmen zu Heinrich Bölls neuem Roman", in: *Merkur* 25 (1971), S. 911–916. (Heißenbüttel: S. 911–914; Schwab-Felisch: S. 914–916).

90. Hell, Victor, „Littérature et société en Allemagne. L'example de Heinrich Böll", in: *Revue d'Allemagne* 5 (1973), S. 66–80.

91. Hengst, Heinz, „Die Frage nach der ‚Diagonale zwischen Gesetz und Barmherzigkeit'. Zur Rolle des Katholizismus im Erzählwerk Bölls", in: *Text und Kritik* 33 (1972), S. 23–32.

92. Hildesheimer, Wolfgang, „Auseinandersetzung mit Günter Eichs Vortrag ‚Der Schriftsteller vor der Realität", in: *Über Günter Eich*, hrsg. v. Susanne Müller-Hanpft, Frankfurt a. M.: Suhrkamp 1970 (edition suhrkamp 402), S. 56–68; Böll: S. 59 f.

93. Hirschenauer, Rupert, *Interpretationen zu Heinrich Böll*, hrsg. von R. H. und Albrecht Weber, München: Oldenbourg, 3. Aufl. 1970.

94. Hoffman, Léopold, *Heinrich Böll. Einführung in Leben und Werk*, Luxemburg: Verlag der Sankt Paulus Druckerei 1965. – 2. erw. Aufl., Luxemburg: Verlag Edi-Centre 1973.

95. Hoffmeister, Werner, „Heinrich Böll: Ende einer Dienstfahrt", in: *Novel* 1 (1968), S. 291–292.

96. Hohoff, Curt, „Der Erzähler Heinrich Böll", in: *Merkur* 11 (1957), S. 1208–1210.

97. Holthusen, Hans Egon, *Der unbehauste Mensch. Motive und Probleme der modernen Literatur*, München: Piper, 1. Aufl. 1951.

98. Holthusen, Hans Egon, „Böll, Gaiser und die ‚unbewältigte Vergangenheit'", in: *Eckart Jahrbuch* (1963/64), S. 258–279.

99. Horst, Karl August, „Das Traditionsproblem in der deutschen Literatur der Gegenwart", in: *Wort in der Zeit* 2 (1956), Heft 2, S. 37–43.

100. Horst, Karl August, *Die deutsche Literatur der Gegenwart*, München: Nymphenburger Verlagshandlung 1957; Böll: S. 136–137.

101. Hübner, Raoul, „Der diffamiert-integrierte ‚Anarchismus'. Zu Heinrich Bölls Erfolgsroman ‚Gruppenbild mit Dame'", unveröffentlichtes Manuskript für den Sammelband *Deutsche Bestseller – Deutsche Ideologie. Ansätze zu einer Verbraucherpoetik*, hrsg. v. Heinz Ludwig Arnold, [angekündigt ehemals im Athenäum Fischer Taschenbuch Verlag, erscheint bei Klett, Stuttgart 1975].

102. Ihlenfeld, Kurt, *Zeitgesicht. Erlebnisse eines Lesers*, Witten: Eckart Verlag 1961; Böll: S. 38–41; 112–116; 255–256.

103. Jäckel, Günter, „Die Behandlung der short story bei Heinrich Böll. Versuch einer Interpretation von ‚Wanderer, kommst du nach Spa...'", in: *Wissenschaftliche Zeitschrift der Universität Leipzig* 11 (1962), S. 609–612.

103a. Jäckel, Günter, „Die alte und die neue Welt. Das Verhältnis von Mensch und Technik in Bölls Roman ‚Billard um halbzehn'", in: *Weimarer Beiträge* 14 (1968), S. 1285–1302.

104. Jens, Walter, *Deutsche Literatur der Gegenwart. Themen, Stile, Tendenzen*, München: Piper, 4. Aufl. 1962; Böll: S. 147 f.

105. Jeziorkowski, Klaus, *Rhythmus und Figur. Zur Technik der epischen Konstruktion in Heinrich Bölls „Der Wegwerfer" und „Billard um halbzehn"*, Bad Homburg: Gehlen 1968.

106. Jeziorkowski, Klaus, „Heinrich Böll", in: *Handbuch der deutschen Ge-*

genwartsliteratur, München: Nymphenburger Verlagshandlung, 2. verb. und erw. Aufl. 1969, S. 128–130.

107. Jolles, Frank E. F., „Die Rezeption der deutschen Literatur nach 1945 in England", in: Die deutsche Literatur der Gegenwart, l. c. (s. L 30), S. 425–436; Böll: S. 427.

108. Käufer, Hugo Ernst, Das Werk Heinrich Bölls 1949–1963. Ein Bücherverzeichnis. Einführung, Textauswahl und Bibliographie, 2. veränd. u. erw. Aufl., Dortmund: Städtische Volksbücherei und Bochum: Stadtbücherei 1963 (nicht im Buchhandel).

109. Kahle, Wilhelm, Geschichte der deutschen Dichtung, Münster: Regensberg, 4. Aufl. 1964; Böll: S. 437 f.

110. Kaiser, Joachim, „Wovon dieses bewegende Buch handelt", in: Die Zeit (31. Mai 1963).

111. Kaiser, Joachim, „Mitleidiger Naturalismus und mystische Vision", in: Süddeutsche Zeitung (31. Juli/1. August 1971).

112. Kalow, Gert, „Heinrich Böll", in: Christliche Dichter der Gegenwart, hrsg. von Hermann Friedmann und Otto Mann, Heidelberg: Rothe 1955, S. 426–435. – In der zweiten Auflage (Bern: Francke 1968) ist das Kapitel über Böll von Johannes Schwarz.

113. Karasek, Hellmuth, „Perfide Taktiken", in: Die Zeit (amerik. Ausg. 8. Februar 1972).

114. Kasack, Hermann, „Man kann nicht mehr so schreiben wie vor 50 Jahren", in: Die Neue Zeitung 7 (19. Januar 1951).

115. Katagiri, Yukio, „Über Heinrich Böll" (Japanisch mit deutscher Zusammenfassung), in: Doitsu Bungaku 35 (1965), S. 12–23.

116. Katagiri, Yukio, „Bölls Standpunkt" (Japanisch mit deutscher Zusammenfassung) in: Aspekt 1 (1967), S. 98–114.

117. Kilchenmann, Ruth J., Die Kurzgeschichte. Formen und Entwicklung, Stuttgart: Kohlhammer 1967.

118. Klieneberger, Hans Rudolf, „Ireland through German Eyes 1844–1957. The travel diaries of Jakob Venedey and Heinrich Böll", in: Studies. An Irish Quarterly Review 49 (1960), S. 373–388.

119. Klieneberger, Hans Rudolf, „Heinrich Böll in Ansichten eines Clowns, in: German Life & Letters 19 (1965), S. 34–39.

120. Knoch, Werner, „Durchscheinen der Subsistenten. Versuch einer Übersicht der deutschsprachigen Literatur der letzten zwei Jahre", in: Moderna Språk 49 (1955), S. 2–46.

121. Kock, Erich, „Bahnhof, Zug und Eisenbahnfahrten in den Büchern von Heinrich Böll", in: Rad und Schiene. Nachrichten für alle Freunde der Deutschen Bundesbahn 7 (1964), Nr. 2.

122. Kopelew, Lew, „Heinrich Bölls Gedichte", in: Die Zeit (amerik. Ausg. 20. Juli 1971).

123. Korlén, Gustav, „Heinrich Böll in schwedischer Sicht", in: Moderna Språk 61 (1967), S. 374–379.

124. Kosler, Hans Christian, „Besinnung auf die Subjekte", in: Frankfurter Hefte 26 (1971), S. 791–792.

125. Krättli, Anton, „Am Ende doch ein garstig Lied? Zu Neuerscheinungen von Heinrich Böll, Günter Seuren und Martin Walser", in: Schweizer Monatshefte 46 (1966), S. 1042–1049.

126. Kranz, Gisbert, Europas christliche Literatur 1500–1960, 1. Aufl., Aschaffenburg: Pattloch 1961; Böll: S. 514–515. – 2. Aufl. Paderborn:

Schöningh 1968; Böll: S. 515–516.

127. Kuczynski, Jürgen, „Zeitgeschichte in der Literatur. Arbeitslosigkeit und Not in zwei Werken von Anna Seghers und Heinrich Böll", in: *Neue Deutsche Literatur* 10 (1962), S. 110–119.

128. Kuczynski, Jürgen, *Gestalten und Werke. Soziologische Studien zur deutschen Literatur*, Berlin: Aufbau Verl. 1969.

129. Kügler, Hans, *Weg und Weglosigkeit*, Heidenheim: Heidenheimer Verlagsanstalt 1970; Böll: S. 129–136; 200–203.

130. Kurz, Paul Konrad, „Lächeln der Vernunft. Heinrich Bölls Erzählung ‚Ende einer Dienstfahrt'", in: *Stimmen der Zeit* 91 (1966), S. 385–388.

131. Kurz, Paul Konrad, „Heinrich Böll: Die Denunziation des Krieges und der Katholiken." – „Heinrich Böll: Nicht versöhnt", in: *Stimmen der Zeit* 96 (1971), S. 17–30; 88–97.

132. Kurz, Paul Konrad, „Heinrich Bölls konservative Provokation", in: *Frankfurter Hefte* 26 (1971), S. 789–791.

133. Lauschus, Leo, „Heinrich Böll ‚Wanderer, kommst du nach Spa...'", in: *Der Deutschunterricht* 10 (1958), Heft 6, S. 75–86.

134. Leier, Manfred, „Verkannter Heinrich Böll. Eine Ostberliner Biographie interpretiert den Kölner Autor versimpelt", in: *Die Welt der Literatur* 7 (8. Januar 1970).

135. Leiser, Peter, *Böll: Brot der frühen Jahre/Ansichten eines Clowns. Biographie und Interpretation*, Hollfeld: Beyer Verlag 1974 (Analysen und Reflexionen).

136. Lengning, Werner (ed.), *Der Schriftsteller Heinrich Böll. Ein biographisch-bibliographischer Abriß*, 3. überarb. und erw. Aufl., München: Deutscher Taschenbuchverlag 1972. (Ursprünglich hrsg. von Ferdinand Melius, Köln: Kiepenheuer und Witsch 1959. – Alle Zitate im Text nach der 3. Aufl. der dtv-Ausgabe).

137. Lennartz, Franz, *Dichter und Schriftsteller unserer Zeit. Einzeldarstellungen zur schönen Literatur in deutscher Sprache*, 7. Aufl., Stuttgart: Kröner 1957; Böll: S. 62–63.

138. Leonhardt, Rudolf Walter, „Ein Roman stiftet verwirrende Ordnung", in: *Die Zeit* (21. Juni 1963).

139. Leonhardt, Rudolf Walter, „Das Ende der Resignation", in: *Die Zeit* (amerik. Ausg. 31. Oktober 1972).

140. Lettau, Reinhard, *Die Gruppe 47. Bericht, Kritik, Polemik*, Neuwied: Luchterhand 1967.

141. Ley, Ralph, „Compassion, Catholicism, and Communism: Reflections on Böll's *Gruppenbild mit Dame*", in: *The University of Dayton Review* 10/2 (1973), S. 25–40.

142. Liersch, Werner, „Der Anfang. Heinrich Böll ‚Der Zug war pünktlich'", in: *Neue Deutsche Literatur* 10 (1962), S. 160–163.

143. Locke, Richard, „Portrait of a woman, a city and modern Germany – Heinrich Böll's best novel: Group Portrait with Lady", in: *The New York Times Book Review* (6. Mai 1973).

144. Lorbe, Ruth, „Die deutsche Kurzgeschichte der Jahrhundertmitte", in: *Der Deutschunterricht* 9 (1957), Heft 1, S. 36–54.

145. Maddocks, Melvin, „Heinrich Böll's Song of Innocence", in: *Atlantic Monthly* (Juli 1973).

146. Mammana, Graciela, „Los personjes en ‚Billar a las nueve y media' de Heinrich Böll", in: *Boletín de Estudios Germánicos* 7 (1968), S. 81–92.

147. Manthey, Franz, „Der bundesdeutsche Katholizismus in Heinrich Bölls ,Ansichten eines Clowns'", in: *Begegnung* 20 (1965), S. 338—345.

148. Martin, Jacques, „Romans et romanciers de l'Allemagne d'après-guerre", in: *Etudes Germaniques* 8 (1953), S. 141—165.

149. Martin, Jacques, „Le roman dans l'Allemagne de l'ouest", in: *Etudes Germaniques* 10 (1955), S. 42—52.

150. Martini, Fritz, „Heinrich Böll: ,Billard um halbzehn'", in: *Moderna Språk* 55 (1961), S. 27—38.

151. Martini, Fritz, *Deutsche Literaturgeschichte von den Anfängen bis zur Gegenwart*, Stuttgart: Kröner, 12. Aufl. 1963; Böll: S. 123—124.

152. Mauranges, Jean Paul, „Aliénation et châtiment chez Mark Twain et Heinrich Böll" in: *Revue de Langues vivantes* 39 (1973), S. 131—136.

153. Mayer, Hans, *Zur deutschen Literatur der Zeit. Zusammenhänge, Schriftsteller, Bücher*, Hamburg: Rowohlt 1967; Böll: S. 312—316.

154. Michaelis, Rolf, „Der gute Mensch von Gemmelsbroich. Heinrich Bölls Erzählung ,Die verlorene Ehre der Katharina Blum'", in: *Die Zeit* (amerik. Ausg. 9. August 1974).

155. Migner, Karl, „Heinrich Böll", in: *Deutsche Literatur seit 1945*, hrsg. von Dietrich Weber, 2. überarb. Aufl., Stuttgart: Kröner 1970, S. 290—310.

156. Moore, Harry T., *Twentieth Century German Literature*, New York—London: Basic Books 1967; Böll: S. 193—206.

157. Motekat, Helmut, „Gedanken zur Kurzgeschichte", in: *Der Deutschunterricht* 9 (1957), Heft 1, S. 36—54.

158. Nagel Ivan, „Glaubwürdigkeit an Stelle von artistischer Mache", in: *Die Zeit* (7. Juni 1963).

159. Otani, Tsunehiko, „Über Heinrich Böll mit besonderer Rücksicht auf seine Sozialkritik" (Japanisch mit deutscher Zusammenfassung), in: *Doitsu Bungaku* 34 (1965), S. 16—25.

160. Otten, Anna, „Hausfriedensbruch. Aussatz", in: *Books Abroad* 44/3 (1970). S. 472—473.

161. Otten, Anna, „Gruppenbild mit Dame", in: *Books Abroad* 46/3 (1972), S. 474—475.

162. Paslick, Robert H., „A Defense of Existence: Böll's *Ansichten eines Clowns*", in: *German Quarterly* 41 (1968), S. 698—710.

163. Permsdorf, Klaus, „Vom Anspruch der Geschichte", in: *Neue Deutsche Literatur* 12 (1964), Heft 1, S. 136—142.

164. Petersen, Jürgen, „*Heinrich Böll: Gruppenbild mit Dame*", in: *Neue Deutsche Hefte* 18 (1971), Nr. 131, S. 138—143.

165. Phlippen, Anneliese, „Heinrich Böll: ,So ein Rummel'", in: *Der Deutschunterricht* 10 (1958), Heft 6, S. 69—75.

166. Plant, Richard, „The World of Heinrich Böll", in: *German Quarterly* 33 (1960), S. 125—131.

167. Plard, Heinrich, „Der Dichter Heinrich Böll und seine Werke", in: *Universitas* 18 (1963), S. 247—256.

168. Plard, Henri, „Böll le constructeur. Remarques sur *Billard um halbzehn*", in: *Etudes Germaniques* 15 (1960), S. 120—143.

169. Plavius, Heinz, „Bölls Ästhetik des Humanen", in: *Sonntag* (25. Dezember 1966), S. 3—8.

170. Pongs, Hermann, *Romanschaffen im Umbruch der Zeit. Eine Chronik von 1952 bis 1962*, Tübingen: Verlag der deutschen Hochschullehrerzeitung, 4. erw. Aufl. 1963; Böll: S. 354 ff.; 511 ff.

171. Reich-Ranicki, Marcel, *Deutsche Literatur in West und Ost*, München: Piper 1963; Böll: S. 120–142. – Auch: Hamburg: Rowohlt 1970 (rororo 1313–15); Böll: S. 84–98.

172. Reich-Ranicki, Marcel, „Die Geschichte einer Liebe ohne Ehe – Heinrich Böll spann seinen jetzt erscheinenden Roman aus Fäden von unterschiedlicher Qualität", in: *Die Zeit* (10. Mai 1963).

173. Reich-Ranicki, Marcel, *In Sachen Böll. Ansichten und Einsichten*, hrsg. von M. R.-R., Köln: Kiepenheuer und Witsch 1968. - Auch: München: Deutscher Taschenbuch Verlag 1971 (dtv 730); alle Zitate im Text nach der dtv-Ausgabe.

174. Reich-Ranicki, Marcel, „Heinrich Böll", in: *Deutsche Dichter der Gegenwart. Ihr Leben und Werk*, hrsg. von Benno von Wiese, Berlin: E. Schmidt 1973.

175. Reich-Ranicki, Marcel, „Deutsche Schriftsteller und deutsche Wirklichkeit", in: *Der Monat* 19 (Oktober 1967), S. 56–64.

176. Reich-Ranicki, Marcel, „Nachdenken über Leni. Heinrich Bölls neuer Roman ,Gruppenbild mit Dame'", in: *Die Zeit* (10. August 1971).

177. Reich-Ranicki, Marcel, „Gegen die linken Eiferer. Bölls Stockholmer Rede", in: *Die Zeit* (amerik. Ausg. 18. Mai 1973).

178. Reich-Ranicki, Marcel, „Der deutschen Gegenwart mitten ins Herz. Eine unpathetische Anklage: Heinrich Bölls Erzählung ,Die verlorene Ehre der Katharina Blum'", in: *Frankfurter Allgemeine Zeitung* (24. August 1974).

179. Reid, James H., „Time in the Works of Heinrich Böll", in: *Modern Language Review* 62 (1967), S. 476–485.

180. Reid, James H., *Heinrich Böll. Withdrawal and Re-Emergence*, London: Oswald 1973.

181. Ross, Werner, „Katholizismus als rotes Tuch", in: *Die Zeit* (7. Juni 1963).

182. Rudolph, Ekkehart, *Protokoll zur Person. Autoren über sich und ihr Werk*, hrsg. von E. R., München: List 1971; Böll: S. 27–43.

183. Schmid, Hans Bernhard, „Heinrich Böll als Zeitkritiker", in: *Stimmen der Zeit* 87 (1962), S. 69–72.

184. Schöll, Norbert, „Der pikarische Held. Wiederaufleben einer literarischen Tradition seit 1945", in: *Tendenzen der deutschen Literatur seit 1945*, hrsg. v. Thomas Koebner, Stuttgart: Kröner 1971; Böll: S. 307 ff.; 318 ff.

185. Schütte, Wolfram, „Häretische Marienlegende, kräftig abgedunkelt", in: *Frankfurter Rundschau* 180 (7. August 1971).

186. Schütte, Wolfram, „Notwehr, Widerstand und Selbstrettung. Heinrich Bölls Erzählung ,Die verlorene Ehre der Katharina Blum'", in: *Frankfurter Rundschau* (10. August 1974).

187. Schütte, Wolfram, „Im Gespräch: ,Größte Gefahr: Resignation'. Interview mit Böll", in: *Frankfurter Rundschau* (14. November 1974).

188. Schütte, Wolfram, „Muß das große Schisma fortgesetzt werden? Interview Wolfram Schüttes mit Heinrich Böll", in: *Frankfurter Rundschau* (23. November 1974).

189. Schumann, Thomas B., „Auswahlbibliographie zu Böll", in: *Text und Kritik* 33 (1972), S. 50–54.

190. Schwab-Felisch, Hans, „Die Literatur der Obergefreiten", in: *Der Monat* 4 (1951/52) Heft 42, S. 644–651.

191. Schwab-Felisch, Hans, „Heinrich Böll. Ein junger Schriftsteller und sein Erfolg", in: *Der Monat* 6 (1953/54), Heft 62, S. 194–198.

192. Schwab-Felisch, Hans, „Sanftmut mit Krallen. Aus Anlaß des 50. Geburts-

tags von Heinrich Böll", in: *Merkur* 21 (1967), S. 1211–1215.

193.   Schwab-Felisch, „Im Drahtverhau", in: *Merkur* 26 (1972), S. 307–308.

194.   Schwarz, Wilhelm Johannes, *Der Erzähler Heinrich Böll. Seine Werke und Gestalten*, Bern: Francke 1967.

195.   Schwarz, Wilhelm Johannes, „Heinrich Böll", in: *Christliche Dichter im 20. Jahrhundert. Beiträge zur europäischen Literatur*, hrsg. von Otto Mann, Bern: Francke 1968, S. 432–441.

196.   Sokel, Walter, „Perspective and Dualism in the Novels of Heinrich Böll", in: *The Contemporary Novel in German*, hrsg. von Robert H. Heitner, Austin–London: University of Texas Press 1967, S. 9–35.

197.   Spycher, Peter, „Ein Porträt Heinrich Bölls im Spiegel seiner Essays", in: *Reformatio* 16 (1967), S. 11–24 und S. 106–122.

198.   Stresau, Hermann, *Heinrich Böll*, Berlin: Colloquium Verlag 1964 (Köpfe des XX. Jahrhunderts, Bd. 35).

199.   Tern, Jürgen, „Heinrich Böll und seine Kritiker", in: *Frankfurter Hefte* 27 (1972), S. 158–161.

200.   Thomas, R. Hinton und Wilfried van der Will, *The German Novel and the Affluent Society*, Manchester: University Press 1968, Böll: S. 40–67.

200a. Thomas, R. Hinton und Wilfried van der Will, *Der deutsche Roman und die Wohlstandsgesellschaft*, Stuttgart: Kohlhammer 1969; Böll: S. 57–79; 167 f.; 193 f.

201.   Torberg, Friedrich, „‚Katharina Blum'. Jetzt böllert's. Parodie anstelle einer Besprechung", in: *Spiegel* 35 (26. August 1974).

202.   Trahan, Elisabeth und Eva Schiefer, „The Imaginary of Heinrich Böll's ‚Betrachtungen über den irischen Regen'", in: *German Life & Letters* 15/3 (1962), S. 295–299.

203.   Trommler, Frank, „Der zögernde Nachwuchs", in: *Tendenzen der deutschen Literatur seit 1945*, l. c. (s. L 184); Böll: S. 70 ff.; 106 ff.

204.   Trommler, Frank, „Realismus in der Prosa", in: *Tendenzen der deutschen Literatur seit 1945*, l. c. (s. L 184); Böll: S. 215 ff.

205.   Vanderschaeghe, Paul, *Heinrich Böll*, Breda: Desclée de Brower 1961.

206.   Vogt, Jochen, „Vom armen H. B., der unter die Literaturpädagogen gefallen ist. Eine Stichprobe", in: *Text und Kritik* 33 (1972), S. 33–41.

207.   Wagner, Frank, „Der kritische Realist Heinrich Böll. Die Entwicklung der ‚Krieg-Frieden'-Problematik in seinen Romanen", in: *Weimarer Beiträge* 7 (1961), S. 99–125.

208.   Waidson, H. M., „The Novels and Stories of Heinrich Böll", in: *German Life & Letters* 12 (1959), S. 264–272.

209.   Waidson, H. M., *The Modern German Novel*, London: Oxford University Press 1959; Böll: S. 111–114.

210.   Waidson, H. M., „Heinrich Böll: ‚Billard um halbzehn'", in: *Twentieth Century German Literature*, hrsg. von August Closs, London: The Cresset Press 1969, S. 155–158.

211.   Wellershoff, Dieter, „Tonband-Inverview mit Dieter Wellershoff", in: *Akzente* 18 (1971), S. 331–346.

212.   Whitcomb, Richard O., „Heinrich Böll and the Mirror-Image Technique", in: *The University of Dayton Review* 10/2 (1973), S. 41–46.

213.   Widmer, Walter, „Ablenkungsmanöver oder Buchkritik?", in: *Die Zeit* (7. Juni 1963).

214.   Windfuhr, Manfred, *Die unzulängliche Gesellschaft. Rheinische Sozialkritik von Spee bis Böll*, Stuttgart: Metzler 1971.

215. Wilpert, Gero (ed.). *Lexikon der Weltliteratur. Biographisch-bibliographisches Handwörterbuch*, Stuttgart: Kröner 1963; Böll: S. 179.
216. Wirth, Günter, *Heinrich Böll. Essayistische Studie über religiöse und gesellschaftliche Motive im Prosawerk des Dichters*, Berlin: Union Verlag 1967.
217. Wirth, Günter, *Das christliche Menschenbild bei Böll und Bobrowski*, Berlin: Union Verlag 1970 (Hefte aus Burgscheidungen, hrsg. v. Sekretariat des Hauptvorstandes der Christlich-Demokratischen Union Deutschlands, 173).
218. Wirth, Günter, „Tradition im Futteral. Bemerkungen über Böll und Stifter", in: *Sinn und Form* 24 (1972), S. 1018–1041.
219. Witsch, Ulrich, „Heinrich Bölls Aktentasche", in: *Rheinische Post* (18. August 1971).
220. Wolff, Geoffrey, „Still Life" (über *Gruppenbild mit Dame*), in: *Time* (28. Mai 1973).
221. Yuill, W. E., „Heinrich Böll", in: *Essays on Contemporary German Literature*, hrsg. von Bryan Keith-Smith, London: Wolff 1966.
222. Zimmer, Dieter E., „Stimmen von rechts", in: *Die Zeit* (amerik. Ausg. 31. Oktober 1972).
223. Zimmer, Dieter E., „Wer relativiert wen? Die Zeitschrift ‚Kontinent' als Springers Waffe gegen Böll und Grass", in: *Die Zeit* (amerik. Ausg., 13. Dezember 1974).
224. Zimmermann, Werner, *Deutsche Prosadichtungen der Gegenwart. Interpretationen für Lehrende und Lernende*, Düsseldorf: Schwann, Neuausgabe 1969; Böll: Band 2, S. 51–59; 239–249.
225. Ziolkowski, Theodore, „Heinrich Böll. Conscience and Craft", in: *Books Abroad* 34 (1960), S. 213–222.
226. Ziolkowski, Theodore, „Billard um halbzehn", in: *Books Abroad* 34 (1960), S. 238.
227. Ziolkowski, Theodore, „Heinrich Böll und seine Dichtung", in: *Universitas* 16 (1961), S. 507–516.
228. Ziolkowski, Theodore, „Albert Camus and Heinrich Böll", in: *Modern Language Notes* 77 (1962), S. 282–291.
229. Ziolkowski, Theodore, „The Inner Veracity of Form. Heinrich Böll: Nobel Prize for Literature", in: *Books Abroad* 47 (1973), S. 17–24.

Ergänzungen zur Bibliographie

230. Macpherson, Enid, *Heinrich Böll. A Student's Guide to Böll*, London: Heinemann Educational Books 1972.
231. Matthaei, Renate, *Die subversive Madonna. Ein Schlüssel zum Werk Bölls*, hrsg. v. R. M., Köln: Kiepenheuer & Witsch 1975 (pocket 59).
    Enthält folgende Beiträge:
231a. Bernd Balzer, „Einigkeit der Einzelgänger?".
231b. Arpád Bernáth, „Zur Stellung des Romans *Gruppenbild mit Dame* in Bölls Werk".
231c. Hans Joachim Bernhard, „Es gibt sie nicht, und es gibt sie. Zur Stellung der Hauptfigur in der epischen Konzeption des Romans *Gruppenbild mit Dame*".
231d. Manfred Durzak, „Leistungsverweigerung als Utopie?".
231e. Victor Lange, „Erzählen als moralisches Geschäft".

231f. Theodore Ziolkowski, „Typologie und ‚Einfache Form' in *Gruppenbild mit Dame*".

232. *The University of Dayton Review* 11/2 (1974).
Enthält folgende Beiträge über Böll:

232a. Keith Stewart, „The American Reviews of Heinrich Böll", S. 5–10.

232b. Margareta Deschner, „Böll's ‚Lady': A New Eve", S. 11–24.

232c. Gertrud B. Pickar, „The Impact of Narrative Perspective on Character Portrayal in Three Novels of Heinrich Böll", S. 25–40.

232d. Klaus Jeziorkowski, „Heinrich Böll als politischer Autor", S. 41–50.

232e. Ingeborg L. Carlson, „Heinrich Böll's *Gruppenbild mit Dame* als frohe Botschaft der Weltverbrüderung", S. 51–64.

Einzelne Aufsätze und Interviews neueren Datums, noch nicht in Sammelbänden

233. „George Bernard Shaw: an Herbert Wehner", in: *Frankfurter Rundschau* (31. August 1974). – Erscheint demnächst in: *Alarmierende Botschaften. Zur Lage der Nation*, hrsg. von Ulrich Greiwe, München: Desch Verlag.

234. „Galopp mit der Raum-Zeit-Maschine. Heinrich Böll über Carl Amerys Roman ‚Das Königsprojekt'", in: *Die Zeit* Nr. 41 (amerik. Ausg., 11. Oktober 1974).

235. „Größte Gefahr: Resignation", Interview mit Wolfram Schütte, in: *Frankfurter Rundschau* (14. November 1974).

236. „Muß das große Schisma fortgesetzt werden? Heinrich Böll über deutsche und russische Vertriebene / Reste der Vergangenheit und Hoffnungen auf eine andere Zukunft", Interview mit Wolfram Schütte, in: *Frankfurter Rundschau* (23. November, 1974).

237. „Ich bin ein Deutscher. Rede auf dem PEN-Kongreß ‚Kulturelles Erbe und die schöpferische Kraft in der Literatur unserer Zeit'", in: *Frankfurter Rundschau* (21. Dezember 1974).

238. „Die neuen Probleme der Frau Saubermann", in: *Die Zeit* Nr. 4 (17. Januar 1975).

239. „Wie feige wird man werden?", Gespräch mit Heinrich Böll (zu den Angriffen der CDU/CSU gegen die Polit-Poster von Klaus Staeck), in: *Die Zeit* Nr. 5 (amerik. Ausg. 31. Januar 1975).

240. „Eine Bombe der Ruhe" (über Andrej Sinjawskijs ‚Stimme aus dem Chor'", in: *Die Zeit* Nr. 8 (Amerik. Ausg. 21. Februar 1975).

241. „Drei Tage im März. Ein Gespräch", Interview mit Christian Linder, Köln: Kiepenheuer & Witsch (pocket 65).

242. Beth, Hanno (ed.). *Heinrich Böll. Eine Einführung in das Gesamtwerk in Einzelinterpretationen*, Kronberg/Ts.: Scriptor 1975. (Dieser Sammelband lag beim Abschluß der Arbeiten an dem Forschungsbericht noch nicht vor und konnte daher nicht berücksichtigt werden.)

Anmerkungen

1 Heinz Gollhardt, „Taschenbücher", in: *Literaturbetrieb in Deutschland*, hrsg. von Heinz Ludwig Arnold, München: Richard Boorberg Verlag 1971 (Edition Text + Kritik), S. 118.

2 Mehr Information war auch vom Verlag selbst nicht zu erhalten.

3 Nach Mitteilung des Kiepenheuer & Witsch Verlages wird eine neue Auflage vorbereitet.

Personenregister

Werkregister

Einzelne Aufsätze, Hörspiele, Kurzgeschichten etc. stehen in Anführungszeichen. Buchausgaben sind kursiv gedruckt. Kursive Zahlen verweisen auf ein Kapitel zu einem einzelnen Werk.

Fischer Athenäum Taschenbücher

Forschungsberichte Literaturwissenschaft

Die Forschungsberichte verfolgen ein doppeltes Ziel. Zum einen sollen sie vom neuesten Standpunkt aus diejenigen Informationen liefern, die zu einer wissenschaftlichen Auseinandersetzung mit dem jeweiligen Autor überhaupt erforderlich sind. Zum zweiten sollen die bis zur Abfassungszeit vorliegenden Forschungsergebnisse in einer problemorientierten Sicht zusammengefaßt und einer breiteren Diskussion zugänglich gemacht werden. In dieser methodischen Form stellen die »Forschungsberichte« Arbeitsbücher dar, die für den Studenten wie den Fachwissenschaftler gleichermaßen relevant sind.

Bereits erschienen:

FAT 2014
Peter U. Beicken
Franz Kafka
Eine kritische Einführung
in die Forschung

FAT 2053
Hugo Dittberner
Heinrich Mann
Eine kritische Einführung
in die Forschung

FAT 2069
Gerhard P. Knapp
Georg Büchner
Eine kritische Einführung
in die Forschung

FAT 2073
Robert L. Roseberry
Robert Musil
Ein Forschungsbericht

FAT 2028
Jan Knopf
Bertolt Brecht
Ein kritischer
Forschungsbericht
Fragwürdiges in der
Brechtforschung

In Vorbereitung:

Josef Goertz
Günter Grass
Einführung in Wirkung und
Forschungsgeschichte

Jost Hermand
Forschungsbericht
zu Heinrich Heine

Rainer Nägele
Heinrich Böll
Einführung in Rezeption
und Forschung